GESCHEIDEN WEGEN

Marja van der Linden

Gescheiden wegen

Spiegelserie

ISBN 978 90 5977 872 6
ISBN e-book 978 90 5977 873 3
NUR 344

Omslagontwerp: Bas Mazur

www.spiegelserie.nl

1

De stilte van de nacht werd doorbroken door de zware klanken van de torenklok.

Lobke telde de slagen: een, twee, drie, vier... Vier uur nog maar. Zou ze eruit gaan? Ze lag nu toch al een poosje te draaien. Ze wierp zich nog eens op haar andere zij, draaide haar kussen om en zocht naar een kuiltje om haar hoofd in te leggen. Maar de slaap wilde niet meer komen.

Toen ze gisteravond rond halfelf naar bed waren gegaan, was ze als een blok in slaap gevallen, maar om kwart over een was ze om de een of andere reden ineens klaarwakker geweest. Om halftwee had ze het bedlampje aan haar kant aangeklikt en had ze even liggen lezen, in de hoop dat ze daar weer slaperig van zou worden. Dat deed ze wel vaker, en gelukkig maakte Roel daar nooit een opmerking over. Die draaide zich hooguit om en sliep dan weer verder.

Ze had wel drie hoofdstukken liggen lezen en had daarna het lampje weer uitgedaan. Het was toen kwart over twee, had ze op haar wekker gezien. Daarna had ze de torenklok nog halfdrie en drie uur horen slaan. Blijkbaar was ze toen toch even ingedommeld, want ze had de klok van halfvier niet gehoord. Ze moest wel geslapen hebben, want ze had ook liggen dromen. Waarvan wist ze niet meer precies, alleen dat het allemaal erg raar was. Iets met Joyce...

Ze zocht in haar geest naar de laatste beelden van de droom. Soms als ze droomde stonden de beelden haar nog haarscherp voor de geest als ze wakker werd, en kon ze de droom precies navertellen. Maar deze droom gaf alleen maar schimmige beelden terug. Ze herinnerde zich vaag een berg stenen, een soort ruïne van een kerk of een kasteel, zoals ze die veel in Engeland hadden.

Engeland, waar Joyce woonde met haar man Ivo en hun kinderen: Simon van vijf en de tweeling Manon en Sofie van drie. Joyce was Lobkes beste vriendin, die ze al vanaf groep 1 van de basisschool kende. Met Joyce had ze lief en leed gedeeld. Toen Joyce en Ivo zich in Engeland vestigden omdat Ivo daar een baan kon krijgen met goede vooruitzichten, had zowel Lobke als Joyce dat erg jammer gevonden. Anderzijds was Lobke allang blij

geweest dat Ivo niet had gekozen voor een of ander ver ontwikkelingsland, wat hij tijdens zijn middelbareschooltijd van plan was geweest. Engeland was tenminste nog redelijk dichtbij.
Lobke en Joyce onderhielden nog wel contact via de mail en Skype, maar dat werd steeds onregelmatiger. Logisch, Joyce had het druk met haar gezin. Nog geen twee jaar na Simon werd de tweeling geboren, zodat ze toen drie kinderen in de luiers had. Af en toe kwam het gezin een week naar Nederland op familiebezoek, waarbij ze ook trouw Roel en Lobke bezochten. De laatste keer was geweest kort nadat Matthijs zijn eerste verjaardag gevierd had. Matthijs, hun Godsgeschenk.
Lobke glimlachte toen ze aan haar zoon dacht. Over een paar maanden werd hij twee, en hij was werkelijk een Godsgeschenk. Het was een prachtig mannetje, met net zo'n bos krullen als zijn vader, alleen was Matthijs wat blonder dan Roel. Hij had grote, helderblauwe kijkers, een grappig neusje, een mondje dat bijna altijd lachte en een paar stevige wangetjes. Ze hadden hem gekregen op een moment dat ze daar geen van tweeën meer op durfden hopen. Lobke had zelfs gedacht dat ze al in de overgang was, vervroegd door de chemokuren die ze destijds had gehad nadat er leukemie bij haar was ontdekt. Dat was nu alweer... even rekenen, zo'n twaalf jaar geleden.
Zij en Roel hadden net verkering toen Lobke die ernstige ziekte kreeg. De artsen hadden meteen een onderzoek gestart naar een mogelijke beenmergdonor. Met Aafke, Lobkes oudste zus, was er geen match geweest, maar met Sanne, Lobkes twee jaar oudere zus die ernstig verstandelijk gehandicapt was, bleek er wel een match te zijn. Sanne was echter panisch voor alles wat met artsen te maken had, en zowel Lobke als haar ouders vonden het moeilijk om tot een beslissing te komen of Sanne nu wel of niet beenmergdonor zou worden. Uiteindelijk was de knoop doorgehakt, mede door de inbreng van Aafke. Bij Sanne was operatief beenmerg verwijderd, dat na de laatste chemokuur bij Lobke ingebracht was. Sanne had er gelukkig weinig van meegekregen, en Lobke was later volledig hersteld. Er was echter wel direct bij het starten van de chemokuren gezegd dat Lobke door de chemo onvruchtbaar kon worden en dat de kans op een zwangerschap na de chemo praktisch nihil was. Tijdens de kuren was Lobke daar niet zo mee bezig geweest, ze was toen alleen gericht op beter worden. Ze had

daarbij alle steun gehad van haar familie en van haar vrienden en vriendinnen op school. Met ontroering dacht ze nog regelmatig terug aan haar achttiende verjaardag, die zo'n bijzonder feest was geweest. De dag waarop ze de bruid had mogen spelen, en waarop Roel haar min of meer ten huwelijk had gevraagd. Het kettinkje dat ze toen van hem kreeg, met daaraan een medaillon waarop de letters R en L met elkaar vervlochten waren, droeg ze nog steeds.

Toen ze een jaar met Roel getrouwd was en iedereen om haar heen zwanger leek te worden, was de realiteit omtrent een mogelijke onvruchtbaarheid als een mokerslag bij Lobke binnengedrongen. Ze had zelfs voorgesteld om maar te scheiden, zodat Roel een andere vrouw kon zoeken bij wie hij wel kinderen zou kunnen verwekken. Maar Roel was daar alleen maar verontwaardigd om geworden.

En toen, nu ruim tweeënhalf jaar geleden, was ze ineens zwanger gebleken. Wat waren ze blij geweest, maar wat had vooral Lobke ook een angst gehad dat die zwangerschap niet goed af zou lopen. Maar na een voorspoedige zwangerschap had ze dan eindelijk hun zoon Matthijs in haar armen mogen sluiten. Dat moment zou Lobke nooit vergeten. Wat had ze genoten van haar zwangerschapsverlof! Even had ze er zelfs aan gedacht om helemaal niet meer terug te gaan naar de praktijk waar ze tot aan haar verlof drie dagen per week als fysiotherapeute werkzaam was, en om fulltime thuis te moederen. Maar haar werk trok ook, dat had ze altijd met veel plezier gedaan. In overleg met haar werkgever vond ze een compromis door haar werktijd terug te brengen tot twee dagen per week. Voortaan ging ze alleen de maandag en de dinsdag naar de praktijk. Roel bleef 's maandags thuis om voor Matthijs te zorgen, en op dinsdag ging Matthijs naar het kinderdagverblijf. Hanneke, Lobkes moeder, had nog aangeboden om elke dinsdag op te komen passen, maar daar hadden Roel en Lobke niet van willen horen. 'Ben je mal, mam, dat is bijna een uur heen en een uur terug. Nee hoor, dat is niet nodig. Het kinderdagverblijf ligt vlak bij de praktijk, ik hoef alleen de weg maar over te steken.'

Matthijs moest wel even wennen in zijn nieuwe omgeving. Hij sliep daar slecht, was huilerig, Lobke had zelfs nog overwogen om alsnog in te gaan op het aanbod van haar moeder. Maar na een paar weken ging het beter, en nu had hij het er prima naar zijn zin. De begeleidsters waren allemaal dol

op hem. Net als zijn ouders trouwens, en de andere familieleden. Vooral opa Frank, de vader van Roel, was helemaal verrukt van zijn kleinzoon. Roels moeder was al twee jaar overleden toen Roel bij Lobke in de klas kwam. Zijn vader was daarna nooit meer hertrouwd, al had hij wel een enkele keer een vriendin gehad. Maar dat was steeds op een teleurstelling uitgelopen. Hij woonde tegenwoordig in Utrecht, en van daar was het maar een wipje naar Montfoort, dus kwam hij minstens één keer per week langs, 'eens kijken hoe het met mijn kleinzoon is'. Lobke snapte dat wel, Roel was enig kind en het was al een wonder dat zij Matthijs gekregen hadden, dus zou dat opa Franks enige kleinkind blijven. Haar eigen ouders hadden naast Matthijs nog drie kleinkinderen, de kinderen van Lobkes oudste zus Aafke en haar man Tim: Lisanne van ruim zes, Stijn van bijna drie en Marit van tien maanden. Maar Lobke merkte wel dat Matthijs een bijzonder plekje in het hart van haar ouders had.
Ze meende een geluidje te horen en spitste even haar oren. Was dat Matthijs? Hij had bij het naar bed brengen wat hangerig geleken, en Lobke had hem voor de zekerheid getemperatuurd, maar hij had geen verhoging gehad. Hij was ook meteen gaan slapen, ze hadden hem niet meer gehoord, en toen ze zelf naar bed gingen en gewoontegetrouw nog even bij hem gingen kijken, lag hij rustig te slapen.
Weer spitste ze haar oren. Nee, toch niet.
Toen Matthijs nog maar net geboren was, had ze amper in slaap durven vallen, bang dat ze hem niet zou horen als hem iets zou overkomen. Als hij huilde was ze ongerust, maar als hij ineens weer stil werd, was ze soms nog ongeruster. Dan ging ze bij zijn bedje staan om te kijken of hij nog wel ademde. Een kind was zo'n kostbaar iets...
Die onrust was gelukkig van lieverlee wel verdwenen toen Matthijs zich ontwikkelde van een tevreden baby tot een ondernemende peuter. Hij liep al los nog voor hij een jaar was, en Roel had heel de benedenverdieping 'Matthijs-proof' willen maken door alles wat zich op een niveau van onder een meter bevond, te verwijderen of omhoog te zetten. Hij had zelfs de rechthoekige salontafel willen vervangen door een ronde, zodat Matthijs zijn hoofdje niet zou stoten aan de punten van de tafel. Maar Lobke had daar niet van willen weten. 'Hij zal moeten leren dat er dingen zijn waar hij niet aan mag komen, en dat er dingen zijn waar hij zich pijn aan kan

doen. Zijn wereld zal steeds groter worden en wij zullen hem niet altijd kunnen beschermen. Hij zal daar zelf mee om moeten leren gaan, en dat begint al bij ons thuis.'
Roel had ontdekt dat Matthijs inderdaad 'leerbaar' was als het ging om dingen waar hij niet aan mocht komen. De stereoinstallatie bijvoorbeeld was iets waar Matthijs naartoe getrokken werd: daar kwam geluid uit, daar knipperden lichtjes, en daar zaten knopjes aan waar je aan kon draaien. Maar telkens als hij zijn handje uitstak naar de knoppen, duwde Lobke of Roel zijn handje weg en zei duidelijk: 'Nee, Matthijs, dat mag niet!' Op een gegeven moment was 'Nee' al genoeg, en nog later zei Matthijs zelf al 'neeneenee' zodra hij zijn handje uitstrekte naar de stereo, waarbij hij schudde met zijn hoofdje. En sinds hij een keer zijn hoofd gestoten had tegen de punt van de tafel, toen hij een blokje op wilde pakken dat daar vlakbij op de grond lag, bleef hij uit zichzelf al een eindje bij de punt vandaan.
Hanneke, Lobkes moeder, was erbij geweest toen Matthijs z'n hoofdje stootte. Hanneke had haar handen steeds voor de punt willen houden als Matthijs daar te dicht in de buurt kwam, maar Lobke had gezegd dat dat niet nodig was. 'Zo moet hij het leren, mam.' Hanneke had Lobke 'een harde moeder' gevonden, en had verwijtend gekeken toen Matthijs uiteindelijk toch zijn hoofdje stootte en het op een huilen zette. Later verontschuldigde ze zich daarvoor. 'Je hebt gelijk, hij moet het leren. Zo heb ik dat met jullie ook gedaan toen jullie klein waren, al was dat met Sanne natuurlijk anders. Maar het lijkt wel alsof ik steeds meer gevaren zie naarmate ik ouder word.'
Matthijs was snel getroost, al bleef er een tijdje een flinke rode plek op z'n hoofdje zichtbaar. En de 'les' had geholpen. De volgende keer dat er een blokje bij de tafel lag, ging Matthijs meteen op z'n knietjes liggen en schoof voorzichtig naar het blokje toe.
Lobke ging maar weer eens op haar andere zij liggen. Allemaal leuk en aardig, al die gedachten die in haar hoofd voorbijflitsten, maar zo viel ze natuurlijk nooit in slaap. Ze drukte het lichtknopje van de wekker aan om te zien hoe laat het nu was: tien over halfvijf. Zou ze er toch maar uit gaan? Vandaag was het woensdag, ze hoefde niet te werken en kon desnoods vanmiddag tegelijk met Matthijs een middagdutje doen.
Haar voeten tastten naar haar sloffen, en toen ze die gevonden en aange-

trokken had stapte ze uit bed, voorzichtig om Roel niet wakker te maken. Toen ze naar beneden liep, klonk het krakende geluid van een van de treden harder dan ze wilde, en ze hield even haar adem in. Zou Matthijs niet wakker worden? Maar het bleef stil.
In de keuken zette ze de waterkoker aan, en toen het water kookte schonk ze een kopje thee voor zichzelf in. Ze knipte de schemerlamp in de woonkamer aan en nestelde zich met haar handen om het kopje thee in een van de fauteuils. Met een tevreden blik keek ze de kamer rond. Wat hadden ze toch een gezellig huisje! Het was niet groot, maar ruim genoeg voor z'n drieën. Het was een voormalige arbeiderswoning, die al gedeeltelijk gerenoveerd was toen Lobke en Roel het huis kochten. Er zaten toen al een nieuwe trap, een nieuwe keuken en een nieuwe badkamer in, maar het stel dat er woonde was halverwege de verbouwing uit elkaar gegaan voor ze aan de rest van de bovenverdieping toegekomen waren. Lobke en Roel waren er na hun trouwen direct ingetrokken en hadden hier en daar wat meubels geleend met de bedoeling pas iets nieuws aan te schaffen als de kamers klaar waren. Ze hadden het boven aanvankelijk gelaten zoals het was en waren eerst verdergegaan met de benedenverdieping. Ze hadden alles geschilderd en gesausd en daarna parket gelegd. Bij het uitzoeken van de nieuwe meubels was er wat onenigheid geweest over de stijl: Roel wilde moderne, strakke meubels, maar Lobke wilde iets wat paste bij de uitstraling van het oude huisje. Ze vonden een compromis in een prachtige donkerrode stoffen bank met twee bijpassende donkergrijze fauteuils, en een blank eiken salontafel en dressoir. In een andere meubelzaak hadden ze een blank eiken eethoek met zes stoelen gevonden die prima bij het dressoir paste. In de keuken waren mooie vloertegels gekomen, en Roel had in de diepe ingebouwde kast een hoop planken gemaakt waar ze een flinke voorraad in kwijt konden. Pas daarna waren ze begonnen aan hun eigen slaapkamer. Roel had over de hele breedte van de muur naast het raam een kastenwand gemaakt, met spiegels op enkele deuren, wat een ruimtelijk effect gaf. Aan de andere kamer boven hadden ze nog niets gedaan, tot Lobkes zwangerschap zich onverwacht aankondigde. Ruim twee jaar geleden was er een dakkapel op de bovenverdieping gekomen, waarmee er een ruime en lichte babykamer gecreëerd was. De inrichting van de babykamer had Roels vader betaald, en op hun bezwaren had hij alleen maar gezegd:

‘Gun me nu dat plezier.’ Samen met ‘opa Frank’ en ‘oma Hanneke’ waren Roel en Lobke een middag naar een woonboulevard geweest, waar ze volgens Lobke ‘de mooiste babykamer ter wereld’ hadden uitgezocht. ‘Dit zou zelfs niet misstaan op een kamer voor een prinsje of prinsesje,’ had ze gezucht, terwijl ze met haar hand over het gladde witte hout had gestreken. Van ‘oma Hanneke’ hadden ze er nog een mooie witte schommelstoel bij gekregen, waar Lobke graag in zat als ze Matthijs aan het voeden was.
Toen de verbouwing van het huis helemaal klaar was, was de kleine achtertuin aan de beurt geweest. Ze hadden het gras weggehaald en er over de hele breedte een gezellig terras gemaakt, met een smalle border waarin diverse klimmers: clematis, kamperfoelie, passieflora, winterjasmijn, en daaronder een overvloed aan bloembollen. Ook hing Lobke elke zomer fleurige hangplanten tegen het fietsenschuurtje, en als het weer het ook maar enigszins toeliet, waren ze in de tuin te vinden. Roel was nu bezig met het maken van een zandbak voor Matthijs' tweede verjaardag. Hopelijk hadden ze een mooie nazomer en kon Matthijs er dit jaar nog vaak gebruik van maken. Op het kinderdagverblijf hadden ze ook een flinke zandbak, waar hij graag in speelde.
Lobkes blik viel op een beeldje van wit albast op een sokkel van donker hout, dat op het dressoir stond. Het stelde een jonge vrouw voor, bijna een meisje nog, en was zo'n dertig centimeter hoog. De onderkant van het beeldje was ruw gehouden, alsof de vrouw opsteeg uit de steen en pas begon bij haar kuiten. Haar armen waren opgeheven, de ene arm wat hoger dan de andere, alsof ze naar iets reikte. De bovenste hand opende zich, alsof die net iets gegeven had of klaarstond om iets te ontvangen. Op het gezicht van de vrouw, dat ook opgeheven was, was een vage glimlach te zien. Lobke wist nog precies wanneer ze het beeldje gekregen had: een week of zes voor haar achttiende verjaardag, kort na haar eerste chemokuur. Opa De Bont, ‘opi’, zoals ze hem altijd noemde, had het voor haar gemaakt; hij was ermee begonnen direct nadat duidelijk geworden was hoe ziek Lobke was. Hij had daarmee zijn liefde voor haar uitgedrukt, en de manier waarop hij zag dat ze met haar ziekte omging. Daarna had hij geprobeerd om haar de eerste beginselen van het beeldhouwen bij te brengen, en ze was daar enthousiast aan begonnen, maar nadat ze haar studie weer opgepakt had was die hobby in het slop geraakt, tot verdriet van opa.

Ze had alle spullen nog, misschien kon ze daar binnenkort toch weer eens mee beginnen. Bijvoorbeeld het hoofdje van Matthijs uitbeelden, al zou dat vast wel moeilijk zijn.
Ze had twee jaar geleden nóg een beeldje van opa gekregen: een zwangere vrouw, die haar armen in een beschermend gebaar voor haar buik gevouwen hield. Dat stond in de vensterbank in de keuken, Lobke mocht er graag naar kijken als ze aan het bakken of koken was. Opa maakte prachtige dingen, al was hij de laatste tijd wat minder in zijn schuurtje bezig. Misschien omdat oma hem vaker nodig had.
Vorig jaar, toen haar ouders vijfendertig jaar getrouwd waren, hadden ze dat gevierd in York. Haar ouders hadden een vakantiebungalow gehuurd in hetzelfde park als waar ze naartoe gegaan waren toen Lobke nog volop bezig was met chemokuren. Opa en oma De Bont, de ouders van Hanneke, waren destijds ook van de partij geweest, maar die gingen vorig jaar niet mee. Opa was nog wel vitaal genoeg, maar oma werd steeds slechter ter been, zij zag het niet meer zitten om te reizen. En Sanne kon dit keer helaas ook niet mee, zij was erg achteruitgegaan het afgelopen jaar. Het aantal epilepsieaanvallen nam toe en medicatie leek daar weinig tot geen effect op te hebben. Je kon zien dat het haar uitputte, en iedereen, niet alleen haar ouders en zussen maar ook de artsen en de begeleiders, voelde zich machteloos. Gelukkig leek het zich nu weer iets te stabiliseren.
Toen ze die week in York waren, waren Roel, Lobke en Matthijs een dagje met de trein naar Leeds gegaan, waar Joyce en Ivo met hun gezin woonden. Joyce en Ivo waren een paar weken daarvoor verhuisd van de binnenstad naar een buitenwijk, en Lobke was erg nieuwsgierig geweest naar het nieuwe huis, waar ze alleen nog maar een paar foto's van gezien had.
De nieuwe woning bleek een prachtige bungalow te zijn. Lobke had zich vergaapt aan de dure aankleding van het huis, en had verlekkerd rondgelopen in de grote tuin die om het huis heen lag. 'Joh, wat een ruimte! Wat wonen jullie hier schitterend!' had ze uitgeroepen. 'Vergeleken met deze tuin is die van ons maar zo groot als een postzegel,' had ze er zonder enige vorm van jaloezie aan toegevoegd. Ze gunde haar hartsvriendin alle goeds.
Joyce had wat verlegen geglimlacht. 'Voor mij hoefde het allemaal niet zo luxe,' had ze haast verontschuldigend gezegd. 'Maar Ivo heeft promotie gemaakt en wilde voor zijn nieuwe collega's niet onderdoen. Die wonen

hier in de buurt, en toen dit huis te koop kwam, wilde hij het per se hebben. Ach, je hebt gelijk, 't is lekker ruim. Maar in ons vorige huis was ik net zo gelukkig, hoor. Voor mij hoefde die hele verhuizing niet, en Simon vond het ook niks om zijn vriendjes te moeten verlaten. Volgende maand wordt hij vier en hij had zich erop verheugd binnenkort samen met hen naar school te gaan, maar hij moet nu naar een andere school, eentje waar de kinderen van Ivo's collega's ook op gaan.'

Lobke had haar vriendin onderzoekend aangekeken. Joyce' stem had zo mat geklonken toen ze dat vertelde. 'Gaat het wel goed met je?' had ze gevraagd.

Joyce had haar schouders opgehaald. 'Ach, ik moet gewoon niet zeuren,' had ze zich ervan afgemaakt. 'Kom, dan gaan we eens kijken wat de mannen aan het doen zijn.'

Ivo had intussen alle technische snufjes van het nieuwe huis aan Roel laten zien. Die was daar danig van onder de indruk. Lobke had zich wat verbaasd over Ivo's houding, en sprak dat uit naar Roel in de trein terug naar York. 'Ik vond Ivo een beetje opschepperig, zo was hij vroeger nooit,' zei ze. 'Vond jij dat niet?'

Roel had haar verbaasd aangekeken. 'Opschepperig? Nee, dat is me niet opgevallen. Hij was trots op hun nieuwe huis met al die moderne snufjes, maar dat is toch logisch? Dat zou ik ook geweest zijn als dat ons huis was.'

'Zou je zo'n huis zelf willen hebben?' had Lobke gevraagd.

Maar Roel had zijn arm om haar en Matthijs heen geslagen en hen dicht tegen zich aan getrokken. 'Ik ben tevreden met ons huis, omdat jij daar woont, samen met mij en onze Matthijs. *Home is where the heart is*, zeggen ze toch hier in Engeland?'

Hoe zou het nu met Joyce zijn? Flarden van de droom van vannacht drongen weer tot Lobke door. Ze had Joyce gezien, midden tussen een berg stenen. Meer kon ze zich niet herinneren.

Wanneer had ze voor 't laatst een mail van Joyce gekregen? En had daar soms iets in gestaan wat ze over het hoofd had gezien, maar wat in haar onderbewuste naar boven was gekomen?

Ze zette het theeglas op de tafel, stond op en pakte de laptop. Ze ging aan de eettafel zitten en startte de laptop op, ging daarna naar haar mailbox.

Met verbazing staarde ze naar het scherm. Vannacht, om tien over halfdrie

Engelse tijd, maar dus tien over halfvier Nederlandse tijd, net toen Lobke aan het dromen was over Joyce, had Joyce haar een mail gestuurd, met als onderwerp: *Help!*

2

LOBKE OPENDE DE MAIL. TERWIJL ZE JOYCE' BERICHT LAS, WERDEN HAAR OGEN steeds groter.

van	Joyce Vermeer-den Heyer <joycevermeer@gmail.com>
aan	Lobke Sikkens-Schrijver <roelenlobke@home.nl>
datum	31 augustus 2011 2:40
onderwerp	Help!

Lieve Lobke,

Niet meteen schrikken, hoor, van dat Help! Maar ik moest even met je praten, en omdat jij nu ongetwijfeld lekker op één oor ligt, doe ik het maar per mail. Ivo en de kids zijn in diepe rust, maar ik ben klaarwakker.
Ivo heeft me vanmiddag verteld dat we weer terug kunnen gaan naar Nederland. Het bedrijf waar hij werkt wil steeds meer internationaal gaan en heeft om te beginnen een soortgelijk bedrijf in Nederland opgekocht. Dat bedrijf liep niet goed en er moet het nodige veranderen. Ivo mag die reorganisatie nu gaan doen. Tenminste, als hij dat wil. En hij wil graag! Het zou alweer een flinke promotie voor hem zijn, en hij zegt dat hij eraan toe is.
Maar hoe leuk ik het ook zou vinden om weer dichter bij jou te komen wonen, ik moet er niet aan denken om zo kort na de vorige keer opnieuw te moeten verhuizen. Ik heb het gevoel dat ik nu nog moe ben van de vorige verhuizing. Daarbij komt dat het ook weer een hele omschakeling voor de kids zou zijn. Die horen meer Engels dan Nederlands, al hun vriendjes spreken Engels, en na een paar jaar tussen Britten gewoond te hebben spreken wijzelf ook amper meer Nederlands, soms alleen nog maar in bed. Of als we ruzie hebben. Misschien dat onze emoties zich nog niet genoeg laten vertalen...
Maar alle gekheid op een stokje: natuurlijk krijgt Ivo z'n zin. Dat weet ik nu al. Hij heeft wel gezegd dat we er een nachtje over moesten slapen (wat ik nu dus niet doe), maar ik heb gezien hoe zijn ogen glansden toen hij het vertelde. We komen dus weer terug naar Nederland. En dat zal waarschijnlijk nog voor de feestdagen zijn, volgens Ivo.

Hoor je me zuchten? Want wie zal Simon op moeten vangen als hij dit bericht hoort? Mommy. Vorige keer deed hij al zo moeilijk toen we gingen verhuizen, en als hij hoort dat we nu naar Nederland gaan, waar de 'opa's en oma's' wonen die zo gek praten, zal hij helemaal niet blij zijn. De meiden zijn wat flexibeler, die hebben elkaar en passen zich wel aan, maar Simon is al zo'n gevoelig ventje. En wie zal alle spullen in moeten pakken? Mommy, want daddy moet natuurlijk al van alles gaan regelen in Nederland.
Afijn, het enige goede hieraan zal zijn dat we elkaar weer vaker live kunnen zien. Dan heb ik tenminste ook iets om naar uit te kijken!

To be continued...

Joyce

Lobke haalde diep adem. Joyce kwam weer naar Nederland! Enerzijds leek haar dat geweldig, maar anderzijds las ze in de mail van Joyce dat die liever had dat het niet doorging.
Ze drukte op Beantwoorden en ging aan het typen:

van	Lobke Sikkens-Schrijver <roelenlobke@home.nl>
aan	Joyce Vermeer-den Heyer <joycevermeer@gmail.com>
datum	31 augustus 2011 5:35
onderwerp	Re: Help!

Lieve Joyce.

Nee, meis, ik sliep ook niet. Ik was al om kwart over een klaarwakker, heb daarna een poos liggen lezen, en ben tussen kwart over drie en kwart voor vier weer heel even ingedommeld, want ik heb de klok geen halfvier horen slaan. En nu komt het bizarre: weet je over wie ik droomde tijdens dat dommelen? Over jou! Net toen jij me die mail zat te schrijven, droomde ik over jou. Ik wist dat wij een lijntje naar elkaar hadden, maar dat het zo sterk zou zijn? Bijzonder!
Nu baal ik helemaal dat ik niet meer weet waar de droom over ging. Ik weet alleen nog vaag iets over een berg stenen, van die grote ronde, weet je wel, waar in Engeland kastelen van gemaakt zijn. My home is my castle, *zeggen ze in Engeland, dus zal*

het wel iets met jullie nieuwe huis in Nederland te maken hebben.
Ik snap dat je ertegen opziet om alweer te moeten verhuizen, en tegen al de rompslomp die dat met zich mee zal brengen. Ook zal Simon het niet leuk vinden. Maar ik zou het echt super vinden als het door zou gaan! Waar is dat bedrijf in Nederland gevestigd? Hopelijk in de buurt van Montfoort (en daar zit een hoop eigenbelang bij)!
Hier verder alles goed. Matthijs groeit als kool, heeft eergisteren voor het eerst op het potje geplast (maar dat was meer per ongeluk dan dat hij wist wat hij deed, vermoed ik). Ik zal een foto meesturen (niet van dat plasje, maar van Matthijs).

Ik hoop dat je 'continuing story' een 'happy end' krijgt!

Liefs,

Lobke

Ze opende de map Afbeeldingen, zocht daar een recente foto van Matthijs uit en hing die als bijlage aan de mail. Daarna drukte ze op Verzenden. Bijzonder toch, dat je met één druk op de knop een bericht inclusief foto naar iemand in het buitenland kon versturen, zelfs als dat het andere eind van de wereld was.
Ze sloot haar mailbox en schakelde de laptop uit. Daarna leunde ze achterover, ze rekte zich uit en gaapte. Ze had het koud gekregen. Zou ze nog even teruggaan naar bed? Roel hoefde er pas om halfacht uit en Matthijs sliep op woensdag meestal langer door dan gewoonlijk, moe als hij was na een drukke dag op het kinderdagverblijf. Het was nu tegen zessen, dan had ze nog anderhalf uur.
Ze stond op, knipte de schemerlamp uit met een druk van haar voet en sloop zacht de trap op. Ook nu kraakte de trede weer – Roel moest daar toch maar eens iets aan doen – maar ook nu bleef dat zonder reactie. Toen ze de slaapkamer binnenkwam, lag Roel zacht te snurken. Soms stoorde ze zich daaraan, maar nu vond ze het een geruststellend en vertrouwd geluid. Ze schopte de sloffen van haar voeten en glipte naast hem in bed. Hè, wat straalde hij een lekkere warmte uit! Het liefst nestelde ze zich helemaal tegen hem aan, maar dan zou hij ongetwijfeld wakker worden.
Dat werd hij toch wel. Hij stopte met snurken en zuchtte even. 'Ben je er

weer?' bromde hij. 'Ik miste je ineens. Kon je niet slapen?' Hij schoof naar haar toe en sloeg zijn arm om haar heen. Even schrok hij terug. 'Hé, je bent hartstikke koud! Hoe komt dat?' Daarna kroop hij dicht tegen haar aan. 'Zo, dan zal ik je eens opwarmen.'
'Wat ben je toch lief,' zei Lobke, en tevreden legde ze haar hoofd tegen zijn borst. Ze aarzelde even. Zou ze het nieuws van Joyce en Ivo nu vertellen? Maar niet doen, dan gingen ze erover liggen praten en waren ze allebei klaarwakker. Ze gaapte. Dat kwam straks wel.
Dicht tegen elkaar aan vielen ze allebei weer in slaap.

Lobke werd wakker door het roepen van Matthijs: 'Mama, papa, wakker!'
Het was alsof ze van heel ver moest komen, alsof ze zich omhoog moest worstelen uit een dikke, wollige laag die haar gevangen wilde houden. Langzaam drong het geluid weer tot haar door. 'Mama, papa, wakker!'
Versuft keek ze om zich heen. Hè, wat? Toen ontdekte ze dat het plekje naast haar al leeg was. Hoe laat was het eigenlijk? Ze reikte naar de wekker en staarde verbaasd naar de wijzers. Kwart voor negen?
Ze schoot overeind. Roel was natuurlijk allang weg. De schat, hij had haar lekker laten liggen. En Matthijs had het ook lang uitgehouden.
Weer klonk zijn stemmetje: 'Mama, papa, wakker!'
'Mama komt, mannetje,' riep ze. Ze zocht naar haar sloffen – hè, waarom zette ze die niet gewoon netjes naast haar bed zodat ze ze 's morgens direct terug kon vinden? – en liep toen naar de slaapkamer van Matthijs. Hij stond al recht overeind in zijn ledikantje en zwaaide met zijn knuffel.
'Thijs wakker,' verklaarde hij ten overvloede.
Lobke tilde hem uit zijn bedje. 'Goeiemorgen, lieve schat,' zei ze. Ze knuffelde hem. Hè, waarom hadden volwassenen altijd zo'n zurige adem als ze wakker werden, en roken kleine kindjes alleen maar zoet? 'Heb je dan zo lekker geslapen?'
'Nee, nie sape,' schudde hij driftig zijn hoofdje. 'Thijs wakker.'
'Mama is ook wakker. Ga je mee naar beneden, een boterhammetje eten?'
Hij knikte. 'Dinke,' zei hij.
'Ja, natuurlijk, ook een beetje drinken. Maar eerst een schone luier.'
Ze verschoonde hem en liep daarna met Matthijs in haar armen de trap af. Ze waren hem aan het leren om zelf de trap af te gaan, achteruit schuivend

naar beneden, tree voor tree, maar 's morgens vroeg, met zijn warme lijfje tegen haar aan en zijn armpjes stevig om haar nek, liet ze zich het genoegen niet ontzeggen om hem te dragen.
Beneden gekomen worstelde hij zich los. 'Auto pakke.' Natuurlijk, Matthijs en auto's, daar kon je hem mee uittekenen. Ze zette hem op de grond en wilde de tafel gaan dekken. Maar dat hoefde niet, alles stond er al, inclusief een thermoskan met heet water. Op haar bordje lag een briefje: *Zo, schone slaapster, lekker uitgerust? Ik heb je maar laten liggen, je zag er zo lief uit. Fijne dag met onze kleine man en tot vanavond.*
Lobke kuste het briefje en drukte het even aan haar hart. De lieverd! Daarna riep ze Matthijs: 'Kom, dan gaan we een boterham eten.'
Matthijs kwam al aandribbelen, zijn favoriete blauwe Volkswagen in zijn hand. Ze zette hem in de kinderstoel, legde de auto weg en deed hem een slab voor. Daarna smeerde ze een boterham met smeerkaas voor hem en sneed die in kleine stukjes. Hij deed netjes zijn handjes tegen elkaar, zei 'Dese pijse ame' en pakte een stukje brood. Lobke lachte. Matthijs was al net zo'n lieverd als z'n vader.
Pas tijdens het eten schoot de mail van Joyce haar weer te binnen. Ze was benieuwd of Joyce haar reactie al gelezen had. Misschien kon ze straks wel even naar Engeland bellen.
'Op!' Matthijs hield haar zijn lege bordje voor. 'Oezo!'
'Goed zo!' echode ze. 'Nog een boterham?'
Hij knikte. 'Ja. Pitaas.'
'Goed, met pindakaas.' Toch wel handig dat hij steeds beter leerde praten. Hij kon al aardig duidelijk maken wat hij wilde.
Nadat ze gewassen en aangekleed waren, zette Lobke Matthijs een poosje in de box. Daar zat hij niet vaak meer in, maar als ze haar handen even vrij wilde hebben maakte ze er nog dankbaar gebruik van, en hij protesteerde meestal nauwelijks. Ze gaf hem de Volkswagen weer terug, die hij op de rand van de box heen en weer liet rijden, terwijl hij het geluid van een auto nadeed zoals kindjes dat altijd doen: zijn tong uit zijn mond en lucht eronder blazen waardoor er een trillend geluid ontstond. Lobke vond het elke keer weer geweldig om hem dat te zien doen. Hoe wisten zulke kleine kinderen als Matthijs toch hoe zoiets moest? Ook al zagen ze het andere kinderen doen, dan toch was het naar haar idee best een ingewikkelde hande-

ling waar je over na moest denken, net zoiets als fluiten. Of zat zoiets 'ingebakken'?
Ze keek op haar horloge. Vijf voor tien. In Engeland was het nu vijf voor negen. Zou Joyce Simon al naar school gebracht hebben? Eerst maar eens kijken of er mail was.
Ze pakte de laptop en ging er weer mee aan de eettafel zitten. Ze startte hem op en ging naar haar mailbox. Ja, er was een reactie!

van	Joyce Vermeer-den Heyer <joycevermeer@gmail.com>
aan	Lobke Sikkens-Schrijver <roelenlobke@home.nl>
datum	31 augustus 2011 8:16
onderwerp	Re: Help!

Lieve Lobke,

Inderdaad bijzonder, dat jij van me droomt terwijl ik jou midden in de nacht aan het mailen ben. Het maakte me blij, weet je dat? Het bevestigt wat wij samen hebben. Alleen: die berg stenen? Als het maar geen puinhoop was...
Ivo is net vertrokken. Hij gaat tegen zijn baas zeggen dat hij het voorstel aanneemt. Dat had ik al verwacht. Hij vroeg niet eens wat ik ervan vond, hij ging er blijkbaar als vanzelfsprekend van uit dat ik het ook goedvond. Ik heb maar niets gezegd, hij was er zo enthousiast over vanmorgen, hij liep helemaal te stralen.
Je vroeg waar dat bedrijf is in Nederland. Stom dat ik dat niet al geschreven had, want het zit in Waddinxveen, lekker dicht bij jullie! We willen niet in Waddinxveen zelf gaan wonen, Ivo had het over Gouda of Woerden om een huis te zoeken. Dus dat zou betekenen dat we in elk geval bij jullie in de buurt komen wonen! Mijn ouders weten nog van niks, die wil ik het volgende week pas vertellen, na de kinderen, maar die zullen het ook wel leuk vinden dat hun kleinkinderen straks met de auto bereikbaar zijn. Ivo's ouders zullen er vandaag wel van horen, hem kennende. Zijn vader is sinds kort met pensioen, je weet dat hij een stuk ouder was dan Ivo's moeder. Ze willen nu weg uit de drukke Randstad en zijn van plan ergens in het Gooi een huis te zoeken (alsof dat rustig is, met al die BN'ers daar, er ligt overal wel een fotograaf op de loer). Moeten zij weten, ze doen maar.
Maar Gouda of Woerden is wat mij betreft oké! Dat heeft me inmiddels al een beetje verzoend met het idee. Nu de kinderen nog. Ik wacht met vertellen wel tot Ivo van-

avond thuis is, dan kan hij zelf zien hoe ze reageren en hoef ik de klap niet alleen op te vangen (flauw hè).
Nou, ik ga Simon naar school brengen, en daarna met de meiden de boodschappen doen. Hope to hear from you soon.

Tot mails,

Joyce

Die mail was ruim een halfuur geleden verstuurd. Joyce zou waarschijnlijk nog niet terug zijn van het boodschappen doen. Dan moest ze straks maar bellen.
Lobke glimlachte breed. Joyce zou misschien in Gouda of Woerden komen wonen. Gouda was vanaf Montfoort maar een halfuurtje rijden, en Woerden zelfs maar een kwartier! Dat zou geweldig zijn!
Toen ze naar de keuken liep om voor zichzelf een kopje koffie in te schenken, stegen er verdachte geuren op uit de box. Ze bukte zich en tilde Matthijs op. 'Zo te ruiken heb jij een schone broek nodig, jongeman!'
Hij probeerde zich los te worstelen. 'Nie sone boek, auto pele!'
'Je auto mag mee, hou hem maar goed vast.' Ze zette hem op de grond en dirigeerde hem naar de trap. 'Ga maar naar boven. Zal mama de auto voor je vasthouden?'
'Nee, sef doen.' Hij zette de auto op de tweede tree, klom zelf op de eerste, pakte de auto en zette die op de derde tree. 'So.' Tree voor tree klom hij met zijn auto naar boven, gevolgd door Lobke. Bovengekomen liep hij met het autootje in zijn handen naar zijn kamertje. Lobke tilde hem op de commode, en hij bleef rustig liggen terwijl Lobke hem verschoonde. Dat was een hele klus, en met gefronste wenkbrauwen bedacht ze dat ze binnenkort maar eens serieus verder moest gaan met die zindelijkheidstraining. Of was dat nog te vroeg? Jongetjes waren daar meestal later mee dan meisjes, had ze begrepen van Aafke. Maar ze zou blij zijn als ze van die vieze luiers af was. Toch gek, want toen hij nog een baby'tje was, had ze daar helemaal geen problemen mee gehad. Ze gooide de stinkende luier in de luieremmer, haalde de bijna volle zak eruit en knoopte die dicht.
Bij het naar beneden gaan ging ze hem voor, waarna hij achteruit met het

autootje in zijn hand de trap af schuifelde. Eenmaal beneden wilde hij naar de kamer lopen, maar Lobke hield hem tegen. 'Even wachten. Mama moet eerst deze zak in de vuilnisbak gooien, en dan zal mama jou je jas en je schoentjes aandoen. We gaan naar de winkel.'
'Auto ook mee winkel?'
Lobke zuchtte. 'Vooruit dan maar. Maar dan moet je hem wel goed vasthouden, hoor.' De laatste keer dat hij zijn autootje mee naar de winkel genomen had, was hij het daar kwijtgeraakt, en hij was toen ontroostbaar geweest. Ze had overal gezocht, tot een van de vakkenvullers het autootje onder een pallet had zien liggen.
Blijkbaar wist Matthijs dat ook nog, want in de winkel klemde hij het autootje stevig tegen zich aan.
Tijdens het boodschappen doen dacht Lobke steeds aan Joyce. Grappig idee dat haar vriendin en zij op dit moment hetzelfde aan het doen waren. Normaal gesproken dacht ze daar nooit aan. Joyce was fulltimemoeder, die had een heel ander leven dan zij. Maar door die mails van vannacht en vanmorgen was Joyce constant in haar gedachten.
Thuisgekomen borg ze samen met Matthijs de boodschappen op, daarna zette ze hem weer een poosje in de box. Ze keek op de keukenklok: bijna elf uur. Ze pakte de telefoon en toetste het vaste telefoonnummer in van Joyce. Ze kreeg echter de voicemail: '*We are not at home...*' Dan haar mobiele nummer maar proberen. Ze had meteen contact.
'Hoi Lobke!' Joyce schreeuwde bijna. Zo te horen zat ze in de auto. 'Heb je m'n mail al gelezen?'
Lobke had de neiging om terug te schreeuwen. 'Ja, gaaf joh! Maar ik hoor dat je in de auto zit. Zal ik je bellen als je weer thuis bent?'
'Oké. Over tien minuten, tot zo!'
Een kwartiertje later belde Lobke weer. De telefoon ging niet eens over, Joyce zat blijkbaar naast het toestel te wachten.
'Wat een leuk nieuws!' riep Lobke. 'Dat je zo dichtbij komt wonen, bedoel ik!'
Ze hoorde Joyce lachen. 'Ja, dat is de enige leuke kant aan Ivo's promotie. Dat ik jou weer vaker zal zien.'
'Heb je al een idee wanneer jullie naar Nederland komen? Je schreef: voor de feestdagen. Maar dat is zo ruim.'

'Dat weet ik nog niet precies. Ivo zal het vandaag wel te horen krijgen, hij moet natuurlijk nog van alles regelen, *you know*.' Haar aandacht werd blijkbaar getrokken door de tweeling, want Lobke hoorde haar roepen: '*No*, Sofie, *don't hit*... eh, niet je zusje slaan met dat blokje!' Daarna ging ze weer verder tegen Lobke: 'Ik leer mezelf nu maar aan om alvast Nederlands tegen hen te praten, des te vlugger leren ze het.'
'En, begrijpen ze wat je zegt?'
Joyce lachte. 'Sofie is gestopt met slaan, maar dat kan natuurlijk ook komen omdat ze zag dat ik boos werd. Ze zit haar zusje regelmatig op de kop, en mopperen helpt bijna niet. Nee, Sofie, niet doen! Wacht even, Lobke...'
Lobke hoorde hoe de telefoon werd neergelegd, gevolgd door snelle voetstappen en protesterende geluiden van een boze kleuter. '*No, mommy*!'
'Zo, blijf jij maar eens een poosje in de hoek staan,' hoorde Lobke Joyce zeggen, en daarna: 'Hier, Manon, *here's your doll*.' De telefoon werd weer opgepakt. 'Ben je er nog?'
'Ja hoor. 't Ging niet helemaal goed, geloof ik?'
'De kinderen hebben vast door dat er iets staat te gebeuren. Simon was vanmorgen ook al zo aan het klieren, en dat is niks voor hem. Nou ja, vanavond gaan we het hun vertellen. Waar hadden we het net ook alweer over?'
'Wanneer jullie naar Nederland komen.'
'O ja. Vóór de definitieve verhuizing zullen we wel een of meerdere keren over moeten komen, omdat er natuurlijk van alles geregeld moet worden: een huis kopen en inrichten, een school zoeken voor Simon en zo. Ik wil daar in elk geval zelf bij zijn. We zullen wel veel meubels mee kunnen nemen van hier, maar dingen als vloerbedekking en gordijnen en zo zullen wel niet passen, dus die zal ik in Nederland uit moeten zoeken. Ivo zei vanmorgen dat we vanavond op internet maar eens moeten kijken naar huizen in de buurt van Gouda, dan kunnen we een voorselectie maken van huizen die we per se willen zien. Toch wel handig, dat internet. Sofie, *turn around*!'
Lobke moest inwendig lachen. Het zou Joyce nog niet meevallen om nu al uitsluitend Nederlands tegen haar kinderen te praten, dat Engels zat al zo ingebakken in haar systeem.
Ze kreeg een idee. 'Hé, Joyce, wij hebben een paar luisterboeken op cd voor

in de auto. Daar staan verhaaltjes van Nijntje op die voorgelezen worden. Zal ik vragen of Roel ze voor je kopieert en die naar je toe stuurt? Dan kun je die draaien voor de kinderen en horen ze wat vaker Nederlands.'
'Dat hoeft niet, die hebben we hier al liggen, die hebben mijn ouders een keer cadeau gegeven. Maar goed idee van je, daar had ik helemaal niet meer aan gedacht. Ik ga ze straks meteen opzetten. *No, Manon, don't go...* eh, niet naar Sofie toe gaan!' Lobke hoorde allerlei geluiden op de achtergrond. Joyce zuchtte. 'Sorry, Lob, ik moet ophangen, die meiden... En ik moet Simon zo weer ophalen. Ik mail je vanavond weer, goed? Dan is Ivo thuis en weten we misschien wat meer.'
'Oké. Fijn om je stem even te horen, en sterkte met alles!'
'*Thanks. Bye bye. No*, Sofie...!' De ingesprektoon vertelde dat Joyce opgehangen had.
Lobke staarde naar de hoorn in haar hand. Even moest ze glimlachen. Toch een vreemd idee dat Joyce, die ze al vanaf groep 1 kende, nu zelf al een kind in de kleuterklasleeftijd had.
Nog een paar maanden, dan woonde Joyce weer in Nederland!

3

BEGIN OKTOBER KWAMEN JOYCE, IVO EN DE KINDEREN EEN PAAR DAGEN NAAR Nederland. Ze logeerden die dagen bij Joyce' ouders. Ivo was al een paar keer op en neer gevlogen om zaken rondom het te reorganiseren bedrijf te regelen, maar nu kwamen ze met het hele gezin. Hun huis in Engeland was sneller dan verwacht verkocht en moest per 1 december opgeleverd worden, en ze hoopten voor die tijd een geschikte woning in Nederland gevonden te hebben. Ze hadden via internet diverse huizenverkoopsites bezocht en hadden nu een paar huizen op het oog die ze wilden bekijken. Na afloop zouden ze bij Lobke en Roel langskomen om de verjaardag van Matthijs mee te vieren.

'We laten de meisjes bij mijn ouders, maar Simon willen we meenemen. Is dat niet te druk?' had Joyce geïnformeerd.

'Welnee, natuurlijk niet! Hoe meer zielen, hoe meer vreugd,' had Lobke gezegd. 'Mijn ouders zijn er de hele dag, zij zullen het vast leuk vinden om jou en Ivo weer te zien. En als het een beetje meezit komen Aafke en Tim en de kinderen aan het eind van de dag ook.'

De donderdag van Matthijs' tweede verjaardag brak aan. Ze hadden de avond ervoor de kamer versierd met slingers en ballonnen, en de kinderstoel met een grote 2 en wat kleinere ballonnen. Roel moest die ochtend om acht uur weg, dus hadden ze Matthijs al om zeven uur wakker gemaakt en hem nog even tussenin genomen tot hij goed wakker was.

Roel zette in: 'Er is er één jarig, hoera, hoera, dat kun je wel zien, dat is hij!' waarbij hij in Matthijs' buikje prikte. Matthijs schaterde van het lachen. Er volgden nog meer verjaardagsliedjes, en besloten werd met de twee violen, de trommel en de fluit die Matthijs' verjaardag vierden, waarbij de vlaggen uithingen. Matthijs kon het laatste stukje zelf meezingen: 'Ei ei ei, sijn eh bij, Thijsje ja, eh eh wij! Ei ei!' Hij klapte in zijn handjes van plezier.

Daarna haalde Lobke zijn cadeau uit de linnenkast, waar het al een hele week lag te wachten. 'Kijk eens, kleine man, van harte gefeliciteerd!'

Roel hielp hem met het verwijderen van het cadeaupapier, en ze genoten allebei van het stralende gezicht van Matthijs toen hij zag wat er in de doos zat: 'Thomas!' Het ventje mocht graag kijken naar de diverse filmpjes van

het blauwe treintje dat zo veel avonturen beleefde.
'Als papa jou en Thomas nu meeneemt naar beneden, gaat mama eerst douchen, goed?' Lobke keek naar Roel. Die knikte.
'Dan gaan wij beneden alvast de rails uitleggen, en dan kun je daar vandaag fijn mee spelen.' Roel nam Matthijs op z'n ene arm en de doos met Thomas onder z'n andere arm, en liep de trap af.
Lobke stapte snel onder de douche. Haar ouders zouden al vroeg voor de deur staan, hadden ze gezegd. Ze hadden nogal geheimzinnig gedaan door de telefoon, en Lobke vroeg zich af wat ze nu weer voor verrassing in petto hadden.
Toen ze beneden kwam, had Roel voor Matthijs de houten rails uitgelegd op de salontafel, zodat Matthijs zelf met het treintje kon rijden. Hij vond het geweldig en keek breed lachend naar Lobke. 'Kijk, mama, Thomas rije!'
'Hij vond de slingers en de ballonnen prachtig,' zei Roel, 'maar hij wilde meteen met Thomas spelen.'
Lobke keek vertederd naar haar man en haar zoontje, en ze vroeg zich af wie er meer genoot: Matthijs of Roel. Ze dekte de tafel en zette de waterkoker aan. 'Wil je een ei-ei-ei, Roel? Omdat we zo blij-blij-blij zijn?' grapte ze erachteraan.
Roel sprong op. 'Ja, lekker. Dan ga ik nu douchen, kan dat nog voor het eten?'
'Tuurlijk.'
Even later zaten ze aan het ontbijt. Matthijs had nu meer aandacht voor de ballonnen waarmee ook zijn kinderstoel versierd was dan voor zijn boterham. 'Lomme, mama. Mooi!'
Roel gaf de jarige een hapje van zijn gekookte ei. Het eiwit lustte Matthijs wel, maar de dooier vond hij maar niks.
Terwijl ze aan het ontbijt zaten ging de telefoon. Het was Aafke. 'Ha zus, gefeliciteerd met de verjaardag van jullie zoon. Lisanne wil per se voor Matthijs zingen voor ze naar school gaat,' lachte ze. 'Hier komt ze.'
Roel zette de telefoon op de speaker, en even later klonk Lisannes heldere stemmetje door de kamer. Ook zij had een heel repertoire aan verjaardagsliedjes.
Matthijs klapte in zijn handjes op de maat mee. Lisanne besloot de serie met: 'De kop van de kat is jarig en de pootjes vieren feest.' Daarna riep ze

heel hard: 'Gefeliciteerd, Matthijs!'
'Hé, niet zo hard, Matthijs is niet doof!' hoorden ze Aafke zeggen. 'Geef de telefoon nu maar aan je broertje. Stijn, zeg maar: welgefeliciteerd, Matthijs.'
'Nee, ik wil niet,' klonk Stijns stem.
'Stijn is vanmorgen met zijn verkeerde been uit bed gestapt,' legde Aafke uit.
'Joh, dat geeft niks, dat heb ik ook weleens,' zei Lobke. 'Komen jullie nog vandaag?'
'Tim zou kijken of hij wat eerder weg kon van zijn werk, hij zou daar nog over bellen. Er zijn wat zieken en hij wist niet of er al vervanging geregeld was. Als het lukt willen we gelijk doorkomen als we Lisanne uit school halen. De A12 loopt altijd zo snel vol, dan zijn we nog net de spits voor.'
'Blijven jullie ook eten?' vroeg Lobke.
'Is dat niet te druk?'
'Nee hoor, juist gezellig.'
'Zodra ik weet of we komen, bel ik je, goed?'
'Oké, hopelijk tot vanmiddag. En bedankt voor het bellen.'
Roel keek op de klok. 'Ik moet zo weg. Rond drie uur hoop ik weer thuis te zijn. Mijn laatste klas heeft een excursie vandaag, die les vervalt.'
'Hé, dat komt goed uit!' zei Lobke verbaasd. 'Wist je dat al?'
Roel grijnsde. 'Ja, leuke verrassing, hè?' Hij stond op en stoeide even met haar. Daarna knuffelde hij Matthijs, hij pakte zijn jas en tas en verdween naar het fietsenschuurtje. Weer of geen weer, Roel ging met de racefiets de scholen af waar hij gymleraar was.
Lobke keek hem na door het raam. Zoals gewoonlijk zwaaide hij nog even naar haar, waarna hij staande op de trappers de gang erin zette. Lobke voelde een prettige gloed door haar lijf gaan terwijl ze naar hem keek. Zijn sportieve, gespierde lijf, zijn krullerige haardos, zijn sterke handen aan het stuur – dit was haar man, haar soulmate, haar tegenover, haar grote liefde. Ze draaide zich om naar haar andere grote liefde: haar zoon, die wanhopige pogingen deed om een van de ballonnen te pakken die aan zijn kinderstoel hingen, maar die steeds wegglipten onder zijn handjes.
Ze liep naar hem toe. 'Zal mama je even helpen? Welke wil je? Deze?'
Ze maakte een blauwe ballon los en gaf hem die. Hij staarde er in verrukking naar. 'Lom! Mooi!'

Lobke tilde hem uit de kinderstoel, zette hem op de grond en ging de tafel afruimen. Matthijs liep met de ballon in zijn handjes naar zijn speelhoek en ging daar op de grond zitten. Hij legde de ballon voorzichtig naast zich neer en pakte zijn blauwe autootje. Daarna reed hij met het autootje cirkeltjes over de ballon.
Lobke borg de ontbijtspullen op en zette de vaat in de vaatwasser. Terwijl ze de theepot omspoelde hoorde ze ineens een harde knal, gevolgd door een verschrikt huilen van Matthijs. Ze rende naar hem toe. De ballon lag in flarden voor zijn voeten. Hij stak huilend zijn handjes naar haar uit. 'Mama, lom tuk!'
Ze tilde hem op en knuffelde even met hem tot hij weer stil was. 'Och, is de ballon nu stuk? Wat deed de ballon? BOEM! Dat was schrikken, hè?'
Bij dat 'boem' kwam er weer een lachje tevoorschijn. 'Boem!' echode hij. Hij worstelde zich weer los. Lobke zette hem op de grond, waarna hij naar de kapotte ballon toe liep en die oppakte. Hij bekeek de flard van alle kanten, duwde hem tegen zijn neusje alsof hij eraan wilde ruiken, en gaf hem toen aan Lobke: 'Mama make.'
Lobke lachte. 'Nee, manneke, die ballon kan niet meer gemaakt worden. Kom maar, dan gaan we hem in de prullenbak gooien.'
Matthijs liep met haar mee naar de keuken, waar de grote zilverkleurige afvalbak stond.
'Doe de bak maar open,' moedigde Lobke hem aan.
Matthijs vond dat altijd een leuk spelletje: op het deksel drukken, en dan sprong dat zomaar vanzelf open! Toen hij dat ontdekt had, was Lobke diverse malen tijdschriften en knuffels kwijt geweest, waarna ze de spullen weer terugvond in de afvalbak. Ze was toen blij dat ze de koffieprut en theezakjes en dergelijke apart verzamelde voor de biobak, anders was het een vies gedoetje geweest om de desbetreffende spullen weer schoon te krijgen. Daarna had ze hem geleerd dat de afvalbak verboden gebied was, en dat hij het deksel alleen open mocht doen als zij erbij was.
De kapotte ballon verdween in de afvalbak, en daarna ging het deksel weer dicht.
'So!' zei Matthijs, en hij sloeg zijn handjes met een op- en neergaande beweging tegen elkaar. 'Kaar!'
'Klaar! Ga je mee naar boven? Dan gaat mama je aankleden. Je mag van-

daag je nieuwe kleertjes aan.'
'Nee, nie kirtjes aan. Thijs Thomas pele.' Teruglopend naar de kamer had hij zijn treintje weer ontdekt.
'Je mag straks met Thomas spelen, maar we gaan eerst aankleden. Opa en oma komen straks.'
Dat bleek een toverwoord. Opa en oma! Matthijs rende naar de voordeur en keek afwachtend naar de deurknop.
Lobke duwde hem richting de trap. 'Nee, éérst aankleden, dán komen opa en oma. Kom!'
Hij stommelde de trap op, met Lobke achter hem aan. Ze deed boven eerst zijn pyjamaatje en zijn luier uit en zette hem toen een poosje in zijn badje. Daarna trok ze hem zijn nieuwe kleertjes aan: een blauw-wit geruit overhemdje en een stoere donkerblauwe spijkerbroek.
Lobke tilde hem op voor de badkamerspiegel. 'Kijk eens wat een mooie Matthijs!'
Matthijs bekeek zichzelf aandachtig in de spiegel. Toen wees hij naar de tandenborstels. 'Tanne poese.'
'Ja, je hebt gelijk, we moeten je tandjes nog poetsen.' Lobke zette hem neer, deed wat tandpasta op zijn borstel en zei: 'Doe je mondje maar open.'
Maar dat was niet Matthijs' bedoeling. Hij trok de tandenborstel uit Lobkes hand en ging ermee heen en weer tegen zijn voortandjes.
Lobke aarzelde. Prima dat hij het zelf wilde proberen, zo moest hij het ook leren, maar hij had nog meer tandjes en kiesjes dan die voortandjes waar hij nu zo hevig op stond te boenen. 'Zal mama even helpen?'
'Nee!' Matthijs probeerde haar te ontwijken en poetste driftig door.
Lobke pakte haar eigen tandenborstel en ging op haar hurken voor Matthijs zitten. Ze opende haar mond en duwde het borstelgedeelte tegen haar kiezen. 'Kijk, Matthijs, zo, net als mama.'
Matthijs deed aandoenlijk z'n best om haar na te doen, en Lobke besloot het er voor deze keer maar bij te laten.
'Zo, even spoelen... Klaar! Nu nog je sokken aan, en dan gaan we weer naar beneden.'
Ze waren nog maar net weer in de woonkamer toen er op het raam geklopt werd. Hanneke zwaaide enthousiast naar Matthijs.
'Kijk eens, Matthijs, daar zijn opa en oma!'

Matthijs liet direct z'n treintje vallen en rende naar de voordeur. 'Opa oma!'
Lobke deed de deur open. Ze zag haar vader bij de auto staan, met nog een andere man. Ze hielpen iemand uit de auto die achterin zat.
'O, wat leuk! Zie je dat, Matthijs, opi en omi zijn er ook!' Lobke omhelsde haar moeder. 'Wat een verrassing!'
'Ja, leuk hè? Dat dachten wij ook.'
'En blijven ze ook eten? Is dat niet te druk voor omi?'
'Ze zal tussen de middag wel even willen rusten, maar dan zal het wel gaan,' zei Hanneke. Ze bukte zich om Matthijs te knuffelen, terwijl Lobke naar de auto liep. Steven en opa hesen oma overeind tot ze stond. Lobke kuste haar vader, opa en oma gedag en vroeg toen: 'Gaat het, omi?'
Oma De Bont strekte haar rug. 'Ja hoor, kind. Als jij nu een arm voor me hebt, want ik ben een beetje stijf van het zitten.'
Lobke hield uitnodigend haar arm voor, en oma haakte in. Samen schuifelden ze naar de voordeur. Opa liep intussen met Steven naar de achterbak van de auto, waar ze twee enorme pakketten uit haalden.
Hanneke was met Matthijs naar de kamer gelopen, ze bewonderde de slingers en de ballonnen. 'O, wat mooi! Wie is er jarig? Matthijs is jarig. Hoera!' Ze stak haar handen in de lucht. Matthijs liet haar zijn treintje zien en ging weer op zijn knietjes voor de salontafel zitten. 'Tjoeketjoeketjoek. Fuutfuuuuh,' deed hij het geluid van de trein en de stoomfluit na.
'Omi, wilt u in zo'n fauteuil zitten, of op de bank of op een rechte stoel?'
Oma De Bont keek naar de lage fauteuil. 'Nee, die is me veel te laag. Laat mij maar in een hoekje op de bank zitten.'
Lobke installeerde haar oma op de bank, met een paar kussentjes in haar rug. Intussen waren Steven en opa binnengekomen. Ze zetten de pakketten tegen de muur.
'Zo, nu eerst een lekker bakje koffie, daar ben ik al wel aan toe,' zei Steven terwijl hij in zijn handen wreef. 'We waren al vroeg op.'
'Nou, wij anders ook,' zei opa De Bont. 'Jullie stonden al voor achten voor onze deur. Moeder was nog niet eens klaar met aankleden.'
'Allemaal koffie?' vroeg Lobke. 'Of wil jij thee, mam?'
'Doe mij ook maar thee,' zei oma De Bont. 'Ik heb een beetje last van m'n gal.'

'Zal ik even helpen?' vroeg Hanneke.
'Nee hoor, blijf jij maar bij je jarige kleinzoon,' zei Lobke. Ze liep naar de keuken, zette daar de waterkoker en het koffiezetapparaat aan, pakte kop-en-schotels en theeglazen en schikte die op een blad.
'Iedereen appeltaart?' riep ze naar de kamer.
'Lekker,' riep iedereen terug, alleen oma riep: 'Ik maar een klein stukje, hoor.'
Toen de koffie, thee en appeltaart verorberd waren, stond Steven op. Terwijl hij het kleinste van de twee pakketten pakte, zette hij in: 'O, wat zijn we heden blij, Matthijs is jarig.'
Iedereen zong mee. Bij het tweede couplet, 'En wij vragen, lieve Heer, spaar onze Matthijs tot 't volgend jaar weer', schoten Hanneke de tranen in de ogen. Sinds Lobkes ziekte kregen deze woorden een diepere lading, elke keer als ze weer gezongen werden.
'Zo, en nu mag de jarige z'n pakje openmaken!' zei Steven. 'Matthijs, kom maar eens bij opa.'
Matthijs kwam naast opa staan met een nieuwsgierige uitdrukking op zijn gezichtje.
'Wat zou dáár nou in zitten?' zei Lobke.
Matthijs scheurde het cadeaupapier van het pakket en keek naar het plaatje op de doos. 'Kafel,' zei hij.
'Tafel,' verbeterde Lobke hem. Ze legde uit: 'Soms haalt hij de t en de k door elkaar. Tegen kaas zegt hij "taas" en tegen tafel zegt hij "kafel". Terwijl hij wel gewoon Thijs en Thomas zegt.' Ze richtte zich tot Matthijs: 'Zeg maar: tafel.'
'Kafel,' echode Matthijs.
'Nee, tafel. Ta-ta-ta-tafel.'
'Ta-ta-ta-kafel,' zei Matthijs gehoorzaam.
Lobke lachte. 'En zeg maar: ka-ka-ka-kaas.'
'Ka-ka-ka-taas,' echode Matthijs. Nu lachten ze allemaal.
'Maar je hebt helemaal gelijk, hoor, jochie, het is een tafel,' zei Hanneke.
'Opa Steven, zet hem maar eens in elkaar voor je kleinzoon.'
Steven haalde de verschillende onderdelen uit de doos. Lobke haalde op zijn verzoek een schroevendraaier uit de schuur, en even later stond er een leuke kindertafel met een wit blad en twee rode en twee blauwe poten.

'Dat is mooi, je eigen tafeltje,' zei Lobke.
Matthijs stond er even naar te kijken, en ging toen weer naar z'n treintje.
Steven liep naar het grotere pakket. 'Matthijs, we hebben nog een cadeautje voor je. Dit krijg je van opi en omi.'
Lobke keek verbaasd. Dat van dat tafeltje wist ze, dat had ze zelf doorgegeven aan haar ouders. Maar wat er in dat grote pakket zat?
Toen het papier eraf was, zag ze wat opa De Bont gemaakt had voor zijn achterkleinzoon. 'Oh, Matthijs, kijk eens, een treintafel!'
Het was een groot, rechthoekig blad met lage opstaande randen. Opa had het blad groen geverfd. Opa stond op en wees naar de onderkant van het blad, waar hij vier latjes tegen bevestigd had. 'Die passen precies over dat tafeltje, zodat het stevig blijft liggen en niet gaat schuiven. Zo heeft hij én een gewone speeltafel, én een treintafel.'
Steven schoof het tafeltje naar een hoek van de kamer en legde daar het blad erop. Daarna verhuisde hij de rails die op de salontafel lagen naar de treintafel.
Matthijs leek het geweldig te vinden. Hij kon er zo goed bij, en ging meteen weer verder rijden met Thomas: 'Tjoeketjoeketjoeke, fuutfuuuuh.'
Lobke knuffelde haar opa. 'Mooi gemaakt, opi, wát een goed idee!'
Opa lachte. 'Ik hoorde van Hanneke dat jullie hem een treinset van Thomas gaven, en toen heb ik op internet gezocht of ik daar ideeën voor op kon doen. Toen zag ik die tafels staan, maar die zijn zo schrikbarend duur. Toen ik hoorde dat Hanneke en Steven een tafeltje gaven, heb ik daar de maten van opgevraagd, en dat blad in elkaar geknutseld. Het was niet eens zo veel werk, en ik vond het leuk om te doen.'
'Nou, ik vind het fantastisch, en ik denk dat Roel het ook wel erg leuk zal vinden,' zei Lobke. 'Wil iedereen nog een bakje?'
Rond halfelf belde Aafke dat Tim eerder weg kon gaan, dus dat ze er rond een uur of vier konden zijn. 'Zijn pap en mam er dan nog?'
'Ja, die blijven ook eten.' Lobke liep met de telefoon naar de keuken, zodat Aafke niet zou horen dat opa en oma er ook waren. Dan was dat voor haar ook nog een verrassing straks.
Om elf uur kwam opa Frank langs. 'Ik heb om halftwee een afspraak met aansluitend een etentje, maar ik kan wel blijven lunchen,' zei hij.
Van opa Frank kreeg Matthijs een vrolijk gekleurd stoeltje in blauw en

rood, dat bij het tafeltje paste. Matthijs nam het meteen in gebruik. Terwijl de volwassenen met elkaar zaten te praten, vermaakte hij zich prima met zijn treintje.
Om halftwaalf wilde hij bij Lobke op schoot zitten en begon hij te gapen, dus dekte Hanneke de tafel en gingen ze lunchen. Matthijs bleef wat angstig bij de ballonnen aan zijn kinderstoel vandaan, en Lobke vertelde het verhaal van de kapotte ballon.
Na anderhalve boterham hoefde hij niet meer. Hij zat steeds meer te gapen.
'Mag ik hem naar bed brengen?' bedelde Hanneke.
'Ja hoor,' knikte Lobke. 'En zal ik u dan naar bed brengen, omi?'
'Ja kind, doe dat maar,' zei oma De Bont. 'Ik ben ook toe aan een tukje.'
'Opi, u ook?'
'Nee, ben je mal. Ik ga wel een eindje lopen met je vader,' bromde opa.
Terwijl Hanneke Matthijs naar bed bracht, installeerde Lobke haar oma op hun eigen slaapkamer. 'Kijk niet naar de rommel, oma. Als ik geweten had dat u kwam, had ik nog even opgeruimd.'
'Joh, ik lig straks toch met mijn ogen dicht,' lachte oma. 'Ik ben al blij dat ik gebruik mag maken van jullie bed. Wat een fijne ruime trap hebben jullie toch! Het was alweer even geleden dat ik hier was, en ik zag er nog het meest tegen op om naar boven te moeten. Maar met die trap viel dat wel mee.'
Lobke dekte haar oma toe met de sprei, gaf haar een kus en deed de gordijnen dicht. 'Slaap lekker, omi. Wordt u vanzelf wakker of zullen we u straks komen roepen?'
'Hoe laat is het nu? Kwart over twaalf? Kom dan maar om halfdrie kijken of ik al wakker ben. Zo niet, dan maak je me maar wakker, anders slaap ik vannacht niet.'
'Matthijs slaapt ook meestal tot een uur of halfdrie, dus als hij wakker wordt, kom ik gelijk bij u kijken,' beloofde Lobke.
Toen ze beneden kwam hadden de mannen de tafel al afgeruimd en de vaatwasser aangezet. Even later kwam Hanneke ook beneden. 'Ik heb hem nog een verhaaltje voorgelezen, toen is hij meteen lief gaan slapen.'
Frank nam afscheid. 'Doe je de groeten aan Roel? Ik zal hem zelf nog wel bellen vanavond.'
Lobke zwaaide hem uit en ging daarna weer terug naar de woonkamer.

'Ga je ook mee een eindje wandelen?' vroeg Steven aan Hanneke.
Die keek naar Lobke. 'Vind je dat niet ongezellig?'
'Nee hoor, ga maar. Ik moet nog wat voorbereiden voor het eten vanavond. We hebben een hele ploeg straks, Joyce, Ivo en Simon komen ook nog. Die zijn nu huizen kijken.'
'Wat hoor ik?' zei opa. 'Joyce en Ivo? Die wonen toch in Engeland?'
'Ja, maar ze komen weer naar Nederland,' legde Lobke uit. 'Ivo heeft promotie gemaakt en het bedrijf waar hij werkt wil ook een vestiging in Nederland beginnen. Ze hebben een soortgelijk bedrijf in Waddinxveen opgekocht, en Ivo mag daar de reorganisatie van gaan doen. Dus komen ze hier in de buurt wonen, mogelijk in Gouda of Woerden. Ze zijn vandaag op huizenjacht en komen daarna hiernaartoe.'
'Wat leuk voor jou, dat Joyce weer dicht bij jullie komt te wonen. Hoe gaat het met haar?'
'Goed, maar dat kunt u haar straks dus zelf vragen.'
'Moet ik je niet helpen met het eten?' vroeg Hanneke.
'Nee hoor, mam, ga maar wandelen. Het is nu goed weer, neem het maar lekker waar. Ik pas wel op omi en Matthijs.'
Steven stond al klaar met de jassen, en even later vertrokken opa, Steven en Hanneke voor een wandeling in de groenrijke buurt.
Lobke boog zich over de avondmaaltijd. Ze had de dag ervoor een flinke pan soep en vier hartige taarten gemaakt, en wilde daar vanavond nog wat salades bij maken, onder andere twee verschillende pastasalades. Ze kookte de pasta, goot die af, roerde er een scheutje olijfolie door en liet het toen afkoelen. Ziezo, ook weer gebeurd. Wat nu?
Ze gaapte. De bank zag er wel erg aanlokkelijk uit. Zou ze...? Ach, waarom niet? Het zou nog wel even duren voor de rest weer terug was, en oma en Matthijs sliepen toch ook.
Ze pakte een fleecedeken uit een mand in de gang en nestelde zich daarmee op de bank.
Binnen vijf minuten sliep ze.

4

LOBKE WERD WAKKER DOOR DE DEURBEL. ZE KEEK EVEN VERDWAASD OM ZICH heen. Toen ze de slingers en de treintafel zag, was ze meteen weer bij de les. Matthijs was jarig!
Ze keek op haar horloge. Kwart voor twee. Dan had ze toch een aardig tukje gedaan.
Weer ging de bel. Ze stond snel op. Dat waren vast pap, mam en opa die weer terugkwamen van hun wandeling. Terwijl ze naar de gang liep, wierp ze een blik uit het raam. Voor het huis stond een grote, zwarte BMW.
Joyce en Ivo stonden voor de deur, samen met Simon, die zich wat achter Ivo verschool.
'Hallo! Wat zijn jullie lekker vroeg! Ik had jullie pas rond een uur of drie verwacht. Kom binnen.'
'Zijn we niet te vroeg?' zei Joyce verschrikt.
Lobke kuste haar vriendin hartelijk. 'Welnee, gezellig juist! Matthijs en oma liggen te slapen, m'n ouders zijn met opa een eind wandelen, en dus hebben we lekker even het rijk alleen om bij te kletsen. Chique auto trouwens, is die van jullie?'
'Nee, dat is een leaseauto. Als we in Nederland wonen krijg ik een auto van de zaak, maar die moet ik nog uitkiezen,' zei Ivo. Ze stapten naar binnen.
Lobke pakte hun jassen aan en hing die in de kast in het kleine halletje.
Daarna ging ze hun voor naar de woonkamer en vroeg: 'Hoe is het gegaan? Hebben jullie trouwens al geluncht?'
'Nee, nog niet, we hoopten dat jij nog wat over zou hebben.'
'Natuurlijk. Doe je jas uit, dan dek ik alvast de tafel. Wat drinken jullie bij het eten?'
'Ivo en ik willen graag koffie, en heb je voor Simon een glas melk?'
Even later zaten ze aan tafel. Simon had nog niet veel gezegd. Hij zat wat te prikken in zijn boterham en keek wat schuchter de kamer rond.
'Leuk hè, die ballonnen,' zei Lobke. 'Onze Matthijs is jarig. Hij slaapt nu, hij zal het wel leuk vinden als hij jou ziet.'
Simon zei niets, hij keek haar alleen wantrouwend aan. Alsof ze hem voor de gek hield.

'We hebben vandaag vier huizen gezien, waarvan er twee ons wel bevallen,' zei Joyce. 'Eentje in een buitenwijk van Gouda en eentje vlak bij Waddinxveen. Morgen gaan we nog twee huizen in Woerden bekijken en een in Oudewater.'
'Die in Waddinxveen lijkt me achteraf gezien toch te dicht in de buurt van het bedrijf,' zei Ivo. 'Daar moet ik nog eens over denken.'
Joyce haalde haar schouders op. 'Ik vond dat in Gouda toch al mooier, ook de buurt. En dat huis in Oudewater, dat we morgen gaan bekijken, is tot nu toe mijn favoriet. Maar wie weet valt dat in de praktijk tegen.'
Ivo gaf Simon een duwtje. 'Hé, joh, eet eens door, mama en ik zijn al klaar.'
'*I don't like it*,' zei Simon op klagerige toon.
'Wat zeg je?' zei Ivo streng. 'In het Nederlands!'
'Ik... ik vind niet lekker,' zei Simon met een zwaar Engels accent.
Lobke had met het ventje te doen. Hij zag er zo ongelukkig uit.
'Wil je nog een beetje melk?' vroeg ze.
'Nee, eerst zijn boterham op,' zei Ivo, en hij trommelde ongeduldig met zijn vingers op tafel.
Lobke keek naar Joyce, maar die deed of ze dat niet zag en keek naar buiten.
Lobke stond op. 'Willen jullie nog koffie?'
'Nee, dank je,' zeiden ze allebei.
Lobke voelde zich even te gast in haar eigen huis. Kon ze nu de tafel al afruimen, of moest ze wachten tot Simon klaar was?
Simon leek echter eieren voor zijn geld gekozen te hebben, zijn boterham was nu in een mum van tijd op. Daarna ruimden ze gezamenlijk de tafel af. Daar waren ze nog maar net mee klaar toen Steven, Hanneke en opa weer thuiskwamen. De begroeting met Joyce verliep allerhartelijkst, maar Ivo kreeg net op dat moment een telefoontje en liep met zijn mobiel naar de tuin om het gesprek rustig aan te kunnen nemen.
Simon had intussen de treintafel ontdekt, en legde nu samen met opa De Bont een nieuwe spoorbaan uit. Van lieverlee werd hij wat minder schuchter.
Joyce zat tussen Hanneke en Lobke op de bank en liet hun foto's zien van de huizen die ze die dag bekeken hadden. Alle huizen straalden luxe uit, het ene was nog mooier dan het andere.

'Joh, die zijn nog groter dan het huis waar jullie nu in wonen, en dat vond ik al zo'n joekel van een huis!' zei Lobke bewonderend.
Ook Hanneke vergaapte zich aan de foto's. 'Nou, jullie boeren goed, zo te zien.'
'Ivo heeft een hoge functie,' zei Joyce op een toon alsof ze zich wilde verontschuldigen. 'En daar hoort zo'n soort huis bij, vindt hij. Voor mij hoeft dat niet zo, hoor. Ik bedoel...' Ze haalde in een hulpeloos gebaar haar schouders op. 'Natuurlijk vind ik het ook mooi, maar ik zou net zo gelukkig zijn in een kleiner huis. Zoiets als jullie huis.'
'Wij hebben maar twee slaapkamers boven, dat zou voor jullie met drie kinderen veel te klein zijn,' zei Lobke.
'Nou ja, je begrijpt wel wat ik bedoel.' Joyce keek naar Ivo, die buiten heen en weer lopend nog steeds aan het telefoneren was.
'Ivo is veranderd, vind ik,' zei Hanneke. 'Vroeger was hij... ja, ik weet niet precies hoe ik het moet zeggen. Vroeger vond ik hem altijd zo bevlogen, zo vol idealen.'
'Dat is hij nog steeds,' zei Joyce. 'Nu weer met die nieuwe vestiging. Hij gaat er helemaal voor, steekt er al zijn energie in.'
'Jawel, dat is wel zo, maar nu gaat het om een of ander technisch bedrijf. Hij was vroeger zo met het milieu bezig. Eerlijk gezegd verwachtte ik dat hij iets in een ontwikkelingsland zou gaan doen. Daar was vroeger toch weleens sprake van?'
Joyce knikte. 'Ja, in een heel ver verleden. Inderdaad, toen we met school destijds een paar dagen in Londen waren – weet je nog, Lob, daar kregen jij en Roel verkering – had ik veel bewondering voor hem omdat hij al precies wist wat hij wilde: iets met het milieu en naar een ontwikkelingsland.'
Hanneke knikte. 'Zie je wel, dan heb ik dat destijds toch goed begrepen.'
Joyce zuchtte. 'Dat was een van de redenen waarom ik hem zo leuk vond. Ook toen hij dat laatste jaar op de havo meedeed aan een uitwisselingsprogramma en in Puerto Rico zat, was hij nog steeds vol idealen en had hij het over gaan werken in Midden- of Zuid-Amerika. Maar toen hij tijdens zijn studie stage ging lopen bij dat Engelse bedrijf en bleek dat ze hem een baan met goede vooruitzichten wilden geven, heeft hij daarvoor gekozen. Ik was toen allang blij dat we niet zo ver bij Nederland vandaan zouden gaan wonen, maar als ik geweten had...'

Het was even stil. Buiten was Ivo weer aan een nieuw telefoongesprek begonnen.
'Als je wat geweten had?' vroeg Lobke zacht.
Joyce staarde naar Simon, die in zijn spel verdiept leek. 'Ach, niks. Het leven loopt soms anders dan je gehoopt had. Ik moet gewoon niet zeuren.'
Ze schudde even met haar hoofd, alsof ze de vervelende gedachten die ze net leek te hebben van zich af wilde schudden. 'Ik heb foto's van de tweeling bij me, wilt u ze zien?' vroeg ze aan Hanneke.
'Ja, leuk!' reageerde die.
Joyce stond op en zocht in haar tas naar een mapje met foto's. Daarmee ging ze weer tussen Hanneke en Lobke zitten.
'Hoe oud zijn ze nu?' vroeg Hanneke.
'Ze zijn in mei drie geworden, dus bijna drieënhalf. Simon is in juli vijf geworden. Kijk, dit zijn ze.'
'Wat een hittepetitten!' zei Hanneke. 'En als twee druppels water. Hoe hou je ze uit elkaar?'
'Op een foto lijken ze inderdaad erg veel op elkaar, maar in hun doen en laten zijn ze heel verschillend,' zei Joyce. 'Sofie is de kattenkop van de twee, zij zit Manon vaak op haar kop. Manon is veel rustiger. Het gekke is dat dat de eerste twee jaar precies andersom was. Toen was Manon overal haantje-de-voorste mee, zij draaide zich als eerste om in de box, ze kroop eerder, liep eerder, praatte eerder. Pas toen ze tweeënhalf waren, is dat van lieverlee veranderd. Het was net alsof Manon toen een tijdje stilstond qua ontwikkeling, terwijl Sofie ineens een groeispurt kreeg. Zij was als eerste zindelijk, ging ineens veel beter praten, was totaal niet verlegen meer en pakte van alles tegelijk aan. Ze kon ook al heel snel puzzelen. Ze maakt nu al een puzzel van negentig stukjes, terwijl Manon helemaal niet graag puzzelt. Ze kan het wel, maar een puzzel van twintig stukjes vindt ze al groot zat. Manon is een echt poppenmoedertje en vindt het heerlijk om haar pop aan en uit te kleden, terwijl Sofie graag met Lego en blokken speelt, dingen die ze in elkaar kan zetten. Ivo zegt dat Sofie en Simon echte bèta's zijn, net als hij, en dat Manon meer een alfa is, net als ik.'
'En zo hou je ze dus uit elkaar,' constateerde Hanneke.
'Ja. En bovendien heeft Sofie een litteken op de rug van haar rechterhand, kijk, daar,' wees Joyce. 'Toen ze bijna twee was, is ze een keer gebeten door

een hond in de buurt, een vals beest. Dat was een van de redenen dat we destijds wilden verhuizen. Hij had een ander kind ook al eens te pakken gehad.'
'Dat was zeker wel schrikken?' vroeg Hanneke. 'Dat arme kind.'
Ivo kwam binnen. 'Ik moet even weg. Nu ze weten dat ik in Nederland ben, willen ze de kans waarnemen om persoonlijk met me te overleggen. Ze hebben gevraagd of ik langskom in Waddinxveen om naar wat tekeningen te kijken. Het zal hooguit een uur of zo in beslag nemen, dus ik kan binnen twee uur weer terug zijn.' Hij wierp een snelle kushand naar Joyce, liep meteen door naar de gang, pakte zijn jas van de kapstok, riep nog: 'Sorry, jongens, het moet even, zaken gaan voor het meisje,' en verdween.
De stilte die volgde werd doorbroken door Joyce. 'Dat bedoel ik dus,' zei ze. 'De zaken gaan tegenwoordig altijd voor het meisje. Dat is zijn stopwoordje geworden. Of stopzin, eigenlijk.'
Weer was het even stil. Iedereen dacht er het zijne van, maar niemand wilde dat blijkbaar hardop uitspreken.
Lobke stond op. 'Ik ga theezetten en daarna Matthijs en omi wakker maken. Wil iedereen thee, of zijn er ook koffieklanten?'
'Doe mij maar een bakje koffie,' zei Steven. De rest wilde thee.
Terwijl Lobke in de keuken bezig was, foeterde ze inwendig op Ivo. Ze vond zijn gedrag bijna op het onbeschofte af. Oké, ze kon zich voorstellen dat de mensen van dat bedrijf de gelegenheid wilden aangrijpen dat Ivo in de buurt was. Maar hij had daar toch ook morgen langs kunnen gaan? Die tekeningen liepen niet weg. Hij had nog geen woord met haar ouders gewisseld, had alleen maar aan de telefoon gehangen. En dan weggaan zonder fatsoenlijk gedag te zeggen! En Joyce leek het inmiddels te accepteren, want ze zei er verder niets van tegen Ivo.

Even na drie uur kwam Roel thuis, en tegen vier uur kwamen Aafke, Tim en de kinderen. Ze werden enthousiast begroet door de rest van het gezelschap.
Aafke lachte: 'Onderweg in de auto zei Tim dat we straks voor Matthijs zouden gaan zingen, en toen zei Stijn ineens verschrikt: "O, dat kan niet, ik heb m'n gitaartje niet bij me!" Sinds hij dat van jullie gekregen heeft voor z'n verjaardag, sleept hij dat ding overal mee naartoe. Hij wilde zelfs dat we

per direct omdraaiden om het gitaartje alsnog te halen. Dat hebben we toch maar niet gedaan, we zaten net in een langzaam rijdende file. Ze zijn bij Gouda weer eens bezig op de A12.'
'Ja, daar zaten wij ook in,' zei Joyce. 'Ivo zal daar straks ook wel last van hebben. Dan is het ook nog eens spits.'
'O, is Ivo er ook?'
'Ja, maar die moest even heen en weer naar Waddinxveen. Zaken.'
Lisanne mocht het cadeautje aan Matthijs geven. 'Nog meer rails voor Thomas, dát is leuk!' zei Lobke enthousiast. De aanwezigheid van nog meer kinderen leek Simon wat te ontdooien, want hij werd steeds spraakzamer en deed zijn best om Nederlands te spreken.
'Dat gaat best goed, dat Nederlands van Simon,' zei Lobke zacht tegen Joyce. 'Als hij eenmaal hier op school zit, zal hij het best snel oppakken.'
Joyce knikte. 'Dat denk ik ook. Hij is slim zat. Ik draai thuis nu elke dag die Nederlandse cd's, niet alleen luisterboeken, maar ook met Nederlandse kinderversjes. Al was me voor die tijd nooit opgevallen dat daar zo veel woorden in zitten die we zelf nooit gebruiken. Mijn vader en moeder hadden een cd gestuurd waar ik zelf als kind vroeger nog naar geluisterd heb, maar daar zitten liedjes op als "Daar was een wuf die spon" en "Drie schuintamboers, en van je rom-bom-wat-maal-ik-erom" en zo. Niet echt woorden die je een kind van vijf wilt leren, en waar hij iets aan heeft als hij straks op een Nederlandse school zit. Dat een wuf een wijf is, snap ik, maar ik wil niet dat Simon dat woord gebruikt. En weet jij wat een schuintamboer is?'
Ze lachten allebei.
Aafke had mee zitten luisteren en viel hen bij. 'Dat vond ik ook toen ik Lisette allerlei sinterklaasversjes hoorde zingen toen ze nog maar een jaar of drie was. Ze kon ze prima meezingen, maar had volgens mij geen idee wat ze zong. "Zijn knecht staat te lachen en roept ons reeds toe: wie zoet is krijgt lekkers, wie stout is de roe." Weet een kind van drie veel wat een knecht is, of wat "reeds" betekent?'
'Ja, en hoeveel mensen hebben er nog een regen-regentonne staan, waar Sint al dat lekkers in moet gooien?' lachte Lobke.
'Stijn zingt altijd: "Hoe humpelt zijn paardje de dijk op en neer", en wij vinden dat zo schattig dat we hem niet eens verbeteren. En als Pieter Post op de tv komt en er wordt gezongen van "zon en regenvlagen", maakt hij

er altijd iets van als "zonder vlegevlagen".'
'Tja, de Nederlandse taal is soms zelfs voor grote mensen best ingewikkeld,' zei Joyce. 'Ik moet af en toe zelf nog erg nadenken voor ik op een woord kan komen. Gisteren bij m'n ouders thuis was ik de meisjes de Nederlandse woorden van de diverse vruchten aan het leren, zoals aardbeien, sinaasappels en druiven, en ik zat me toen suf te prakkiseren wat het Nederlandse woord voor grapefruit was. Ik kwam niet verder dan "druivenvrucht", en wist dat dat niet goed was, maar kon ook zo snel niet verzinnen wat het dan wel was. Tot m'n moeder me eraan herinnerde dat het hier ook grapefruit is. Stom hè? De meisjes moesten er in elk geval hard om lachen.'
'Dames, mag ik even storen?' vroeg Hanneke. 'Ik heb hier een klein meisje dat een beetje honger begint te krijgen.' Ze wees naar Marit, die ze op de arm had.
Aafke keek op haar horloge. 'Tegen vijf uur, dat kan wel kloppen. We geven haar thuis meestal haar hapje voor wij zelf gaan eten, dat eet een stuk rustiger. Heb je iets voor haar, Lob? Ik heb anders voor nood wel een potje meegenomen, hoor.'
'Ik heb soep en hartige taarten, en verder broodjes. Mag ze al hartige taart?'
Aafke schudde haar hoofd. 'Nee, dat zal ik nog maar niet doen.'
'Ik kan ook een aardappel schillen, dat is zo gebeurd, en ik heb nog wel doperwtjes in de vriezer. Is dat goed?'
'Ja, prima. Zal ik het zelf doen?'
'Als jij die aardappel schilt, zal ik de doperwtjes pakken, goed?'
Even later stonden ze samen in de keuken. Vanuit de kamer klonk een gezellig geroezemoes. Aafke schilde een aardappel en sneed die in kleine stukjes, waarna ze ze met wat water opzette. Lobke deed daar even later wat doperwtjes bij, en in een mum van tijd was er een lekker prakje voor Marit.
'Het is wel fijn als zij eerst eet, dan kan zij nu in de kinderstoel en Matthijs straks,' zei Lobke.
Ze zette de pan soep alvast op en haalde de hartige taarten uit de kleine bijkeuken. Ze roken stuk voor stuk heerlijk.
Roel kwam kijken of ze nog hulp nodig had. 'Hoe gaan we dat doen met tafel dekken en zo? We hebben wel een grote tafel, maar daar passen we nooit allemaal aan.'

Lobke telde: 'Opi en omi, pap en mam, Aafke en Tim, Joyce en Ivo en wij tweeën, dat zijn al tien volwassenen, en dan nog drie stoelen voor Lisanne, Stijn en Simon. Als we nu de tafel eens draaien tot tegen de muur, en daar alles op zetten? Dan maken we er een lopend buffet van, en kan iedereen pakken wat hij of zij wil.'
'Goed idee.' Roel ging meteen aan de slag, geholpen door Steven.
Om kwart voor zes was de soep warm en stond op de tafel alles klaar voor de maaltijd. Alleen was Ivo er nog steeds niet.
'Laten we maar gaan eten, hoor,' zei Joyce. 'Op Ivo moet je nooit wachten, dat doe ik thuis ook al niet meer. Anders wordt het veel te laat voor de kinderen.'
'Ja,' zei Aafke, wijzend op Stijn. 'Dat mannetje zit ook al te knikkebollen.'
'Zeker weten?' vroeg Lobke aan Joyce. Die knikte.
Pas om tien over zes kwam Ivo terug. Ze waren toen net klaar met eten. Lobke deed voor hem open. 'Je treft het dat ik zo veel eten gemaakt heb, anders had je de hond in de pot gevonden,' kon ze het niet nalaten te zeggen.
'Sorry, hoor, maar er kwam nog van alles bij,' zei Ivo. Hij hing zijn jas aan de kapstok en liep meteen door naar binnen. 'Hallo allemaal.' Hij feliciteerde Roel met zijn zoon en zwaaide naar de rest van de visite. 'Jullie ook allemaal gefeliciteerd, hè. Wisten jullie trouwens dat dat iets typisch Nederlands is?'
'Wat?' vroeg Roel.
'Dat je naast de jarige ook de rest van de familie persoonlijk feliciteert met de verjaardag van kind, vader, moeder, zus, zwager enzovoort.'
'Is dat zo? Nee, dat wist ik niet,' zei Lobke verbaasd.
'Ja, echt. Ze vinden het daar heel raar wat we hier doen. En die drie zoenen per keer is ook echt Nederlands,' zei Joyce. 'In Engeland zijn dat er hooguit twee. Dat was erg verwarrend in het begin. Ik vergeet nooit dat ik de eerste keer bij een Engelse vriendin op haar verjaardag kwam. We zoenden elkaar twee keer, en ik wilde er nog uit gewoonte een derde achteraan doen, maar zij dacht na twee al klaar te zijn, dus daar stond ik heel onhandig met mijn derde zoen die in de lucht bleef hangen.'
Ze lachten allemaal. 'Weet je wat ik nou nooit begrijp?' zei Steven. 'Hoe weet nu iedereen welke wang je eerst moet hebben? Ik vraag me soms af

of daar een officiële etiquette voor is.'
'Ik buig altijd mijn hoofd een beetje naar links,' zei Lobke. 'Dan komt de eerste kus van die ander vanzelf op mijn rechterwang terecht, en daarna gaat het met die andere twee ook goed.'
'Ik vind het maar een rare gewoonte, hoor,' zei opa De Bont. 'Vroeger gaf je elkaar een hand, en maar hoogst zelden een kus. Nu kust iedereen iedereen. Mensen die elkaar nog nooit eerder gezien hebben en die meedoen aan een of andere quiz op tv, kussen elkaar al gelijk drie keer. Dat is toch raar? Een kus moet toch iets bijzonders zijn én blijven?'
'Misschien dat onze kinderen als reactie op al dat gezoen weer teruggaan naar een hand geven,' zei Aafke.
'Ja, of ze geven elkaar straks zes kussen, omdat drie zo gewoon is,' lachte Tim.
'Of zes kussen en een high five,' deed Roel er nog een schepje bovenop.
Hanneke stond op. 'Wil er iemand nog koffie of thee?'
Ivo deed zich inmiddels te goed aan de resten van het buffet. Hij ging naast Lobke staan, die in een hoekje van de kamer met een tevreden gezicht naar haar visite stond te kijken. 'Lekker, Lobke. Vooral die met chorizo en kaas.'
'Ja, die is lekker, hè? Ik heb speciaal voor jou een stuk apart gehouden, en dat was maar goed ook, want de rest ging schoon op. Heb je genoeg gehad?'
'Ja hoor, dank je.'
'Het was jammer dat je vanmiddag weg moest,' zei Lobke. 'Nu hebben we elkaar amper gesproken. Ik had graag wat meer gehoord over je nieuwe baan.'
'Nou, we zullen elkaar straks wel vaker tegenkomen, als we zo dicht bij jullie in de buurt komen wonen.'
'Ja, dat vind ik erg leuk!'
'Joyce ook. Het is wel fijn voor haar te weten dat jij straks zo dichtbij woont. Ik zal vaak weg zijn voor mijn werk, want ik zal regelmatig heen en weer moeten naar Engeland, en waar we straks komen te wonen zal ze toch weer een nieuwe vriendenkring op moeten bouwen.'
'Nou, Joyce is sociaal genoeg, dat zal best wel lukken.'
'Dat wel, maar ze heeft het ook druk met de kinderen. Die twee meiden van ons zijn handenbindertjes, hoor.'
Vanuit zijn colbertje klonk een ringtone. Hij stak zijn hand in zijn binnen-

zak en haalde er zijn telefoon uit. 'Ogenblikje.' Hij liep naar de keuken. 'Vermeer.'
Lobke ving Joyce' blik die Ivo nakeek. Ze glimlachte naar Joyce. *Busy busy busy.* Ze vormde geluidloos de woorden met haar mond, terwijl ze haar hoofd heen en weer schudde.
Joyce lachte triest terug. Lobke liep op haar toe en ging naast haar op de bank zitten.
Even later kwam Ivo terug uit de keuken. Hij stapte op Joyce af en ging aan haar andere kant op de leuning van de bank zitten.
'Was het gezellig? Nogmaals sorry dat ik vanmiddag langer wegbleef dan gepland. Ik kreeg net een telefoontje, ze hebben gevraagd of ik morgenmiddag om een uur of drie ook nog een keer naar Waddinxveen kan komen. Wij hebben morgen de laatste huizenbezichtiging om halftwee, die is in Oudewater, dat is hier vlakbij. Zullen we aan Lobke vragen of jij en Simon dan hier mogen wachten tot ik klaar ben in Waddinxveen? Ik zou jullie hier af kunnen zetten. Dat is dichterbij dan dat ik je heen en weer naar pa en ma moet brengen.'
Joyce keek naar Lobke, die gehoord had wat Ivo zei. 'Kan dat?'
'Natuurlijk kan dat, ik ben vrijdags altijd vrij. Fijn dat ik je morgen weer zie! Dan krijg ik de verhalen van de huizen die jullie bekeken hebben uit de eerste hand.'
Na de koffie stonden Aafke en Tim op. 'Wij gaan naar huis, de kinderen moeten nodig naar bed.' Tim liep alvast naar de kapstok voor de jassen.
'Moet ik nog helpen met opruimen?' vroeg Aafke.
'Nee hoor, dat doen we straks als jullie allemaal weg zijn,' zei Lobke.
'Ik wil nu ook graag naar huis,' zei oma. 'Ik vond het erg gezellig en ik heb een lekker tukje gedaan vanmiddag, maar ik ben nu toch wel erg moe.'
Dat leek voor iedereen het teken om op te staan en gedag te zeggen. Er werden weer heel wat zoenen uitgewisseld, en binnen een halfuur was de kamer, die eerst zo vol door elkaar pratende mensen was, ineens leeg en stil.
Matthijs keek wat verbaasd om zich heen, alsof hij niet snapte waar iedereen nu zo plotseling gebleven was.
Roel tilde hem met een zwaai op zijn schouders. 'En deze grote jongen moet ook nodig naar bed toe.'
Matthijs greep naar de kleurige slingers, die hij de hele dag wel gezien had,

maar waar hij vanuit zijn positie nu goed bij kon. Lobke riep nog: 'Nee!', maar het was al gebeurd. Het flinterdunne papier van de slinger kon niet tegen die grijpgrage vingertjes, er scheurde een flink stuk af.
Matthijs staarde naar de gekleurde stukken papier in zijn handjes. 'Tuk!' constateerde hij.
'Ja, die is stuk,' zei Lobke droog. 'Papa, dat was een beetje dom.'
Roel keek schuldbewust. 'Sorry,' zei hij. Hij duwde zijn onderlip zo'n eind naar voren en keek daarbij zo zielig dat Lobke in de lach schoot.
Matthijs gaf de stukken papier aan Lobke. 'Mama make,' zei hij.
'Ja, mama zal hem strakjes maken,' zei Lobke. Matthijs hoefde niet te weten dat de slinger in de prullenbak zou verdwijnen. Ze had er toch nog twee liggen.
'Nou, ga jij maar gauw onze zoon in bed leggen, dan zal ik de boel hier opruimen,' zei ze.
'We kunnen ook samen onze jarige zoon in bed leggen en dan daarna samen de boel opruimen,' stelde Roel voor. 'Dat lijkt me veel gezelliger.'
Zo gezegd, zo gedaan. Na het tandjes poetsen las Lobke nog een verhaaltje voor van Nijntje die jarig was, en dat eindigde met: 'Het was een fijne dag.'
Toen ze de laatste bladzijde voorgelezen had, stootte Roel haar zacht aan. Hij hield zijn wijsvinger voor zijn lippen en wees met zijn andere hand naar Matthijs.
'Ssst, hij slaapt al bijna.' Matthijs' oogleden gingen langzaam open en dicht.
'Wat een rijkdom toch, hè,' fluisterde Lobke.
Roel kon alleen maar knikken. Hij pakte haar hand en kneep er zacht in. Naast elkaar zaten zij stil genietend te kijken naar hun jarige zoon, die langzaam wegzakte naar dromenland.

5

De volgende middag werden Joyce en Simon om halfdrie bij Lobke afgezet. Ivo reed meteen door. 'Doe Lobke maar de groeten van me. Ik ben al laat, ik zie haar straks wel als ik jullie op kom halen.'
Lobke nam hen meteen mee naar de achtertuin. 'Het is zo'n lekker najaarszonnetje, en hierachter zitten we heel beschut, we kunnen zelfs nog zonder jas buiten zitten. Willen jullie wat drinken?'
'Thee graag, ik verga van de dorst. De twee huizen die we vanmiddag gezien hebben waren allebei al leeg, dus ik heb bij de lunch voor 't laatst wat gedronken. De makelaar wilde ons nog meenemen naar een restaurant, maar Ivo wilde meteen door naar jou, hij had...'
'... haast,' zei Lobke tegelijk met Joyce.
Joyce knikte. 'Heb je 't door?'
'Simon, wat wil jij?' vroeg Lobke.
Simon had echter geen oog voor Lobke. Hij had Matthijs ontdekt, die in het zonnetje in de zandbak zat te spelen. '*Can I, mommy*?' vroeg hij aan Joyce.
'Wat zeg je?' reageerde deze.
'Mag ik, mammie?' zei hij gehoorzaam.
'Ja, toe maar. Wil je niet eerst iets drinken?' Maar hij was al weg.
Lobke hield een plastic bekertje omhoog. 'Voor Matthijs heb ik diksap, zal ik dat voor Simon ook inschenken?'
'Da's goed, doe maar.'
Even later zaten ze in de comfortabele tuinstoelen hun thee te drinken. Joyce leunde achterover en liet het zonnetje haar gezicht verwarmen. 'Hè, heerlijk. Daar was ik aan toe: zon, een bakkie thee en rust. Het is net of we de laatste weken in een achtbaan zitten, met steeds weer nieuwe bochten en pieken en dalen. Ik zal blij zijn als we verhuisd zijn en er weer rust in de tent komt.'
'Zat er iets bij, bij de huizen die jullie vandaag gezien hebben?'
Joyce schoot meteen overeind. 'Ja, ik pak ze er meteen bij.' Ze stond op, liep naar binnen en kwam even later terug met een mapje papieren. Ze zocht er een paar uit en overhandigde die aan Lobke. 'Dit is het laatste huis dat

we bezichtigd hebben, en hier gold: lest best. We zijn er heel enthousiast over. Het staat al anderhalf jaar leeg, dus de makelaar dacht dat hij zelfs nog wel iets van de prijs af kon krijgen. Als het doorgaat hoeven we er nauwelijks iets aan te doen, het zag er allemaal zo netjes uit.'
Lobke bekeek de papieren. Ze slikte even toen ze de prijs zag: die was wel vijf keer zo hoog als wat ze voor hun eigen huis betaald hadden! Ze zei er maar niets van, blijkbaar konden Joyce en Ivo dat betalen.
De foto's spraken voor zich, en Lobke kon zich meteen voorstellen dat de voorkeur van Ivo en Joyce naar dit huis uitging. Het was een prachtige vrijstaande villa, landelijk gelegen, met een schitterend uitzicht over de weilanden. Alleen de entree was al overweldigend. Voor de hoge voordeur lag een bordes, de hal was bijna zo groot als de woonkamer van Lobke en Roel, en had een open hardhouten trap met een halve draai naar de bovenverdieping. De ruime, lichte woonkamer had een leistenen vloer, een grote open haard en openslaande deuren naar een groot zonneterras. De grote, vierkante eetkeuken was in Engelse stijl, met roomwitte deurtjes, een zwart granieten aanrecht, een zespits gasfornuis, een brede Amerikaanse koelkastcombinatie, en er hing zelfs een kleine tv. Ook de keuken had openslaande deuren naar het terras.
Vanuit de keuken was een flinke bijkeuken bereikbaar, met aansluitingen voor wasmachine en droger. Naast het huis lagen twee garages.
De bovenverdieping was al net zo luxe. De ouderslaapkamer had veel ramen en een balkon, en de drie overige slaapkamers waren ook ruim en licht. De badkamer was een plaatje: op de vloer lagen grote witte tegels, tot halverwege de muur waren de tegels zwartgemarmerd, daarboven waren ze weer wit. Ook het sanitair was wit. Een bad, een douche, een toilet, zelfs een bidet, het was er allemaal. Er hing een wit badkamermeubel met daarin twee wastafels verwerkt, daarboven een spiegel over de hele breedte van het meubel.
'Op de zolder zijn twee kamers, van een ervan willen we een speelkamer voor de kinderen maken,' legde Joyce uit.
Om het huis lag een fraai aangelegde maar zo te zien wat verwaarloosde landschapstuin, met diverse kleinere terrassen.
'Joh, wat een fantastisch huis!' verzuchtte Lobke toen ze alles bekeken had.
'Ja, mooi hè? Ik voelde me er meteen thuis, het huis ademt sfeer. Ik vind

het nog mooier dan ons huis in Engeland.'
'En dat jullie dan in Oudewater gaan wonen, als dat huis doorgaat! Dat is maar een kilometer of acht hiervandaan, dat is zelfs op de fiets maar een wipje.'
'Ik hoop ook dat het doorgaat. Van alle huizen die we gezien hebben, beviel dit ons allebei het meest. De tuin is wel wat verwaarloosd – logisch, het staat al anderhalf jaar leeg – maar dat geeft niet, m'n handen jeukten om daarin aan de slag te gaan. En het voordeel is dat het huis al leegstaat. Ons huis in Engeland moet per 1 december opgeleverd worden, dus hebben we op korte termijn een ander huis nodig. We vliegen zondagmiddag weer terug naar Engeland, het zou fijn zijn als we dan wat meer zekerheid zouden hebben.'
Lobke keek de kleine tuin rond. 'Als je eenmaal daar in Oudewater zit, wil je vast niet meer hier in ons kleine tuintje komen zitten als je daar zo veel ruimte tot je beschikking hebt.'
Joyce gaf haar een speelse duw. 'Doe niet zo gek, joh! Alsof ik daarom geef. Het is hier toch hartstikke gezellig? Voor mij hoeft het allemaal niet zo luxe, hoor, dat heb ik al eerder gezegd. Bovendien ben ik graag bij jou, of dat nu hier is of ergens anders.'
Lobke wierp haar een kushand toe. 'Ik zal blij zijn als je lekker dicht in de buurt zit.'
'Ik ook.'
'Wil je nog thee?' Lobke sprong overeind. 'Of iets anders?'
'Heb je wijn in huis?'
'Ja. Rood of wit?'
'Is die witte droog of zoet?'
'We hebben het allebei.'
'Doe dan maar een zoete witte, daar heb ik wel trek in.'
Lobke schonk voor hen allebei een glas witte wijn in. Ze deed wat pinda's in een schaaltje en gaf de kinderen een doosje rozijntjes. Daarna ging ze weer bij Joyce zitten. Ze hief het glas. 'Proost. Op de goeie afloop.'
'Ja, proost.'
Joyce nipte genietend van haar wijn. Lobke keek naar haar vriendin. Joyce zag er wat meer ontspannen uit dan gisteren.
'Hoe gaat het verder met jou?' vroeg ze. 'Ik vond je gisteren wat gespannen.'

'O? Nou, dat zal wel gekomen zijn omdat Ivo weg moest. Ik vond dat erg vervelend.'
'Joh, daar kon jij toch niks aan doen? Bovendien kan ik me wel voorstellen dat de mensen hier de gelegenheid willen aangrijpen nu Ivo in Nederland is. Hij gaat daar toch de boel aansturen, heb ik begrepen.'
Joyce knikte. 'Ja. Hij heeft er veel zin in, zit met z'n hoofd al in Nederland.'
'En jij?'
Joyce haalde haar schouders op. 'Ach, ik zie ook wel voordelen. Dichter bij m'n ouders, dichter bij jullie. Maar we zaten daar prima in Engeland, ik hoefde er niet zo nodig weg.' Ze dempte haar stem. 'En Simon vindt het een ramp. Die moet nu alweer verkassen, en dan ook nog eens naar een omgeving waar hij de mensen amper verstaat. Toen hij het hoorde heeft hij vreselijk lopen stampvoeten en een hoop misbaar gemaakt.'
Lobke keek naar Simon, die rustig zat te spelen in de zandbak. Matthijs zat aan de andere kant en ging z'n eigen gang.
'Simon een hoop misbaar?' zei ze ook op zachte toon. 'Ik kan me daar niks bij voorstellen. Het lijkt zo'n rustig jongetje.'
'Dat is hij ook, dus als hij een hoop misbaar maakt is er echt iets aan de hand. We hadden wel iets dergelijks verwacht, dus hebben we eerst de meisjes naar bed gebracht, zodat we het zo goed mogelijk aan hem uit konden leggen.'
'Hoe leg je zoiets uit aan een kind van vijf?'
'Ivo heeft hem eerst verteld dat het bedrijf waar hij werkte een nieuwe vestiging op ging zetten en dat hij daar de baas van ging worden. Tot zover ging alles goed. Toen vertelde Ivo dat die vestiging in Nederland zou komen. Nog geen probleem; Simon dacht dat papa dan elke week heen en weer zou gaan naar Nederland en alleen in de weekenden thuis zou zijn. Maar toen tot hem doordrong dat we met z'n allen naar Nederland zouden gaan omdat we daar zouden gaan wonen, zagen we hem wit wegtrekken alleen al bij het idee. We hadden hem gewoon meer tijd moeten geven om hem aan het idee te laten wennen, maar Ivo werd geïrriteerd toen hij zag dat Simon in z'n schulp kroop. Hij gaf Simon een duwtje en zei: "Ben je dan niet blij voor papa?" Simon knalde er meteen uit: "Blij? Blij? Ik ben helemaal niet blij! Ik vind het verschrikkelijk!" Hij stond op en begon van wanhoop te ijsberen, ging zelfs lopen stampvoeten. Dat viel weer verkeerd

bij Ivo, dus die pakte hem beet en zette hem in de hoek om af te koelen, maar dat was alleen maar olie op het vuur. Simon ging steeds harder schreeuwen, dat hij niet meeging naar Nederland, dat hij wel bij een vriendje zou gaan wonen, of anders liep hij gewoon weg. Toen ging hij vreselijk huilen, en toen heb ik hem maar op schoot genomen en hem net zo lang vastgehouden tot hij een beetje bedaard was.'

'En toen?'

'Toen was het alleen nog maar een klein jongetje met een heleboel verdriet.'

'En nu?'

'Hij begint aan het idee te wennen en lijkt zich erbij neergelegd te hebben. Hij weet dat het huis in Engeland al verkocht is. Daarom hebben we hem expres meegenomen op huizenjacht, zodat hij het idee heeft dat hij nog ergens inspraak in heeft. Hij vond het laatste huis ook het mooist, vooral om dat uitzicht. Hij wil dan de slaapkamer aan de voorkant, en we hebben hem al beloofd dat hij die krijgt als de koop doorgaat.'

'En hij zal hier ook naar school moeten, hij is leerplichtig met z'n vijf jaar,' bedacht Lobke.

'Ja, maar zolang we nog niet weten waar we komen te wonen, kunnen we ook nog geen school voor hem uitzoeken,' legde Joyce uit. 'Daarom hoop ik dat we zo spoedig mogelijk te weten komen of de koop door kan gaan. Dan kunnen we meteen een school in de buurt zoeken.'

'Zijn er scholen in Oudewater?'

'Daar hebben we nog niet naar gekeken, we wilden eerst een huis zoeken.' Lobke stond op en haalde de laptop. 'Dan kijken we toch meteen?' Ze zocht op internet. 'Zo te zien zijn er wel vijf basisscholen: twee rooms-katholieke, een protestants-christelijke, een openbare en zelfs een jenaplanschool. Keus genoeg, zou ik zeggen.'

'Laat me eens kijken,' vroeg Joyce. Lobke gaf haar de laptop. Joyce bekeek de diverse sites en zei toen: 'Inderdaad, genoeg keus. Zodra we wat meer weten over dat huis kan ik samen met Simon de diverse sites bekijken, dan wordt het allemaal wat reëler voor hem. Leuk, al die foto's, dat spreekt wel aan.'

'Zoek je voor de meisjes ook nog iets, een kinderdagverblijf of zoiets?' vroeg Lobke.

Joyce schudde haar hoofd. 'Nee, waarom? Ik heb geen baan en ben overdag dus toch thuis. Bovendien is Ivo weinig thuis, en als ik dan ook nog eens zou werken, zien ze allebei hun ouders nauwelijks. Nee hoor, over ruim een halfjaar worden ze vier, dan is het vroeg genoeg voor een school. Het gaat toch al hard genoeg. En ze hebben elkaar, dus ze leren toch wel spelen met andere kinderen.'
'Ja, dat is zo. Voor Matthijs is dat natuurlijk anders.' Het klonk wat gelaten.
Joyce keek naar haar vriendin. 'Zit er echt geen tweede kind in?'
Lobke schudde haar hoofd. 'Nee. Het is al een wonder dat we Matthijs hebben. Ik ben vier maanden na zijn geboorte één keer ongesteld geworden, daarna helemaal niet meer. Dus...' Ze keek naar Matthijs, die zijn autootje over de rand van de zandbak reed. 'Ik ben weleens jaloers op jou en Aafke, omdat jullie allebei drie kinderen hebben. Maar dan zeg ik maar tegen mezelf dat ik niet mag mopperen. En dat doe ik dan dus maar niet.' Ze stond abrupt op. 'Nog een beetje wijn?'
'Een halfje dan.'
'En nog wat pinda's?'
Joyce schudde haar hoofd. 'Nee, doe maar niet, niet goed voor m'n lijn.'
Lobke lachte. 'Met jouw lijn is niks mis, zo te zien. Het is gewoon niet voor te stellen dat jij een tweeling gebaard hebt met dat slanke lijf van je.'
'Ach, dat gaat vanzelf. Ook al heb ik geen baan, ik heb het toch druk genoeg met de kinderen en het huishouden. En de tuin, niet te vergeten. Ook wat dat betreft hoop ik dat dat huis in Oudewater doorgaat. Dat is zo'n lekker grote lap grond, daar kan ik m'n energie helemaal in kwijt.'
'En Ivo, doet hij weleens wat in huis of in de tuin?'
Joyce lachte een kort, wat schamper lachje. 'Ivo? Hij zou me aan zien komen als ik wat aan hem vroeg. Hij kan van alles, heeft tijdens zijn studietijd toch ook zelf eten gekookt en z'n kleren gewassen, maar ik kan me niet eens meer herinneren wanneer hij voor 't laatst koffiegezet heeft.'
'En in de tuin?'
'Nou, oké, als ik aan hem vraag of hij het gras wil maaien, doet hij dat wel, maar hij heeft al een paar keer overwogen om zo'n grasmaairobot te kopen. Ik heb gezegd dat ik dat niet wil zolang de kinderen nog zo klein zijn.'
'En als er iets in huis moet gebeuren, bijvoorbeeld een stop die doorslaat of een nieuwe lamp ergens indraaien?'

Joyce keek beledigd. 'Lobke toch! Ik mag dan wel geen werkende vrouw zijn, maar dat betekent niet dat ik dergelijke klusjes niet zelf op kan knappen. Daar heb ik geen man voor nodig, hoor. Je moest eens weten hoe handig ik ben.'

'Sorry hoor, ik wist niet dat je boos zou worden,' lachte Lobke. 'En verder? Wat doet hij dan wel in huis? Doet hij veel met de kinderen, of gaat hij om de boodschappen en zo? Gek dat ik me dat nooit eerder afgevraagd heb, ik ging er altijd van uit dat Ivo net als Roel zijn aandeel in het huishouden had. Al heeft Ivo een veel drukkere baan dan Roel, dat moet ik natuurlijk niet vergeten.'

Joyce schudde haar hoofd. 'Ivo is erg veranderd sinds hij die vorige promotie gemaakt heeft. Of eigenlijk is dat al eerder begonnen. Toen Simon een jaar was, heeft het bedrijf waar hij werkt een hele omslag gemaakt, ze zijn zich veel meer gaan profileren en willen dat nu dus ook internationaal gaan doen. Ivo heeft zijn steentje ruimschoots bijgedragen aan die ontwikkelingen. Kort daarna werd ik weer zwanger, en toen dat een tweeling bleek te zijn, leek het alsof Ivo dat steeds meer als een excuus ging zien om nog harder te werken. "Ik heb nu een heel gezin waar ik verantwoordelijk voor ben," zei hij altijd. Maar dat is sindsdien alleen maar erger geworden. Na de promotie, nu bijna anderhalf jaar geleden, is hij een smak meer geld gaan verdienen. Dat was enerzijds wel prettig, natuurlijk, maar het heeft hem ook veranderd. Hij is harder, zakelijker geworden. Het lijkt wel alsof hij denkt dat voor geld alles te koop is.'

'Mijn moeder zei gisteren ook al dat ze vond dat Ivo zo veranderd was. Jij kapte dat gesprek kort erna af. Vond je het vervelend dat ze dat hardop zei?'

'Ach...' Joyce zuchtte. 'Weet je, ik kan daar niks mee. Natuurlijk zie ik dat zelf ook wel, dat hij veranderd is en dat hij het altijd druk lijkt te hebben, maar wat kan ík daaraan doen? Wij hebben gewoon een iets andere verdeling in ons huwelijk dan de meeste moderne jonge gezinnen. Ivo zorgt voor het geld, ik voor de kinderen en het huishouden. Dat was vroeger ook vaak zo, en daar is toch niks mis mee? Bij mijn ouders thuis was dat net zo, en jouw moeder is toch ook pas op latere leeftijd weer gaan werken? Bovendien moet ik er niet aan denken om op dit moment een eigen carrière te hebben naast de kinderen. M'n hoofd zou omlopen.'

Weer zuchtte ze. 'Toen de tweeling geboren was, had ik het eerste halfjaar

het gevoel dat ik alleen maar aan het voeden en verschonen was, en daartussendoor moest er gewassen, opgeruimd en gekookt worden. Ze hadden allebei vaak last van buikkrampjes, kwamen regelmatig 's nachts, tot ze een maand of acht waren en wat vaster voedsel gingen eten. Ivo was druk met z'n werk, hij sliep 's nachts overal doorheen en was overdag weg, vaak 's zaterdags ook nog, en 's zondags was hij alweer bezig om de week erna voor te bereiden. Ik was in die tijd alleen maar moe, moe, moe.'
'Waarom heb je me dat nooit verteld?' vroeg Lobke verbaasd.
'Wat kon jij eraan doen? Hoe kon ik nou tegen jou, die zo graag een kind wilde, klagen over de drukte die kinderen met zich meebrengen? Zou je het begrepen hebben?'
Lobke dacht even na. 'Nee, misschien niet,' zei ze toen eerlijk. 'Ik zag bij Aafke en Tim natuurlijk best wel dat het leven van een gezin niet altijd over rozen ging, zeker in de tijd dat Tim overspannen thuiszat en hij zo in de knoop zat met zichzelf dat hij dacht dat hij niet van Stijn kon houden. Ik heb hem toen weleens door elkaar willen rammelen en roepen: "Joh, zie toch eens hoe rijk je bent met die kinderen!" Toen ik zelf zwanger bleek, ging al mijn aandacht daarnaar uit, en met Tim kwam het gelukkig ook weer goed. Maar om op jouw vraag terug te komen: als jij me verteld had dat je het zwaar vond met drie kinderen, had ik waarschijnlijk zoiets gedacht als: ik wou dat ik met je kon ruilen, ik zou er ik-weet-niet-wat voor overhebben om er 's nachts uit te moeten voor een huilend kind.'
'Precies,' knikte Joyce. 'En dus vertelde ik het niet aan jou. Ook niet aan m'n ouders, trouwens, die zouden zich alleen maar zorgen gemaakt hebben. Ze vonden het toch al zo jammer dat ze hun kleinkinderen zo weinig zagen.'
'Wat zul je je eenzaam gevoeld hebben,' bedacht Lobke.
'Dat voelde ik me ook.'
'En Ivo had het te druk om dat te merken?'
Joyce zei niets, ze knikte alleen maar.
'Joh...' Lobke wist even niet wat te zeggen. Ze reikte over de tafel naar de hand van haar vriendin.
Die haalde haar schouders op. 'Ach, ik heb het overleefd. Alleen is Simon in die tijd een hoop aandacht tekortgekomen, en ik ben bang dat zich dat nu gaat wreken. Hij mist een veilige basis, lijkt het wel. De verhuizing vorig

jaar heeft er ook geen goed aan gedaan, en nu wéér een verhuizing... Ik hoop dat hij op een school terechtkomt waar hij het erg naar zijn zin zal hebben, en dat hij snel vriendjes hier krijgt.'
'En misschien dat Ivo wat meer tijd voor hem vrij kan maken als jullie eenmaal in Nederland wonen?'
'Dat verwacht ik niet. Ivo zal, zeker in het begin, nog regelmatig heen en weer moeten naar Engeland, en veel op het bedrijf zelf moeten zijn tot alles op rolletjes loopt.'
'Maar dan ben je waarschijnlijk alweer een paar jaar verder,' constateerde Lobke nuchter.
'Ja.'
Joyce keek naar Simon. 'Hij zit hier op zijn gemak, dat kun je aan hem zien. Bij mijn moeder is hij veel onrustiger.'
'Misschien dat dat komt omdat hij hier niets moet, alleen maar een jongetje van vijf hoeft te zijn.'
'Dat zou heel goed kunnen. Mijn ouders zijn vorig jaar kleiner gaan wonen, ze wonen nu op een flat, en ze hebben toen ook allemaal nieuwe meubels aangeschaft. M'n moeder loopt nu steeds met een doekje en een kruimeldief achter de kinderen aan. Ik zou er zelf zenuwachtig van worden.'
'Hoe deed ze dat dan gisteren met de meisjes alleen, en vandaag?' vroeg Lobke nieuwsgierig. 'Want je vader werkt toch nog?'
Joyce knikte. 'Ja, die werkt nog, en voorlopig ook nog, hij is pas zevenenvijftig. Gisteren is m'n moeder de hele dag met hen naar zo'n speelparadijs geweest, en vandaag zou ze met hen naar de kinderboerderij gaan en daar met hen picknicken. "Nog even de laatste zonnestralen meepikken," zei ze. De meisjes sliepen al toen we gisteren thuiskwamen, die hadden zich prima vermaakt.'
'Hebben je ouders wel voldoende slaapruimte op die flat?'
'Ze hebben twee slaapkamers, eentje voor henzelf en een logeerkamer. Daar slapen wij dus met z'n allen op een paar luchtbedden.'
'En Ivo's ouders?'
'Die zitten midden in een verhuizing. Ik had toch al verteld dat ze naar het Gooi wilden? Ze hebben een huis gekocht in Blaricum en zijn daar nu druk in bezig. Bovendien logeer ik daar liever niet, ik heb bij hen altijd het

gevoel dat ik op eieren loop.'
'Nog steeds? Ik wist wel dat je dat in het begin had en dat vooral Ivo's moeder jou het idee gaf dat ze je niet goed genoeg vond voor haar zoon, maar ik dacht dat dat veranderd was nadat jullie getrouwd waren en kinderen kregen. Ik hoorde je er tenminste nooit meer over.'
Joyce schudde haar hoofd. 'Nee, we zagen elkaar sowieso minder vaak omdat we in Engeland zaten, en ze laat het nu minder merken als de kinderen erbij zijn. Weet je nog dat ik, toen ik net verkering had met Ivo, zei dat Ivo zo anders was dan zijn ouders, veel idealistischer en zo? Nou, hij en zijn vader zijn nu twee handen op één buik.'
Ze schrokken op van de voordeurbel. 'Dat zal Ivo zijn,' zei Joyce. 'Niks zeggen over wat ik verteld heb, hoor.'
Lobke stond op. 'Nee joh, natuurlijk niet. Maar ik vind het wel jammer voor je.'
Ze liep naar de voordeur, waar alweer gebeld werd. 'Jaja, ik kom al,' mompelde ze. 'We hebben niet allemaal zo'n haast.'
Het was inderdaad Ivo. 'Ik kom mijn vrouw en zoon halen,' zei hij.
'Kom je niet even binnen, wil je niet iets drinken?' vroeg Lobke.
Hij schudde zijn hoofd. 'Nee, mijn schoonouders rekenen op ons met eten, en we moeten nog verder praten over de huizen die we gezien hebben. Misschien kan ik die makelaar vanavond nog te pakken krijgen.'
Joyce en Simon kwamen er al aan. 'Gaan jullie mee?' zei Ivo wat ongeduldig. 'Het is al volop spits.'
'Simon moest nog even zijn handjes wassen. Hij heeft fijn in de zandbak gespeeld, hè Simon?' zei Joyce.
Ze nam hartelijk afscheid van Lobke. 'Bedankt voor de gezelligheid, en hopelijk tot gauw ziens. Zodra we meer weten over dat huis, hoor je van me.'
Toen Lobke hen uitgezwaaid had, liep ze weer terug naar de tuin, waar het inmiddels kil was geworden. Ze ruimde de boel op en nam Matthijs mee naar binnen, liet hem zijn handjes wassen en ging daarna aan het eten beginnen. Maar terwijl ze daarmee bezig was, waren haar gedachten bij Joyce en de dingen die ze verteld had.

6

TOEN LOBKE EEN PAAR WEKEN DAARNA THUISKWAM VAN EEN BEZOEK AAN DE kapper, was er een mail van Joyce:

van	Joyce Vermeer-den Heyer <joycevermeer@gmail.com>
aan	Lobke Sikkens-Schrijver <roelenlobke@home.nl>
datum	28 oktober 2011 10:23
onderwerp	Here we come!

Lieve Lobke,

Ik heb je net gebeld, maar je nam niet op, en ik wil m'n nieuws toch kwijt, dus dan maar per mail.
Zojuist kreeg ik een telefoontje van Ivo: de koop van het huis in Oudewater is rond, begin volgende week kunnen we het voorlopig koopcontract komen ondertekenen en de laatste dingen bespreken, zoals wanneer de sleuteloverdracht is en zo. Ik ben heel blij dat het dat huis geworden is. De onderhandelingen duurden langer dan we gewenst hadden. Er was wat geharrewar over de prijs en de dingen die we over wilden nemen, maar onze makelaar heeft goed zijn best voor ons gedaan, en met resultaat.
Ik heb inmiddels samen met Simon de diverse sites van de basisscholen in Oudewater bekeken, hij heeft er twee uitgekozen. Ik wil die scholen straks bellen om te vragen of we volgende week met hem langs mogen komen, en of ze sowieso plek voor hem hebben. Ik weet nog niet op welke dag we naar Nederland komen, dat zal Ivo wel weten als hij vanmiddag thuiskomt. Ik neem aan dat we diezelfde avond weer terugvliegen. Ik denk dus dat we zonder de meisjes komen, ik vraag wel of ze die dag bij een vriendin terechtkunnen, anders is dat zo'n gesjouw.
We worden dus bijna buren!
Ik was al begonnen met van alles inpakken, de zomerkleding en zo, die gebruiken we nu toch niet meer. Is het bij jullie ook zo guur? Hier is het in elk geval geen weer om naar buiten te gaan!
Nu nog een paar weken flink doorbijten, en dan op naar Oudewater!

See you, Joyce

Lobke pakte meteen de telefoon en belde naar Joyce. Nu nam zij niet op, dus Lobke stuurde een mail terug:

van Lobke Sikkens-Schrijver <roelenlobke@home.nl>
aan Joyce Vermeer-den Heyer <joycevermeer@gmail.com>
datum 28 oktober 2011 11:47
onderwerp Re: Here we come!

Hey soulsister,

Gefeliciteerd met jullie huis, en we hopen dat jullie er allemaal heel gelukkig worden!
Nu was jij degene die niet thuis was toen ik belde. Wat een bezige vrouwen zijn we. Ik was net naar de kapper met Matthijs. Ik vond hem dat langere haar wel leuk staan, vooral met die krullen, maar gisteren was er een mevrouw bij de drogist die dacht dat hij een meisje was, dus meteen maar een afspraak gemaakt om er de schaar in te laten zetten. Hij bleef netjes zitten en huilde niet eens, goed hè?
Fijn joh, dat het dat huis in Oudewater geworden is. Ik vond het op de foto's al prachtig en ben heel benieuwd hoe het er in het echt uitziet. Als jullie nog hulp nodig hebben: behangen kan ik niet, maar sauzen of verven lukt me heel aardig. En bij de verhuizing help ik uiteraard ook graag een handje mee, al is het alleen maar om koffie te zetten. Jullie zouden de meeste meubels meenemen naar Nederland, meen ik me te herinneren. Geef je de verhuisdatum door zodra je die weet? Desnoods neem ik een dag vrij.
Hoe reageerde Simon op het bericht dat hij nu een slaapkamer met een prachtig uitzicht krijgt?
Over nog geen vijf weken is het 1 december, dan zit je al in Nederland!!! Can't wait!

See you soon, *groetjes aan Ivo en de kids,*

Lobke

Joyce mailde terug dat hulp bij het schilderen niet nodig was, Ivo zou een schildersbedrijf inhuren.
De dag van de verhuizing werd woensdag 30 november. De dag ervoor

waren alle spullen al opgehaald door een verhuizer, en daarna waren Ivo en Joyce met de kinderen naar Nederland gevlogen. Ze hadden voor de eerste dagen weer een leaseauto geregeld, waarmee ze eerst de kinderen naar Joyce' ouders brachten, en daarna doorreden naar een hotel in Gouda.
Lobke had die woensdagmorgen Matthijs bij Aafke gebracht en reed op de terugweg meteen door naar Oudewater. Ivo en Joyce kwamen gelijktijdig met Lobke aanrijden.
'Wat een timing!' lachte Lobke toen ze uitstapte. Ze haalde van de achterbank een glazen vaas met een reusachtige bos bloemen en overhandigde die aan Joyce. 'Welkom in Nederland, en heel veel geluk hier. Ik heb er ook maar een vaas bij gekocht, want die van jullie zijn natuurlijk allemaal nog ingepakt.'
'Wat een prachtige bos, dank je wel!' zei Joyce. Ze gaf de vaas aan Ivo en omhelsde Lobke. 'En fijn dat je erbij bent vandaag. Gelukkig is het hier droog, in Engeland regende en hagelde het gisteren.' Ze pakte een sleutel uit haar jaszak. 'Ga je mee naar binnen? Ik ben benieuwd hoe de schilders het achtergelaten hebben.'
'Nou, ik vind het huis er aan de buitenkant al zo mooi uitzien,' bewonderde Lobke. Ze keek om zich heen. 'En het uitzicht is werkelijk schitterend, nog mooier dan op de foto's.' Aan de overkant van het huis begonnen de landerijen, gescheiden door een sloot. 'Zoiets is zomer én winter mooi, en dat verveelt nooit, denk ik. Alleen had ik op de foto's helemaal niet gezien dat daar een sloot lag?'
'Die foto's waren in de zomer genomen, toen lag er allemaal kroos op het water,' legde Ivo uit, die nog steeds met de vaas met bloemen in zijn handen stond.
Joyce had intussen de deur opengedaan. Ze stapte naar binnen en keek keurend om zich heen. 'Het ruikt weer helemaal nieuw.'
Ivo zette de vaas met bloemen in de keuken op het aanrechtblad en daarna liepen ze met z'n drieën door het huis. De grote grijze leistenen tegels in de woonkamer hadden een bijzondere tekening die de kamer een chic uiterlijk gaf. Joyce vertelde dat er vloerverwarming onder lag. De keuken was nog mooier dan op de foto's. De ouderslaapkamer was voorzien van roomwitte wollen vloerbedekking waar je in wegzakte, op de meisjesslaapkamers lag dezelfde vloerbedekking, maar dan in zachtroze, en op de

kamer die voor Simon zou zijn en die uitkeek op de landerijen, lag donkerblauwe vloerbedekking. In elke kamer hingen bijpassende gordijnen, en zelfs hingen er al lampen. De muren waren overal licht gesausd, het verfwerk zag er strak uit. Lobke vond alles even prachtig, en Joyce en Ivo waren tevreden met wat ze zagen.
Na het rondje door het huis haalde Lobke een grote krat uit de auto en zette die in de keuken. Daaruit kwamen een koffiezetapparaat, een waterkoker, bekers en alle benodigdheden om koffie en thee te zetten. Van Lobkes aanbod om daarvoor te zorgen had Joyce dankbaar gebruikgemaakt. Ook waren er een paar pakken sap, stroopwafels, 'echte Goudse, vers van de bakker', en belegde broodjes, die ze in de koelkast zetten.
Daarna was het wachten op de verhuizers. Die kwamen al snel. Terwijl Ivo hielp met sjouwen, vertelde Joyce de mannen waar alles naartoe moest. Lobke stond er in het begin een beetje verloren bij en besloot om alvast koffie te zetten. Alles liep gesmeerd en rond halfeen waren de verhuizers klaar, en waren zelfs alle meubels weer in elkaar gezet. De broodjes werden met smaak verorberd, alles ging schoon op. Daarna vertrokken de verhuizers naar een volgende klus.
Joyce en Lobke gingen aan de slag met de inrichting van de keukenkastjes, terwijl Ivo in de woonkamer de tv, de stereoinstallatie en de computer aansloot en daarna de boeken in de boekenkast zette. Vervolgens waren de linnenkasten boven aan de beurt. Er kwamen steeds meer lege dozen, die Ivo opstapelde in een van de garages.
Het werk schoot lekker op, en rond halfvijf was het meeste gedaan. 'Ik help je nog met het opmaken van de bedden, daarna ga ik Matthijs halen en naar huis,' zei Lobke.
'Fijn, dan kunnen we in ieder geval vanavond naar bed,' zei Joyce.
'Blijf je niet eten?' vroeg Ivo. 'We kunnen wel wat halen bij de chinees of zo.'
Lobke schudde haar hoofd. 'Nee, anders wordt het te laat voor Matthijs. En ik heb tegen Roel gezegd dat ik thuis kom eten, hij zou voor het eten zorgen.'
'Ook goed,' zei Joyce. 'Ivo, wil jij zo meteen naar pa en ma bellen of ze de kinderen komen brengen? Ik ben benieuwd hoe zij het huis vinden.'
'Wie, je ouders of de kinderen?' vroeg Lobke.

'Allebei,' lachte Joyce. 'Maar vooral de kinderen. Simon heeft het al gezien, maar dat is alweer een tijdje geleden, en nu staan onze spullen erin, dat is toch weer anders.'
Joyce en Lobke maakten de bedden op, en even over vijven vertrok Lobke richting Boskoop.
Joyce omhelsde haar. 'Hartstikke bedankt voor je hulp, voor je bloemen en voor... nou ja, voor het feit dat je er was vandaag.'
'Graag gedaan. Veel plezier straks met de kinderen, en groet je ouders van me.'
'Doe ik. Wanneer zie ik je weer?'
'Ik bel nog wel, goed?'
Het was zoals gewoonlijk rond deze tijd erg druk op de A12, en pas om tien voor zes kwam Lobke bij Aafke en Tim aan. Die zaten al te eten.
'Ik wist niet hoe laat je zou komen, dus heb ik Matthijs alvast wat gegeven,' zei Aafke. 'Nog twee hapjes, dan is hij klaar, alleen nog een beetje yoghurt.'
'Die yoghurt geven we hem wel thuis,' zei Lobke. 'Als jullie het niet erg vinden, ga ik meteen door, want Roel zal wel zitten wachten met het eten.'
'Gaan jullie maar, dan bel ik hem wel dat jullie onderweg zijn.'
Nu was het gelukkig alweer wat rustiger op de weg, en rond halfzeven parkeerde Lobke de auto naast hun huisje. Wat leek dat ineens klein in vergelijking met die grote villa van Ivo en Joyce!
Ze haalde Matthijs uit het autozitje. Hij sliep al bijna. 'Hé mannetje, we zijn weer thuis. Ga je mee naar papa?'
Roel stond in de deuropening. 'Hoe ging het vandaag?' Hij pakte Matthijs van haar over.
'Goed, we hebben een hoop gedaan, en ze kunnen vanavond in elk geval naar bed,' zei Lobke.
'En deze jongeman moet ook nodig naar bed, zo te zien,' lachte Roel. 'Of moet hij nog eten? Het staat al op tafel, Aafke belde dat jullie er rond deze tijd konden zijn.'
'Hij heeft al bij Aafke gegeten, maar hij mag nog een beetje yoghurt, dat heeft hij nog niet gekregen.'
Roel ontdeed Matthijs van zijn jasje en zette hem in de kinderstoel. Daarna haalde hij een schaaltje yoghurt voor hem.
Even later zaten ze gezellig met z'n drietjes te eten.

Op vrijdag belde Lobke naar Joyce. 'Hoe is het?'
'Gaat wel. De meeste dozen zijn nu uitgepakt, maar het is nog erg zoeken waar alles ligt.'
'Hoe reageerden de kinderen woensdag?'
'De tweeling was door het dolle heen, die renden de trap op en af, gingen alle kamers door. Simon dook gelijk zijn eigen kamer in en kwam pas beneden voor het eten. Hij heeft de eerste nacht nauwelijks geslapen, maar vannacht ging het geloof ik wel.'
'En jullie?'
'Wel vreemd, hoor, in je eigen bed liggen maar andere geuren ruiken en andere geluiden horen dan we gewend zijn. Gisterochtend hebben de kinderen en ik ons eerste ontbijt in ons nieuwe huis gehad. We hebben dat extra feestelijk gemaakt, met een gekookt eitje en croissantjes en verse jus d'orange. Dat was erg gezellig.'
'Is Simon al naar school geweest?'
'Nee, we hebben met de schoolleiding afgesproken dat hij dinsdag pas begint, dan heeft hij nog een paar dagen om te acclimatiseren. Ze zijn op school ook nog druk bezig met Sinterklaas, en daar heeft Simon niet zo veel mee. In Engeland draait het allemaal om Santa Claus met de Kerst. Op maandag wordt het sinterklaasfeest uitgebreid gevierd op school, maar dat leek ons veel te heftig voor Simon, dus dinsdagochtend gaat hij voor 't eerst naar school.'
'Heeft hij er zin in?'
'Helemaal niet. Hij mist z'n vriendjes. Ik heb van de juf bij wie hij in de klas komt wat kleurplaten en werkbladen gekregen waar hij nu mee bezig is, en een cd met liedjes die ze regelmatig zingen. Gistermiddag was trouwens leuk, toen ben ik met de kids naar de bieb geweest, daar hebben we ons aangemeld als lid. We zijn er zeker wel een uur geweest, er was iemand die voorlas voor de kleuters. Die vrouw kon dat echt goed, de tweeling heeft ademloos zitten luisteren, dat was zo'n mooi gezicht. Simon heeft toen een paar boekjes uitgekozen die ik hem nu 's avonds voor wil lezen.'
'En Ivo?'
'Ivo vliegt dinsdagochtend naar Engeland voor een overleg, woensdagavond komt hij weer terug.'
'Dus dan ben je die dagen gelijk alweer alleen?'

'Dat ben ik inmiddels wel gewend, de laatste maanden vloog Ivo ook regelmatig heen en weer tussen Nederland en Engeland. Ivo wil morgen voor een auto voor ons allebei gaan kijken, dan heb ik straks mijn eigen autootje en ben ik weer mobiel.'
'Luxe, hoor. Maandag en dinsdag moet ik werken, maar zal ik woensdagochtend op de koffie komen?'
'Ja, gezellig! Hoe laat, halftien?'
'Oké, halftien sta ik voor je neus, dan kletsen we verder bij.'

Even voor halftien die woensdag belde Lobke aan. De deur werd opengedaan door twee identieke meisjes in een Hello Kitty-jeansjurkje met daaronder een knalroze T-shirt en dito legging. Ze keken nieuwsgierig naar Matthijs, die zich achter Lobkes benen verschool.
'Hallo,' zei Lobke.
'*Hello*,' zeiden de meisjes als uit één mond. '*Who are you*?' vroeg een van de twee toen, terwijl de andere naar achteren riep: '*Mommy*!'.
Lobke lachte haar vriendelijkste lach. 'Ik ben Lobke, en dit is Matthijs. Hoe heten jullie?'
Ze gaven geen antwoord, maar bleven haar aanstaren.
Lobke ging op haar hurken zitten. Ze trok Matthijs wat naar voren. Die leek zijn ogen niet te geloven dat daar twee dezelfde mensjes stonden. Zijn blik gleed van het ene naar het andere meisje en weer terug. Hij keek vragend naar Lobke, en toen weer terug naar de meisjes.
Lobke lachte. 'Dit is Matthijs,' zei ze weer en ze drukte haar vinger tegen Matthijs' buikje. 'En ik ben Lobke,' en ze wees naar zichzelf. '*What's your name*?'
Daar reageerden ze wel op. 'Manon.' 'Sofie.'
Sofie was degene met het littekentje op haar hand, herinnerde Lobke zich. Maar welke hand was dat ook alweer?
Ze keek de gang in. Waar bleef Joyce nou toch? De meisjes bleven in de deuropening staan en leken haar niet binnen te willen laten.
Ze stond op en drukte weer op de bel. Een van de meisjes riep weer: '*Mommy*!'
Lobke hoorde wat gestommel, en even later kwam Joyce met een wasmand vol wasgoed de trap af. 'O, je bent er al,' zei ze verschrikt. 'Ik heb de bel niet

eens gehoord, ik was boven bezig. Kom binnen. *Girls*, ga eens opzij voor Lobke.'
Ze zette de wasmand neer en omhelsde Lobke. 'Fijn weer eens een vertrouwd gezicht te zien, naast Ivo en de kinderen.' Ze slaakte een diepe zucht, grijnsde naar Lobke, en bukte toen voor Matthijs. 'Hé, manneke, hoe is het met jou?'
Matthijs drukte zich tegen Lobkes been aan. 'Hij is af en toe wat verlegen,' zei Lobke. Ze bukte zich ook en zei tegen Matthijs: 'Dit is Joyce, weet je nog wel? Of moet hij "tante Joyce" zeggen?' vroeg ze toen aan Joyce.
Die schudde haar hoofd. 'Nee joh, ben je mal. Ik ben z'n tante toch niet? Bovendien voel ik me dan meteen zo oud.' Ze ging weer rechtop staan en strekte haar rug met haar handen in haar zij. 'Hè, ik ben nog steeds wat stijf van al dat gesjouw van de afgelopen dagen.' Ze pakte de wasmand weer op en liep naar de keuken. 'Trek in koffie?'
'Lekker.' Lobke pakte Matthijs bij z'n handje en liep achter Joyce aan. De beide meisjes volgden zwijgend.
Joyce zette de wasmand in de bijkeuken. 'Dat komt straks wel, eerst koffie.'
In het midden van de grote keuken stond een eethoek, en in de hoek bij de openslaande deuren stond een laag tafeltje met drie stoeltjes. Er lagen kleurpotloden en tekenblaadjes op het tafeltje, blijkbaar waren de meisjes daarmee bezig geweest toen ze gestoord werden door de bel. De beide meisjes schoven elk een stoeltje naar achteren en gingen zitten.
'*I want lemonade, mommy*,' zei een van hen. Haar evenbeeld knikte. '*Me too*.'
Ze schoof de blaadjes en kleurpotloden naar een hoek van het tafeltje.
Een van de meisjes stak een duim in haar mond. Op het handje ontdekte Lobke een klein, maanvormig littekentje.
'Dat is vast Sofie,' wees Lobke.
'Ja, hoe weet je dat?' vroeg Joyce verbaasd. Ze had intussen het koffiezetapparaat aangezet.
'Aan het littekentje op haar hand, dat had je toch verteld?'
'O ja. Wat mag Matthijs drinken?'
'Heb je melk?' En toen Joyce bevestigend knikte, zei Lobke: 'Doe maar een half bekertje. Ik begrijp dat we hier koffiedrinken?' Ze knikte naar de beide meisjes.
'Hè, wat? O, ja, dat deden we in Engeland ook altijd, de meisjes zijn dat zo

gewend en we hebben die gewoonte hier automatisch voortgezet. Of wil je liever in de woonkamer zitten?'
'Nee hoor, dit is toch ook gezellig?' zei Lobke. Ze schoof het derde stoeltje naar achteren en hield het uitnodigend voor Matthijs. 'Wil je hier zitten, bij Manon en Sofie?'
Joyce zette drie bekertjes melk op het tafeltje. Matthijs had eerst nog wat wantrouwig gekeken, maar bij het zien van de beker melk schoof hij toch op het derde stoeltje. Hij pakte het bekertje met beide handjes beet en begon te drinken.
Sofie keek in het bekertje en schoof het van zich af. '*I want lemonade*,' zei ze op een besliste toon. '*Not milk*.' Manon volgde haar voorbeeld en schoof het bekertje ook weg.
'*Milk is all you get*,' zei Joyce op een strenge toon die duidelijk maakte dat ze geen weerwoord duldde. Blijkbaar was het niet eenvoudig om consequent Nederlands te spreken. Lobke kon zich daar wel iets bij voorstellen, zij zou het zelf ook lastig vinden om steeds na te moeten denken bij elk woord dat ze zei.
Sofie keek naar Matthijs, die zijn melk al bijna ophad, zuchtte even en pakte dan toch maar haar bekertje. '*And a cookie*?'
'Dat heet een koekje,' zei Joyce. 'Mag Matthijs iets hebben?' vroeg ze toen aan Lobke.
'Heb je ontbijtkoek in huis, of soepstengels?'
'Geen ontbijtkoek, wel soepstengels. Tenminste...' Joyce keek in de keukenkastjes. 'Als ik nog weet waar ze liggen.' Na drie kastjes haalde ze triomfantelijk een glazen pot met soepstengels tevoorschijn. 'Tadaa!' Ze opende de pot, pakte er drie soepstengels uit en gaf die aan de kinderen. 'En wat wil jij? Ik heb stroopwafels, jodenkoeken, kletskoppen en... en verder niks.'
'Doe dan maar een stroopwafel. Verse?'
'Nee, het is vanmiddag pas markt in Oudewater. Ik wilde daar met de kinderen naartoe gaan, Simon is vanmiddag vrij.'
Lobke ging aan de keukentafel zitten. 'Hoe heeft Simon het gisteren gehad op z'n eerste schooldag?' vroeg ze.
Joyce zette twee koppen koffie en een schaaltje stroopwafels op de tafel en ging tegenover Lobke zitten. 'Dat ging naar omstandigheden redelijk, vol-

gens de juf. Hij wilde er zelf niet veel over vertellen.' Ze nipte van haar koffie. 'Hij zag er best wel tegenop en had er pijn in z'n buik van. Ivo is mee geweest hem naar school brengen, dat wilde Simon graag, maar daarna moest hij gelijk door naar Schiphol. Simon had het er erg moeilijk mee dat Ivo wegging, en kon moeilijk afscheid nemen. De hele klas was bovendien nog vol van het sinterklaasfeest, ik kan me voorstellen dat hij zich daardoor erg buitengesloten voelde. Toen de meisjes en ik hem op kwamen halen om halftwaalf, liep hij er een beetje verloren bij aan de hand van de juf. Ze vertelde dat hij zich die ochtend beperkt had tot eenlettergrepige woorden, maar volgens haar begreep hij alles, of in elk geval het meeste van wat er gezegd of gevraagd werd. 's Middags ging het wat beter, toen heeft hij met twee andere jongens met de Lego gespeeld, en die waren erg onder de indruk van zijn creaties. Dat leek hem wat zelfvertrouwen te geven. Tja, Simon en Lego, dat is een prima combinatie.'
De meisjes hadden inmiddels hun soepstengel op. Ze gleden van hun stoeltjes af en liepen naar een grote kist vol speelgoed die tegen de muur stond. Matthijs volgde nieuwsgierig hun bewegingen.
'En vanmorgen? Nog pijn in z'n buik?'
Joyce schudde haar hoofd. 'Nee. Hij heeft wel onrustig geslapen, ik heb hem vannacht maar bij ons in bed genomen. Hij zat vanmorgen al vroeg met z'n Lego te spelen en wilde een van z'n laatste bouwsels meenemen, een vrachtwagen die hij zondag samen met Ivo gemaakt had. Dat leek me geen goed idee, en ik zei dat die Lego dan natuurlijk meteen in de bak van school zou verdwijnen. Maar hij wilde het per se, om het aan die twee jongens te laten zien. "Mijn vriendjes", noemde hij ze zelfs. Dat ontroerde me zo dat ik het toch maar goedvond. Op school liep hij meteen naar ze toe, en ze vonden de auto geweldig. Simon straalde helemaal. Ik ging met een veel geruster hart naar huis dan gisteren.'
'Hè, gelukkig maar. Ik weet nog hoe vervelend ik het vond toen ik Matthijs de eerste paar keren naar het kinderdagverblijf bracht en hij het daar duidelijk niet naar z'n zin had. Ik voelde me zelfs schuldig dat ik weer ging werken.'
Matthijs had intussen ook zijn soepstengel op. Hij was van zijn stoeltje gekomen en liep naar een poppenwagentje toe, dat naast de speelgoeddoos stond. Hij stak zijn handje uit en raakte het wagentje voorzichtig aan.

'*Do you want to play with it?*' vroeg een van de tweeling. Matthijs knikte. Lobke en Joyce schoten in de lach. 'Blijkbaar verstaan ze elkaar ondanks het taalverschil,' zei Joyce. De meisjes legden een pop in het wagentje en moederden gezusterlijk over Matthijs. Hij vond alles best, en Lobke en Joyce zaten een poosje genietend het tafereel te bekijken.
'Nog koffie?' vroeg Joyce terwijl ze opstond. Op dat moment ging de telefoon. Joyce nam op: 'Met Joyce Vermeer... Hoi... Ja, dat ging goed, hij heeft die vrachtwagen meegenomen die jullie zondag gemaakt hebben en maakte daar veel indruk mee... Ja, dat zei ik ook, maar hij wilde het per se. Voor z'n vriendjes, zei hij... Ja... Hoe is het daar?... O, vervelend... Nou, dat moet dan maar... Ja, balen... Heb je wel genoeg kleding bij je?... Oké. Nou, tot vrijdag dan maar... Ja, doe ik, doei.' Ze drukte de telefoon uit. 'Groetjes van Ivo. Hij blijft tot vrijdag weg, problemen in Engeland. Het was handiger om nu te blijven dan om vanavond naar huis te komen met het risico dat hij morgen weer terug moest.'
'Vervelend voor je,' zei Lobke.
Joyce haalde haar schouders op. 'Ach, de afgelopen maanden in Engeland gebeurde dat zo vaak. En het zal niet de laatste keer zijn.'
'Het houdt je relatie wel fris op die manier,' zei Lobke.
Even vertrok Joyce' gezicht. Toen zei ze: 'Wilde je nog koffie, of had ik dat al gevraagd?'
'Nee, één bakje is wel genoeg. Ik ben nog steeds niet zo'n koffieleut.'
'Iets anders dan, fris of zo?'
'Nee, dank je. Kan ik nog iets voor je doen, dozen uitpakken of zo, of heeft het meeste al een plekje gekregen?'
'Bijna alles is al uitgepakt, en wat er nog staat wilde Ivo zelf doen.' Ze wees naar de tuin. 'Ik wil zelf zo snel mogelijk in de tuin aan de slag, dat is mijn pakkie-an. Er moet een hoop in gebeuren, de tuin is het laatste jaar erg verwaarloosd. Er moet nodig gesnoeid worden, dat is dit jaar vast nog niet gedaan. Maar met die twee meisjes om me heen zal dat niet lukken. Die willen meteen helpen, en zelfs onkruid wieden is dan geen goed idee, dan trekken ze meteen alle planten eruit.'
'Als ik nu eens hier blijf vanmiddag en op de kinderen pas? Dan kun jij lekker je gang gaan.'
Joyce schudde haar hoofd. 'Nee, ik heb Simon beloofd dat we vanmiddag

naar de markt zouden gaan.'
'Dat kan ik dan toch met de kinderen doen?'
Maar Joyce weigerde beslist. 'Misschien een andere keer, als Simon wat meer gewend is, maar nu nog niet. Bovendien kan ik jou moeilijk opschepen met drie kinderen tegelijk.'
'Nou, opschepen... Ik doe het met liefde voor je, hoor. Ik pas ook weleens op de kinderen van Aafke en Tim. En dan heb jij je handen vrij.'
'Ik zal het in gedachten houden, alvast bedankt voor het aanbod. Lief van je.'

7

JOYCE BELDE AL DE WOENSDAG ERNA MET HET VERZOEK OF LOBKE DONDERdags op de tweeling wilde passen. 'Simon heeft morgen pannenkoekenfeest op school, dan blijven alle kinderen over. Als ik de meisjes bij jou zou mogen afleveren nadat ik Simon naar school gebracht heb, heb ik tot 's middags kwart over drie de tijd aan mezelf. In die tijd kan ik een hoop in de tuin doen.'
'Breng ze maar,' reageerde Lobke, 'of moet ik ze komen halen?'
'Nee, niet nodig. Gisteren kon ik m'n eigen autootje ophalen dat we zaterdag uitgezocht hebben, dus ik ben weer mobiel. Heb je speelgoed genoeg in huis, of zal ik wat meebrengen?'
'Ik heb genoeg staan hier. Lisanne van Aafke en Tim heeft van de zomer hier gelogeerd, daar had ik wat meidendingetjes voor gehaald. Eh... even over het eten tussen de middag, zijn er dingen die ze niet lusten of mogen hebben?'
'Ze mogen in principe alles. Gewone dingen, bruinbrood, eerst een met hartig, daarna mogen ze zoet. Ze wijzen wel aan wat ze lusten. En als er iets is, bel je me toch gewoon?'
'Gaan de meisjes 's middags nog naar bed?'
'Nee hoor, dat gebeurt nog maar zelden. Fijn, Lob, super! Ik verheug me al op morgen!'
De volgende morgen stapte Joyce al om kwart voor negen voor Lobkes huis uit haar rode Kia. Ze hielp de meisjes uitstappen, stuurde ze alvast naar de voordeur waar Lobke al op hen stond te wachten, en pakte twee grote plastic tassen uit de achterbak.
Wat onwennig kwamen de meisjes binnen, allebei met een knuffel onder hun arm. Ze waren hier nog maar één keer geweest, en dat was alweer een poos geleden. Maar toen ontdekten ze Matthijs, en daarna was het ijs al snel gebroken. Lobke had de treintafel uitgezet, waar Matthijs aan zat te spelen, en dat bleek ook voor de meisjes een interessant object. Ze deden hun jassen uit en gingen bij Matthijs zitten spelen.
Joyce overhandigde Lobke de plastic tassen. 'Hier. In de ene zitten kleren van Simon die hem te klein zijn. Ze zullen nog wel te groot zijn voor

Matthijs, maar misschien wil Aafke ze alvast hebben voor Stijn. Door die verhuizing kwam ik nog een heleboel dingen tegen. Het ziet er allemaal nog goed uit, maar ik weet niet of het haar of jouw smaak is. Wat jullie niet mooi vinden, kan wel naar het Leger des Heils, ik hoef ze niet terug te hebben. En in die andere zak zitten meisjeskleren, voor de jongste van Aafke, hoe heette die ook alweer?'
'Marit,' zei Lobke. Ze keek in de zakken en woelde wat door de kleding. 'Maar dat is allemaal merkkleding! Wil je er niet iets voor hebben?'
'Nee hoor, ik ben blij dat een ander er nog iets aan heeft. Op die leeftijd verslijten ze nog niet zo veel, alleen lange broeken.'
'Nou, bedankt, mede namens Aafke. Ik weet zeker dat ze er erg blij mee zal zijn! Hoe is het met Simon?'
'Dat gaat eigenlijk best goed. Er is dinsdag zelfs al een kindje komen spelen bij ons, een van die twee jongetjes van de eerste dag. Hij heet Tom en lijkt een leuk vriendje voor Simon te worden.'
'Fijn! Wil je nog iets drinken voor je weggaat?'
Maar Joyce kreeg ineens haast. 'Nee, dank je, dat gaat allemaal van m'n dagje vrij af, en m'n handen jeuken om in de tuin te beginnen. Vind je 't goed dat ik om kwart over drie eerst Simon uit school ga halen en daarna pas om de meisjes kom? Dat scheelt weer een halfuur.'
Lobke knikte. 'Tuurlijk. Wij vermaken ons wel.'
Joyce wilde zich naar de meisjes draaien om gedag te zeggen, maar bedacht zich. 'Praat maar gewoon Nederlands met de meisjes, hoor. Ze verstaan het best, en des te vlugger doen ze dat zelf ook.' Daarna boog ze zich naar hen toe en zei: 'Mammie gaat nu weg, in de tuin werken, en jullie mogen bij Lobke en Matthijs blijven. Vanmiddag komt mammie jullie weer ophalen. Krijg ik nog een kus?'
Ze gaven haar allebei gehoorzaam een kusje, en daarna verdween Joyce al zwaaiend. 'Dag hoor, tot vanmiddag. En nogmaals bedankt, Lob!'
Toen de deur achter Joyce dichtgevallen was, keken de meisjes vragend naar Lobke, alsof ze wilden zeggen: en wat nu? Ze klemden de knuffel iets steviger tegen zich aan, in een identieke beweging. Matthijs ging rustig door met spelen.
Lobke knikte naar de meisjes. 'Gezellig, dat jullie een dagje bij Matthijs komen spelen. Willen jullie net als Matthijs met de trein spelen?'

Ze knikten allebei, draaiden zich weer naar de tafel, maar lieten hun knuffels niet los.
Lobke wees naar de doos met puzzels en boekjes die ze alvast klaargezet had. 'Hier zit nog meer in als jullie met iets anders willen spelen.'
Ze kwamen meteen kijken wat er in de doos zat. Een van de twee riep: '*Puzzles*!' Ze legde er haar knuffel voor op de grond en pakte een puzzel van Hello Kitty uit de doos. De ander ging meteen ook op zoek. Zij vond een puzzel van Dora. Ze keken om zich heen, blijkbaar op zoek naar een tafeltje en stoeltjes zoals ze zelf ook hadden.
Lobke begreep het. 'Kom maar, dan mogen jullie aan de grote tafel zitten.' Ze schoof twee stoelen naar achteren en hielp de beide meisjes een voor een op een stoel. De knuffels moesten wel in de buurt blijven en werden vóór hen op tafel gelegd.
'Kunnen jullie al goed puzzelen?' vroeg Lobke.
Ze knikten allebei heftig. '*I can do a ninety piece puzzle*,' zei de meest bijdehante van de twee, ongetwijfeld Sofie. Lobke keek naar haar handjes. Ja, inderdaad Sofie.
'Zo zo, negentig stukjes? Dan is die Hello Kitty-puzzel een makkie voor jou, die is maar dertig stukjes,' zei Lobke.
Sofie had intussen de stukjes uit de doos gehaald en was al begonnen met puzzelen. Ze keek bedenkelijk. '*What's a "makkie"*?'
Lobke schoot in de lach. 'Een makkie, dat is eh... tja, wat is een makkie? Dat is *Dutch* voor *a piece of cake*,' zei ze.
'*A piece of cake*? *Why cake*?' vroeg Sofie met grote, verbaasde ogen.
'*Cake, yummy*,' zei Manon.
Fout antwoord, dacht Lobke. Blijkbaar was die *piece of cake* nog geen standaarduitdrukking voor meisjes van drie.
'Nee, ik bedoel geen cake. Even denken. Een makkie, dat is iets wat *very easy* is.'
'O.' Sofie moest even nadenken, alsof ze het woord proefde. Toen grijnsde ze. 'Makkie. *Nice Dutch word*.' Daarna ging ze verder met puzzelen.
De ochtend vloog voorbij. Na de puzzels kwamen de kleurtjes op tafel, en daarna hadden ze veel plezier met de barbies waar Lobke ooit zelf nog mee gespeeld had. Lobke zette een cd op met eenvoudige kinderliedjes, en daarvan bleken ze er zelfs een paar min of meer mee te kunnen zingen, zoals

Poesje mauw, *Slaap kindje slaap* en *Klap eens in je handjes*. Lobke genoot van het gekeuvel van de meisjes, die zich nu volkomen op hun gemak leken te voelen. Even voelde ze weer de pijn dat Matthijs hun enige kind zou blijven. Ze had zo graag nog eens moeder willen worden, en gunde Matthijs een broertje of zusje. Maar meteen vermande ze zich. Kom op, meid, je hébt een kind, er zijn er genoeg die zelfs dát genoegen niet mogen smaken. Tel je zegeningen.
Zoals Joyce al gezegd had, bleken de meisjes heel verschillend in hun doen en laten. Sofie nam telkens het voortouw, Manon deed haar zusje na in alles. Toen Sofie zei dat ze naar de wc moest, moest Manon ineens ook plassen, en toen Sofie zei dat ze dorst had, had Manon dat ook. Sofie kon sneller puzzelen dan Manon, maar Manon kon al beter tekenen, zag Lobke. Tegen twaalf uur begon Matthijs te gapen en in z'n oogjes te wrijven, en Lobke dekte samen met de meisjes de tafel. Na de lunch gingen ze allemaal naar boven om Matthijs in bed te leggen.
De meisjes keken verbaasd rond in Matthijs' kamertje. '*Small room*,' zei Sofie. Lobke kon de meisjes nu wat beter uit elkaar houden zonder naar het littekentje te zoeken.
'Ja, klein kamertje,' zei Lobke. 'Niet zo groot als dat van jullie. Maar wel gezellig.'
'*What is* kuzzelluk?' vroeg Sofie. Ze sprak het woord uit met een zachte 'k'.
'Ge-zel-lig,' zei Lobke.
'*What is* kuz-zel-luk?' vroeg Sofie weer. Ze zou nog flink moeten oefenen op de 'g'.
Lobke lachte. 'Gezellig is *nice*, of *cosy*.'
'*I like it*,' zei Manon. '*Nice room*. Kuz-zel-luk.' Ze moest er zelf om lachen.
'Zo, nu gaat Matthijs een poosje lekker slapen in zijn *nice room*,' zei Lobke toen ze Matthijs verschoond en in z'n bedje gelegd had. Ze zongen nog met z'n allen een keertje *Slaap kindje slaap*, daarna dekte Lobke Matthijs toe. 'Zeg maar: slaap lekker, Matthijs.'
'Slaap lekker,' echoden ze allebei.
Matthijs sliep al bijna. Lobke legde haar vinger voor haar mond. 'Ssst, nu zachtjes naar beneden.'
Voorzichtig liepen ze de trap af. Beneden gekomen ruimde Lobke de tafel af en zette de vaat in de vaatwasser. Het plastic tafelzeil liet ze liggen. Toen

stelde ze voor: 'Zullen we vanmiddag koekjes bakken voor papa en mama?'
'*And for Simon*!' riep Sofie. Manon gaf haar zusje een duw en legde haar vinger tegen haar mond, zoals Lobke gedaan had. '*Sssh!*' Sofie keek verschrikt naar Lobke.
'Natuurlijk, ook voor Simon,' zei Lobke. 'Gaan jullie me helpen?'
Ze pakte twee theedoeken en bond die in een driehoek voor de meisjes, als een soort schortje. Daarna draaide ze twee stoelen om, zodat deze met de rugleuning tegen de tafel stonden. Ze tikte op de zittingen: 'Klim er maar op.'
In een mum van tijd zaten de meisjes op hun knietjes op de stoelen. Toen Joyce de dag ervoor belde met haar verzoek had Lobke al het idee opgevat om koekjes te gaan bakken met de meisjes, en had ze alvast beslag voor zandkoekjes gemaakt. Ze haalde de kom met deeg uit de koelkast, pakte een grote, ronde houten snijplank, de deegroller en een bakplaat, en zette alles op tafel. Daarna strooide ze wat bloem over de plank, legde daar de klomp deeg op en ging er met de roller overheen tot het een plak van een halve centimeter dik was. Sofie en Manon keken nieuwsgierig toe. Ze gaf de meisjes elk een kleiner snijplankje en strooide ook daar wat bloem op. Daarna gaf ze hun diverse koekvormpjes, legde een plakje deeg op de plankjes en deed voor hoe ze van dat deeg koekjes konden steken.
Ze hadden de slag gauw te pakken en vonden het geweldig. Al snel lag de hele bakplaat vol deegplakjes in allerlei vormen. Lobke had intussen de oven voorverwarmd. Ze bracht de bakplaat naar de keuken, gevolgd door de beide meisjes, en schoof de bakplaat in de oven. Even later vulden heerlijke geuren de keuken.
Er was nog wat deeg over, en Sofie at er een klein stukje van. '*Yummy*!' zei ze. Ze gaf Manon ook een stukje, die er voorzichtig van proefde. Ook zij vond het '*yummy*'. Lobke redde de rest van het deeg voordat het helemaal opgesmikkeld werd.
'Eens kijken, wat kunnen we er nog meer van maken?' vroeg ze. 'Zullen we jullie letters maken? De S van Sofie en de M van Manon?'
'*Yes*!' riepen de meisjes uit. Lobke verdeelde het restje deeg in twee delen en gaf elk van de meisjes een stukje. Toen deed ze voor hoe ze, door het tussen hun handen heen en weer te wrijven, er een langgerekt rolletje van konden maken. Met de slierten deeg werden de twee letters gevormd, die

op een tweede bakplaat gelegd werden. Lobke herinnerde zich ineens dat ze nog ergens een flesje met gekleurd strooisel moest hebben staan, overgebleven van een van de logeerpartijtjes van Lisanne. Ze zocht in haar keukenkastjes en vond het ergens achterin.

'Kijk eens wat ik nog heb!' Ze stak het flesje triomfantelijk omhoog. 'Daar kunnen jullie de letters mooi mee versieren, hè?'

'*Me first*!' riep Sofie. Ze stak haar hand al uit naar het flesje. Maar Lobke verdeelde het strooisel over twee plastic bekertjes en gaf die daarna aan de meisjes. Sofie strooide haar bekertje meteen over haar letter, waarbij de helft ernaast viel, maar Manon pakte een voor een de kleurige korrels uit het bekertje en drukte die voorzichtig in het deeg.

'Prachtig!' prees Lobke.

De telefoon ging. Het was Joyce.

'Lukt het met de meiden?' vroeg ze. 'Gedragen ze zich een beetje?'

'Het gaat prima,' antwoordde Lobke. 'Ze hebben de hele ochtend al van alles gedaan, en we zijn nu koekjes aan het bakken. Hoe is het met jou?'

'Ik heb heerlijk in de tuin gewerkt vanmorgen, heb van alles gesnoeid, m'n groenbak loopt zelfs over! Zo fijn om achter elkaar door te kunnen werken. Ik wil vanmiddag ook nog naar een tuincentrum hier in de buurt, wat ideeën opdoen en kijken wat ze hier allemaal hebben.'

'Nou, geniet ervan. Die tuincentra zien er in de tijd voor Kerst altijd extra fleurig uit, vind ik.'

'Ik verheug me erop er rustig doorheen te kunnen lopen zonder die twee kwebbelende dochters van me om me heen. Kletsen ze je niet de oren van het hoofd?'

Lobke lachte. 'Dat valt reuze mee, hoor. En ze begrijpen inderdaad alles wat ik zeg. Of bijna alles. Ze kenden het woord "makkie" niet, en "gezellig" was helemaal een moeilijk woord, met die g's erin.'

Ze hoorde de pieptoon van de oven. 'Hé, ik moet ophangen, de koekjes moeten uit de oven, anders verbranden ze.'

'Oké, tot straks.'

Lobke pakte de bakplaat met de deegletters, waar Manon net de laatste korrels op legde. 'Zo, gaan jullie mee naar de keuken? De andere koekjes zijn klaar, dan kunnen deze erin.'

Dat was niet tegen dovemansoren gezegd. Sofie en Manon lieten zich

meteen van hun stoel af glijden en renden achter haar aan naar de keuken.
'*Cookies, cookies!*' juichten ze.
Lobke zette de bakplaat op het aanrecht, pakte een paar vrolijke ovenwanten en haalde de bakplaat met de gebakken koekjes uit de oven. Die zette ze ook op het aanrecht. Ze snoof de heerlijke geur van versgebakken koekjes op. 'Lekker hè?'
De meisjes knikten met een verwachtingsvolle blik. '*Can we have one?*' vroeg Sofie.
Lobke schudde haar hoofd. 'Nee, ze zijn nu nog te heet, even wachten tot ze afgekoeld zijn.' Ze zette de tweede bakplaat in de oven en draaide de timer op. 'Zo, over een kwartiertje zijn deze mooie letters ook klaar.'
Ze zocht in een van de keukenkastjes een paar plastic bakjes van de afhaalchinees. Dat waren stevige bakjes, en ze gebruikte ze regelmatig als diepvriesdoosjes.
'Zullen we daar een paar koektrommeltjes van maken?'
De meisjes keken haar vragend aan. Wat zei Lobke nu weer voor een vreemd woord?
Lobke zocht haar geheugen af. Koekjes waren *cookies*, dat was simpel, maar wat was het Engelse woord voor trommeltjes? *Little drums* was waarschijnlijk niet goed. Raar woord eigenlijk, trommel, als je erover nadacht. Of zouden de mensen vroeger hun slaginstrumenten tevens als voorraaddoos gebruikt hebben?
'*Little boxes*, om de koekjes in te doen,' verduidelijkte ze.
'O, *tins*,' zei Sofie met een gezicht van: dat je dat niet eens weet.
'Ja, *tins*. Kom maar mee, dan zullen we daar mooie *tins* van maken.'
Ze knipte van papier een paar stroken die langs de zijkant van de doosjes pasten en liet die door de meisjes kleuren. Daarna plakte ze de gekleurde stroken tegen de doosjes, en knipte toen een papier dat op het deksel paste. Op het ene papier zette ze een dikke M, op het andere een S.
'Zo, die mogen jullie ook kleuren. En als het klaar is, zijn de koekjes niet meer heet.'
Op een vrijwel identieke manier met het puntje van hun tong tussen hun lippen, kleurden ze de letters zo mooi mogelijk in. Voor zulke kleine meisjes konden ze dat al vrij aardig, zag Lobke. Terwijl ze ermee bezig waren gaf de ping van de oven aan dat de andere koekjes ook klaar waren. Lobke

haalde de plaat eruit en legde die op het aanrecht naast de andere plaat. De letters waren wat uitgelopen, maar het was nog goed te zien wat de M en wat de S was. Ze voelde eens aan de eerste lading koekjes. Ja, die waren al een eind afgekoeld.

Toen de tekeningen voor de deksels klaar waren, plakte Lobke ze erop. Daarna haalde ze de eerste bakplaat uit de keuken en legde die op tafel. 'Kijk eens wat een mooie koekjes jullie gemaakt hebben!'

De beide meisjes straalden helemaal. Lobke liet hun zien hoe ze de koekjes voorzichtig van het bakpapier af konden halen om daar de versierde doosjes mee te vullen. Er braken er een paar, maar Lobke zei: 'Dat geeft niet, die kunnen we zelf opeten.' Ze gaf de meisjes elk een stukje. Ze proefden eerst voorzichtig, maar daarna ging het hele stuk grif op.

Toen de letterkoekjes afgekoeld waren, werden die boven op de andere koekjes in de trommel gelegd, en daarna gingen de deksels erop en deed Lobke er een mooi roze lintje met een grote strik omheen. 'Ziezo, die mogen jullie straks meenemen naar huis, als mama jullie komt halen.' Ze zette de doosjes op het dressoir.

Van boven kwamen geluidjes. Matthijs was wakker. Prima timing! 'Gaan jullie mee Matthijs uit bed halen?'

Matthijs keek even verbaasd toen niet alleen zijn moeder, maar ook twee kleine meisjes zijn kamertje binnenkwamen. Maar er kon ook een brede glimlach af. 'Tindje pele.'

'Ja, je mag met de kindjes spelen. Kom, dan gaan we naar beneden.' In ganzenpas ging het de trap af. Beneden gekomen zette Lobke Matthijs eerst in z'n kinderstoel, waarna ze hem een bekertje drinken gaf. 'Willen jullie ook wat drinken?' vroeg ze aan de meisjes. Die knikten. Lobke maakte nog twee bekertjes sap klaar, die in een ommezien leeggedronken waren.

Lobke keek op de klok. Bijna halfdrie. De school van Simon ging om kwart over drie uit, dus Joyce zou niet voor halfvier hier kunnen zijn om de meisjes op te halen.

Zou ze een rondje gaan lopen met de kinderen? Dan kwamen ze tenminste nog even buiten. Tien minuten lopen van hun huis was een klein speelveldje met een glijbaan, een paar wipkippen en een speelhuisje.

'Gaan jullie mee naar buiten?' vroeg ze. 'Naar de speeltuin?' Zouden ze dat woord wel kennen? Maar 'speeltuin' bleek een toverwoord, want ze gingen

meteen hun jasjes uit de gang halen. Vast iets waar hun opa en oma, die op een flat woonden, hen weleens mee naartoe genomen hadden.
Lobke deed Matthijs z'n jasje aan en zette hem in de wandelwagen. De meisjes wilde allebei duwen en Lobke vond dat prima, dan liepen ze tenminste niet weg.
Op het speelveldje aangekomen renden de meisjes meteen naar de glijbaan. Snel het trapje op en dan naar beneden glijden bleef leuk, ze konden er geen genoeg van krijgen. Lobke zette Matthijs op een wipkip, maar hij wilde ook op de glijbaan. Weer werd het verschil tussen beide meisjes duidelijk: Sofie wilde Matthijs amper de ruimte geven, wilde zelf glijden, maar Manon liet hem voorgaan en aaide hem daarbij heel lief over zijn wangetje.
Om kwart over drie liepen ze weer terug naar huis. Ze hadden nog maar net hun jas uitgedaan toen Lobke de rode Kia van Joyce aan zag komen. Ze riep de meisjes: 'Daar komen mama en Simon!'
De meisjes renden naar de voordeur. '*Mommy*!' Toen Lobke de deur geopend had, vlogen ze Joyce om beurten om de hals, uiteraard eerst Sofie. Simon stond rustig te wachten tot hij naar binnen kon. Zodra hij z'n jas uit had gedaan, ging hij bij de treintafel zitten spelen.
Joyce zag er ontspannen uit en had een frisse kleur op haar wangen.
'Wil je wat drinken?' vroeg Lobke.
'Graag! Ik heb mezelf de hele dag nauwelijks de tijd gegund om iets te eten of te drinken.'
'Koffie of thee? Of iets fris?'
'Weet je waar ik trek in heb? In een groot glas koude melk. Dat lijkt me op dit moment het lekkerste wat er bestaat.'
Lobke schonk een glas melk voor haar vriendin in. 'Wil je er iets bij?'
Joyce dronk het glas in één teug leeg en gaf het toen terug aan Lobke. 'Hè, heerlijk! Mag ik er nog eentje? En ik hoorde iets over zelfgebakken koekjes?'
Sofie rende al naar het dressoir. '*Here, mommy*! *Home-made cookies*!'
Joyce bewonderde de kleurige bakjes. 'Wat mooi! Zelfgemaakt? En zijn de koekjes lekker?'
'Hmhm,' knikten Sofie en Manon allebei met een brede lach op hun gezicht.

'Mag ik er eentje proeven?'
'Laat die doosjes maar dicht tot thuis,' zei Lobke. 'Ik heb nog een schaaltje met gebroken koekjes, die smaken net zo lekker. Simon, wil je ook eens proeven wat je zusjes gebakken hebben?' Maar Simon wilde alleen maar iets drinken.
'Je raadt nooit wie ik vandaag heb gezien,' zei Joyce ineens geheimzinnig.
'Nou, als ik het toch niet raad, hoef ik die moeite ook niet te doen,' lachte Lobke. 'Zeg het dan maar.'
'De Terminator.'
'Hè? Meindersma, van de havo?'
'Ja,' zei Joyce en ze pakte nog een paar stukjes koek van het schoteltje.
'Maar die woont toch in Hoofddorp?'
'Geen idee, maar 't was 'm echt. Ik kwam hem tegen in het tuincentrum, hij liep daar met z'n vrouw. Die man is oud geworden, joh!'
'Logisch. We zijn al meer dan tien jaar van school af. Wij zijn in die tien jaar tijd toch ook ouder geworden? Herkende hij jou ook?'
'Dacht je dat ik naar hem toe gegaan was? Ben je mal! Geen haar op m'n hoofd die daaraan dacht! Nee, ik had het zogenaamd veel te druk met plantjes uitzoeken.'
'Lafaard,' plaagde Lobke. 'Dat je zelfs nu nog bang van hem bent.'
'Helemaal niet! Ik was niet bang, had alleen geen zin in allerlei zedenpreken. Hij zou ongetwijfeld iets op me aan te merken gehad hebben, net als vroeger. Dat soort mensen verandert nooit. Hij zag er echt uit als een verzuurde, ouwe man. En z'n vrouw zag er net zo verzuurd uit.'
'Zou hij hier in de buurt wonen?' dacht Lobke hardop. 'Dat kan natuurlijk. Misschien wonen hun kinderen wel hier in de buurt. Hádden hij en zijn vrouw eigenlijk kinderen? Gek dat je vijf jaar – of in mijn geval zes jaar – les van iemand kunt krijgen zonder dat je iets te weten komt over zijn privéleven.'
'Geen idee, en het interesseert me eigenlijk ook niet. Ik schrok er alleen van dat iemand in tien jaar tijd zó kan veranderen.'
'Onze ouders zijn in die tien jaar tijd ook veranderd, alleen valt dat minder op omdat je hen regelmatig ziet.'
'Dat is waar.' Joyce leunde achterover. 'Hè, dat was een fijn dagje, al ben ik zo moe als een hond. Maar het was beslist de moeite waard. Mag ik nog

eens gebruikmaken van jouw oppaskwaliteiten?'
Lobke schoot in de lach. 'Ja hoor, als het maar niet elke week is. Heb je nog goeie ideeën op kunnen doen in dat tuincentrum?'
'Ja, genoeg. En ik heb wat folders meegenomen die daar lagen. Er zat er eentje bij van een hovenier, die sprak me wel aan. Misschien ga ik daar een keer contact mee opnemen. Die tuin van ons is zo'n groot project, daar kan ik wel wat hulp bij gebruiken. En dat tuincentrum zag er zo fleurig uit met al die kerstversiering, dat ik toch maar besloten heb om morgenmiddag een kerstboom te halen.'
'Hoezo "toch maar"?'
'We zijn niet eens thuis met de Kerst, daarom wilden we eerst geen boom. Eerste kerstdag moeten we opdraven bij Ivo's ouders, tweede kerstdag gaan we van onze kant allemaal naar mijn oudste broer, die dan ook zijn verjaardag viert, en daarvandaan gaan we gelijk door naar Andijk aan het IJsselmeer, voor een midweek in zo'n vakantiepark. Voor mij hoefde dat niet zo, maar Ivo wilde er even tussenuit. Ze hebben daar een zwembad en een binnenspeeltuin met zo'n springkussen, leuk voor de kids. Het weekend van oud en nieuw zijn we thuis, maar 2 januari moet Ivo weer een paar dagen naar Engeland.'
'Zo te horen krijg je het nog hartstikke druk.'
'Ja, daarom was die kerstboom niet opgenomen in de planning. Maar nu ga ik er toch maar eentje halen, dan hebben we er tenminste nog een week plezier van. Ik weet wel dat het daar niet om gaat met Kerst, maar door die kerstversiering en de sfeer eromheen zal ik eerder een cd met kerstmuziek opzetten en me bewust zijn waar het dan wél om gaat. Zonder versiering word je toch opgeslokt door de besognes van alledag.'
'Zo zie ik het ook. Ik denk dat ik morgen ook de kerstspullen weer tevoorschijn haal. Mooi karweitje voor het weekend, een boom kopen en optuigen,' zei Lobke.
'Dat was mijn idee ook,' zei Joyce. 'Bovendien is het ook eigenbelang,' lachte ze. 'Ik vind het elke keer zo mooi om te zien: de gezichtjes van de kinderen weerspiegeld in een kerstbal, de kerstlichtjes die weerschijnen in hun ogen, hun verrukking over die versiering. Ik verbeeld me soms dat ze door die sfeer van "vrede op aarde" zelfs wat minder kibbelen. Gaan jullie trouwens nog weg met de feestdagen?'

'Eerste kerstdag komen mijn ouders en Roels vader hier eten, tweede kerstdag zijn we lekker met z'n drietjes. Tim heeft beide kerstdagen late dienst, maar is met oud en nieuw vrij, en Aafke heeft gevraagd of we dat bij hen komen vieren. We kunnen er ook blijven slapen, en dan gaan we op Nieuwjaarsdag bij m'n ouders nieuwjaar wensen en misschien ook nog even langs Sanne.'
'Wat halen we ons toch een hoop op de hals met die dagen,' zei Joyce, 'ik zal blij zijn als het allemaal weer voorbij is.' Ze hees zich wat moeizaam overeind. 'Kom, ik ga maar eens op huis aan. Ik moet nog boodschappen doen, heb nog geen idee wat we eten vanavond. Ivo eet niet thuis, die heeft vanavond een etentje met zijn staf.'
'Wil je niet hier blijven eten?' stelde Lobke voor. 'Als Ivo toch niet thuis is. Lusten jullie kip tandoori met rijst? Dat zouden we vanavond eten. Ik kook gewoon wat meer rijst en haal wat extra kip uit de vriezer. Het is zo klaar en wij zijn er gek op. Roel zal het ook wel gezellig vinden dat hij jou en de kinderen weer eens ziet.'
'Nou, zo'n aanbod sla ik niet af, zeker niet na zo'n drukke dag. Graag!' zei Joyce dankbaar. Ze ging weer zitten. 'Hè, wat fijn toch dat jij zo dichtbij woont.' Ze wierp Lobke een kushand toe en leunde achterover. 'Ik zou zo kunnen slapen, weet je.'
Lobke gaf haar een plagende duw. 'Hé, wakker blijven! Jullie mogen wel blijven eten, maar voor extra slapers hebben we geen ruimte, hoor. Je dochters vonden het maar klein bij ons boven.' Ze grijnsde.
Joyce grijnsde terug. 'Mijn dochters zijn verwend...'
'Ze hebben zich anders prima gedragen vandaag,' zei Lobke. 'Echt een lekker stel meiden. Je hebt het maar getroffen met hen.'
'Ja, en ook met Simon,' zei Joyce loom. Ze sloot haar ogen.

8

De week daarna belde Joyce weer op woensdag met het verzoek of Lobke een van de komende dagen op de meisjes wilde passen.

'Ik heb die hovenier gebeld, en hij wil me twee tuinen in de omgeving laten zien die hij ontworpen heeft. Dat lijkt me hartstikke leuk, alleen zie ik het niet zitten om dat te doen met twee meisjes op sleeptouw. Zou jij...?'

'Dat ligt eraan wanneer. Ik heb morgenmiddag met m'n moeder afgesproken om samen naar Sanne te gaan. Mijn moeder heeft een gesprek met Sannes persoonlijk begeleidster gepland voor een tussentijdse evaluatie van Sannes zorgplan, en dat kon alleen op donderdagmiddag. M'n moeder vroeg of ik meeging, dus...'

'Die man had deze week nog wel een paar gaatjes in zijn agenda en stelde voor om het een keer op een ochtend te doen. Dat komt mij ook beter uit, want dan heeft Simon een uur langer school dan 's middags en hoef ik me dus niet zo te haasten. Dus morgenochtend of vrijdagochtend, zou dat kunnen?'

'Als het jou niet uitmaakt liever vrijdagochtend. Dan kan ik Matthijs morgenochtend al rond elf uur in bed leggen voor z'n middagslaapje en is hij weer bijtijds fris om mee te gaan naar Sanne.'

'Gaat hij dan wel slapen als je hem zo vroeg in bed legt?'

'Meestal wel, hij is daar vrij gemakkelijk in.'

'Hoe is het trouwens met Sanne?'

'Mwah, 't houdt niet over. Veel aanvallen, erg moe.'

'Vervelend!'

'Nou, 't meest voor Sanne. Ze zit dan veel meer in haar eigen wereldje en zit op zulke dagen duidelijk niet lekker in haar vel. We voelen ons daar erg machteloos onder, vooral m'n ouders. De doktoren proberen af en toe eens een nieuw medicijn dat op de markt komt, maar daar zitten vaak ook weer allerlei vervelende bijwerkingen aan, en dan lijkt het middel erger dan de kwaal.'

'Geef haar maar een knuffel van me morgen.'

'Doe ik. Hoe laat kom je de meisjes dan vrijdag brengen?'

'Kan ik meteen doorrijden als ik Simon naar school heb gebracht? Dan zou

ik om kwart voor negen bij jou kunnen zijn. Is dat niet te vroeg?'
'Nee hoor, wij zijn meestal al rond zeven uur op. Goed, dan zie ik je vrijdagochtend.'
'Fijn! Ik ga meteen die man bellen dat ik vrijdagochtend met hem mee kan. Tot dan!'

Die donderdagmiddag reed Lobke met Matthijs naar haar ouderlijk huis. Daar dronken ze samen thee, en daarna stapte haar moeder bij haar in de auto en reden ze naar De Roos, waar Sanne nog steeds woonde.
In de afgelopen jaren was het personeelsbestand door de bezuinigingen nog verder geslonken, en in sommige aspecten van de zorg was dat duidelijk merkbaar. De huiskamer zag er een stuk ongezelliger uit door de gehavende vloerbedekking, maar er was geen geld voor nieuwe. Bewoners zaten vaker alleen in de huiskamer, omdat er geen tijd was voor zomaar een praatje. De televisie stond de hele dag aan, of er nu naar gekeken werd of niet. Maar ook op andere terreinen maakte Hanneke zich als moeder grote zorgen. Ze had de laatste twee weken opvallend veel natte broeken van Sanne in de was gehad. Werd Sanne incontinent, of had de begeleiding gewoon geen tijd om haar bijtijds naar het toilet te brengen?
In De Roos gingen ze eerst naar Sannes kamer toe. Die zag er erg gezellig uit. Vorig jaar had Steven hem opnieuw behangen met licht behang en een fijn roze streepje. Roze was Sannes lievelingskleur. Ook was er een nieuw bed gekomen, wit met knalroze laden eronder. Nieuwe gordijnen en een nieuwe dekbedhoes – uiteraard ook met roze als hoofdkleur – maakten het plaatje compleet. Sanne was er helemaal weg van geweest toen ze haar nieuwe kamer zag. Telkens als Lobke op De Roos kwam, viel haar het grote verschil op tussen de wat grauwe huiskamer en de fleurige kamer van Sanne. Ze kon zich voorstellen dat Sanne liever op haar eigen kamer zat dan in de huiskamer, maar dat had weer als nadeel dat ze daardoor wat vereenzaamde.
Sanne zat al te wachten in haar rolstoel. 'Mama! Lobke! Ik ben wakker!' Ze was door de aanvallen de laatste tijd zo moe dat de begeleiding haar tussen de middag een poosje in bed legde. Ze zag er nog steeds wat moe uit.
Lobke keek naar de rolstoel. Die zag er ronduit smerig uit, met aangekoekte etensresten op het frame. Ze stootte Hanneke aan en wees ernaar.

'Kijk eens, mam.'
Hanneke zag het ook en keek verdrietig. 'Dat was drie dagen geleden ook al zo. Ik heb er wat van gezegd tegen de begeleiding, maar dat hebben ze blijkbaar niet opgepakt.'
Lobke werd boos. 'Dan doe ik het zelf wel. Hou jij Matthijs even bij je?' Ze liep met boze stappen de kamer uit.
Sanne had Matthijs nu ook ontdekt. 'Matthijs!' riep ze.
Matthijs kroop weg achter Hanneke. Hij kende die tante wel, maar moest altijd even aan haar wennen.
Hanneke nam hem op haar arm. 'Hé, Matthijs, kijk eens, dat is Sanne. Sanne vindt het heel leuk om jou weer eens te zien. Zeg maar "Hallo".'
Matthijs duwde wat verlegen zijn hoofdje in Hannekes nek, maar bleef wel met een schuin oogje naar Sanne kijken. Het was alsof Sanne aanvoelde dat ze rustig moest blijven zitten. Ze wiegde zachtjes heen en weer en lachte naar Matthijs.
Matthijs leek ineens te herkennen wie hij voor zich had. Hij ging rechter op Hannekes arm zitten, keek haar recht aan en zei met een brede glimlach, wijzend naar Sanne: 'Oma, tannesanne!'
'Heel goed, mannetje!' zei Hanneke ontroerd. 'Dat is tante Sanne.'
'Kusje?' bedelde Sanne.
Maar dat ging Matthijs nog iets te ver. Hij schudde beslist zijn hoofdje. 'Nie tusje.'
'Misschien krijg je straks wel een kusje van Matthijs,' zei Hanneke.
Matthijs' aandacht werd getrokken door de Nijntje-computer, Sannes favoriete tijdverdrijf. 'Nijntje!' zei hij stralend. Hij worstelde zich los, zodat Hanneke hem op de grond zette. Ze pakte de computer en legde die op Sannes schoot. Die klapte hem open en zette hem aan. Ze was meteen verdiept in een spelletje.
Matthijs leek even in gedachten te staan, en schoof toen naar Sanne toe, tot hij naast de rolstoel stond. Hij keek mee naar haar verrichtingen, en wees met zijn vingertje. 'Nijntje.'
Sanne hoorde hem niet, ze zat weer in haar eigen wereldje.
Lobke kwam binnen met een emmer sop en twee sopdoekjes. Ze zette de emmer zo hard neer dat het water over de rand gutste en ging driftig boenend aan de slag. Sanne keek nauwelijks verstoord op toen Lobke haar arm

optilde om de armleuning schoon te kunnen maken, haar ogen bleven gericht op het scherm.
Hanneke keek op haar horloge. 'Over vijf minuten worden we bij Lea verwacht, Lobke.' Lea was de persoonlijk begeleider van Sanne, degene met wie ze een afspraak hadden. 'Misschien kun je die rolstoel beter straks doen, als we klaar zijn.'
Lobke ging rechtop staan, een boze blik in haar ogen. 'Ja, je hebt gelijk,' zei ze op harde toon, 'dan kan ik haar gelijk laten zien hoe die rolstoel eruitziet.'
'Niet zo boos, Lobke,' zei Hanneke zacht. 'Die meisjes doen ook wat ze kunnen.'
Matthijs was geschrokken van de harde toon van Lobke en liep op haar af. 'Mama boos,' constateerde hij.
Lobke lachte wat wrang. Ze hurkte voor Matthijs neer: 'Ja, mama is een beetje boos. Maar niet op jou, hoor. Geef mama maar een dikke knuffel, daar knapt mama weer van op.'
Hij legde zijn kleine handjes aan weerszijden van haar gezicht en gaf haar een kusje. 'So, over!' zei hij lachend.
Lobke nam hem in haar armen, stond op en knuffelde hem. ''Hè, wat ben je toch een lekker ventje,' zei ze.
Hanneke ging achter de rolstoel staan en duwde hem naar de deur. 'Gaan jullie mee?' vroeg ze.
Even later zaten ze in een kleine ruimte die gebruikt werd als spreekkamertje.
Het gesprek met Lea verliep wat stroef. Toen Lobke haar wees op de aangekoekte etensresten op de rolstoel, schoot Lea gelijk in de verdediging. Ze mompelde iets over 'hoge werkdruk' en 'zieken', ging daarna met een rood hoofd zitten rommelen met papieren. Lobke deed haar mond open om nog iets te zeggen, maar Hanneke gaf haar een duwtje onder de tafel en schudde bijna onmerkbaar haar hoofd.
Daarna stelde Lea de punten uit het zorgplan een voor een aan de orde, maar het gesprek wilde niet meer vlotten; ze beperkten zich alle drie tot zo veel mogelijk eenlettergrepige woorden. Sanne leek de gespannen sfeer aan te voelen, zij werd onrustig en wiegde steeds sneller heen en weer. Ook Matthijs was wat onrustig. Nu eens wilde hij bij Lobke op schoot zitten,

dan weer gleed hij van haar schoot af en ging voor Hanneke staan met zijn handjes omhoog: 'Oma, bij jou zitte.'
Na twintig minuten zei Lea dat ze af moest ronden omdat ze daarna nog een gesprek had gepland. Binnen vijf minuten waren ze weer terug op Sannes kamer.
Lobke ging meteen verder met het schoonpoetsen van de rolstoel. 'Ze hadden het daar te druk voor, zei ze. Te hoge werkdruk. Ha!' Ze lachte smalend. 'Maar wel tijd voor zichzelf nemen. Daarnet stond ze te roken toen ik om die emmer sop ging. Daar wilde ik wat van zeggen, maar toen gaf jij me die duw. Waarom eigenlijk?'
'Ik heb nou eenmaal een hekel aan ruzie, en ik zag aan je gezicht dat dat ervan zou komen als ik je liet praten, je keek zo boos,' zei Hanneke zacht. 'Bovendien geloof ik dat ook wel, van die hoge werkdruk. Je weet zelf dat er nu minder personeel op de groep is dan een paar jaar geleden. Dat is algemeen zo in de zorg, daar klaagt Tim toch ook zo vaak over? En dat sigaretje? Ach, Tim vertelde me onlangs dat ze soms niet eens tijd hebben voor een kop koffie. Wie weet is dat hier ook het geval, en was dat sigaretje dat jij haar zojuist zag roken net het enige moment tijdens haar dienst waarop ze zich even terug kon trekken.' Ze lachte even. 'Tim zei laatst op de verjaardag van Matthijs dat hij zich af en toe zelfs terugtrekt op het toilet, om even tot zichzelf te kunnen komen en wat afstand te nemen. Het is zo hectisch op die nieuwe groep waar hij op zit.'
'Ja, ik hoorde zoiets,' zei Lobke. 'Ik heb hem daarna niet meer gesproken, ben alleen nog bij hen geweest toen ik Joyce hielp met verhuizen en Aafke op Matthijs paste, maar toen ik Matthijs op kwam halen ben ik meteen doorgereden naar huis. Nou wonen we toch zo dicht bij elkaar, maar we zien elkaar amper.' Ze was intussen ijverig doorgegaan met poetsen. Sanne was weer verdiept in haar Nijntje-computer en Matthijs zat bij Hanneke op schoot met zijn duimpje in zijn mond.
'Ja, dat heb je met die carrièrevrouwen met ook nog eens een gezin,' reageerde Hanneke.
'Carrièrevrouwen?' stoof Lobke op. 'Dat zijn we geen van tweeën. Toch? Ik doe m'n werk graag en Aafke ook. Maar we zijn allebei in de eerste plaats moeder, en dan pas werkende vrouw. En zeer beslist geen carrièrevrouw!'
'Stil maar, je hoeft me niet op te eten,' zei Hanneke lachend. 'Ik bedoel

alleen maar dat jullie én je gezin én je huishouden én je werk én je eigen vriendenkring hebben. Dan blijft er weinig tijd over voor iets anders. Jij komt toch ook minder bij Sanne sinds je Matthijs hebt?'
Lobke kleurde licht. 'Jawel, dat is zo, maar...' Ze aarzelde even. 'Maar dat wil niet zeggen dat ik minder van Sanne hou.'
'Dat zeg ik ook niet. En het feit dat jij en Aafke elkaar minder zien dan vroeger wil ook niet zeggen dat jullie minder bij elkaar betrokken zijn dan vroeger. Alleen zijn er een hoop andere dingen bij gekomen die ook hun tijd en energie vragen. Tante Els en ik trokken vroeger heel veel samen op, we waren elkaars beste vriendin, ook al was ze vier jaar ouder dan ik. In het begin van ons trouwen zagen we elkaar nog regelmatig, maar toen Aafke geboren was en tante Els in die tijd al bezig was haar winkel op te zetten, werd dat minder. En daarna kwam Sanne en had ik het druk met twee kindjes. Toen na een kleine twee jaar steeds duidelijker werd dat er iets ernstig mis was met Sanne, werd dat contact met Els weer iets intensiever; ik zocht meer steun bij haar dan bij m'n ouders. Die hadden zelf ook al genoeg verdriet van Sannes ziekte. Els kon wat meer afstand nemen, misschien omdat ze zelf geen kinderen had. Maar toen dat allemaal een plekje gekregen had, gingen we allebei weer over tot de orde van de dag, en zagen we elkaar weer minder. Ach, en toen kwam jij...' Ze glimlachte naar Lobke. 'Ik heb je vast weleens verteld dat jij me destijds uit een heel diep dal wist te halen, ook al was je je dat niet bewust, je was ook nog zo klein. Maar wat heb ik van jou genoten! Weer heel anders dan van Aafke en Sanne. Misschien wel omdat ik me door Sanne bewust was geworden dat gezondheid niet vanzelfsprekend is, en jij was zo'n blakende baby en zo'n zonnig kind! Matthijs lijkt daarin heel veel op jou.'
Er werd op de deur geklopt. Lea kwam binnen. Ze stak Hanneke een papier toe. 'Mijn afspraak na die van jullie bleek niet door te gaan, maar mijn collega was dat vergeten door te geven. Ik was hier nu toch, dus heb ik meteen maar Sannes zorgplan aangepast en de nieuwe afspraken daarin verwerkt. Wil je het doornemen en als je 't ermee eens bent, het dan ondertekenen en in mijn postvakje leggen?'
Hanneke nam het papier aan en zei verbaasd: 'Hoezo "ik was hier nu toch"? Heb je geen dienst dan?'
Lea schudde haar hoofd. 'Nee, eigenlijk was ik vrij vandaag, maar tijdens

een gewone dienst heb ik geen tijd meer voor zorgplanbesprekingen, dus kom ik daar sinds kort maar speciaal voor terug.' Ze lachte even. 'Of jullie moeten voortaan tijdens een nachtdienst willen komen voor een zorgplanbespreking...'
Lobke voelde zich op slag schuldig toen ze dat hoorde. En zij had nog wel commentaar gehad op dat sigaretje dat Lea rookte, nota bene in haar eigen vrije tijd!
'Kind toch!' zei Hanneke. 'Als ik dat geweten had...'
'Wat dan? Die zorgplanbesprekingen moeten nu eenmaal toch doorgaan, daar zien wij als team zelf ook het belang van in. Dus de meesten lossen het nu zo op. Ach, die paar uurtjes in de maand... Het dient een goede zaak, zeg ik maar.'
'Nou, ik vind het super van je,' zei Lobke spontaan. 'Ik was daarnet nogal boos over die rolstoel, daar wil ik eerlijk in zijn...'
Lea knikte. 'Ja, dat merkte ik,' zei ze.
'... maar nu ik dit hoor is mijn boosheid als sneeuw voor de zon verdwenen.' Ze stak Lea spontaan haar hand toe. 'Sorry voor daarnet.'
Lea drukte Lobkes hand. 'Geeft niks, ik begrijp het ook wel. Als mijn zus hier zat...' Ze maakte haar zin niet af.
Hanneke had intussen het zorgplan doorgelezen, zo goed en zo kwaad als dat ging met Matthijs op schoot, die het papier steeds wilde pakken. Ze zwaaide met het papier naar Lea en zei: 'Prima verwoord. Dat teken ik direct. Kan ik dan een kopietje krijgen?'
'Uiteraard.'
Hanneke zette Matthijs op de grond en duwde hem in de richting van Lobke. 'Ga maar even naar mama.' Ze pakte een pen aan van Lea en ondertekende het papier. 'Zo. En hartelijk bedankt voor je komst.'
'Ik ga het meteen kopiëren,' zei Lea en ze verdween.
Op weg naar huis kwam Hanneke nog eens terug op het voorval. 'Ik moest ineens denken aan iets wat ik gelezen heb,' zei ze. 'Ik weet niet meer waar, maar het ging over een vrouw die zat te wachten in de wachtruimte van het een of ander, een station of zo. Er zat ook een man met een paar kinderen die ontzettend druk waren. Ze zaten elkaar steeds achterna, renden rondjes door de kleine ruimte en gilden daarbij zo hard dat iedereen verstoord opkeek. Die man zei er echter niets van, hij zat wat voor zich uit te

staren. Die vrouw zat zich steeds meer te ergeren, en op een gegeven moment zei ze tegen die man dat hij zijn kinderen nodig eens tot de orde moest roepen. Die man keek haar wat verdwaasd aan, zei toen: "O. Ja, sorry. Ik heb net gehoord dat mijn vrouw, hun moeder, is overleden, en ik heb werkelijk geen idee hoe ik hun dat moet vertellen." De irritatie van die vrouw verdween als sneeuw voor de zon, net zoals jij dat daarnet ervaarde bij Lea. Ze voelde alleen nog maar medelijden. Ook de omstanders leken ineens veel meer van die kinderen te kunnen hebben. Zo zie je maar, hoe je gevoel kan veranderen als je andere informatie tot je beschikking hebt.'
Lobke knikte. 'Ja, best bijzonder, hè? Ik was daarnet zo boos op Lea, en eigenlijk op het hele team van De Roos, maar toen ik hoorde dat de meesten van het team hun vrije dagen opofferen voor een zorgplanbespreking, was dat meteen weg. Iets om te onthouden als ik me de volgende keer weer eens boos of geïrriteerd voel.'
'Je kunt nu eenmaal nooit voelen wat die ander voelt,' beaamde Hanneke. 'Misschien is die chagrijnige caissière bij de supermarkt wel iemand die hele dagen pijn heeft maar toch moet werken, of die claimende buurvrouw iemand die als kind nooit veiligheid ervaren heeft.'
'Of misschien heeft die irritante leraar die overal commentaar op heeft wel een slecht huwelijk en reageert hij dat af op zijn leerlingen.' Lobke schoot in de lach. 'Joyce heeft vorige week de Terminator gezien, in een tuincentrum in Oudewater. Ze was van hem geschrokken, zo oud als hij geworden was.'
'Woont hij dan tegenwoordig in Oudewater?'
Lobke haalde haar schouders op. 'Geen idee. Dat vroegen wij ons ook af, en toen bedacht ik me ook al hoe vreemd het was dat je dus jaren bijna dagelijks met iemand kunt werken zonder dat je iets over zijn privéleven te weten komt.'
'Daar zullen jullie als tieners ook niet erg in geïnteresseerd geweest zijn, in het privéleven van de Terminator,' merkte Hanneke droog op. 'Jullie hébben wat gemopperd op die man!'
'Joyce vertelde dat hij er verzuurd uitzag, en zijn vrouw idem dito. Hé, pap is al thuis.' Lobke wees naar de auto van Steven die voor het huis stond, waar ze inmiddels gearriveerd waren. 'Dat is vroeg!' Ze keek op haar horloge. 'Het is nog niet eens vier uur.'

Hanneke keek ongerust en stapte snel uit. 'Er zal toch niets aan de hand zijn?'
Lobke liet Matthijs in zijn stoeltje zitten en liep even achter Hanneke aan naar binnen. Haar vader lag op de bank.
'Wat ben jij vroeg thuis,' zei Hanneke bezorgd.
'Ik voelde me zo beroerd,' zei Steven op klagende toon. 'Misselijk, hoofdpijn. Ik ben maar naar huis gekomen, ik denk dat ik een griepje heb.'
'Nou, pap, beterschap. Dan ga ik maar gelijk door, anders steek je ons ook aan.' Lobke wierp hem een kushand toe.
Steven grijnsde. 'Hè, ik had me er net op verheugd dat ik straks twee zorgende vrouwen om me heen zou hebben, terwijl ik me met mijn kleinzoon vermaakte.'
'Jouw kleinzoon? Ónze kleinzoon, zul je bedoelen,' zei Hanneke vinnig. 'En ga jij maar gauw, hoor, Lobke. Ik zorg wel voor die zielige man.'
Terwijl ze naar huis reed dacht Lobke aan haar ouders. Nee, die zouden niet verzuren samen, dat zat wel goed tussen die twee. Ze kon zich ook niet herinneren dat die twee ooit slaande ruzie met elkaar hadden gehad. Ook haar opa en oma De Bont hadden een huwelijk dat gebaseerd was op liefde en kameraadschap. Zo hoopte zij ook met Roel oud te worden.
Roel was al thuis toen Lobke de auto voor de deur parkeerde. Ze haalde Matthijs uit zijn stoeltje en liep naar binnen. Roel zat achter de laptop een spelletje te doen.
Lobke kuste hem in zijn nek. 'Zo, papaatje.'
Hij gaf haar een snelle kus en ging weer verder. 'Ik ben bijna bij het volgende level, even wachten.' Zijn vingers gingen snel heen en weer op de toetsen.
Lobke hielp Matthijs uit zijn jasje en zette hem in de kinderstoel met een bekertje drinken. Daarna schonk ze in de keuken een glas melk voor zichzelf in. 'Wil je ook wat drinken?' riep ze vanuit de keuken.
'Nee, dank je, ik heb al wat op,' riep Roel terug.
Met het glas melk in haar hand liep Lobke terug naar de woonkamer. Roel had inmiddels zijn level afgerond en draaide zich naar haar toe. 'Zo, mamaatje.' Hij tikte met een uitnodigend gebaar op zijn knieën.
Lobke dronk snel haar glas leeg, zette het op tafel en ging op zijn schoot zitten. 'En, hoe was je dag?'

Roel haalde zijn schouders op. 'Gewoon, net als alle andere. En de jouwe?'
Lobke vertelde over de zorgplanbespreking op De Roos, en hoe haar aanvankelijke boosheid als bij toverslag verdwenen was. Ook vertelde ze van het voorbeeld dat Hanneke gegeven had. 'Dus als je andere informatie hebt, kan dat leiden tot meer begrip voor de ander,' besloot ze.
Roel luisterde belangstellend. 'Daar zit wel iets in,' zei hij. Hij kuste haar. 'En, wat eten we vandaag?'
'Ik wilde pasta met zalm klaarmaken.'
'Lekker. Moet ik nog helpen?'
Lobke schudde haar hoofd. 'Nee hoor, maak jij je spelletje maar af.'
Maar Roel sloot de laptop af. 'Dat komt een ander keertje wel. Ik ga me wel een poosje met mijn zoon bezighouden.'
'Jouw zoon? Ónze zoon, zul je bedoelen!' zei Lobke net zo vinnig als Hanneke even daarvoor. Toen schoot ze in de lach. 'Ik lijk m'n moeder wel.'
Toen Roel haar verbaasd aankeek, vertelde ze over de discussie tussen haar ouders. Daarna begon ze zingend aan de voorbereidingen voor het avondeten.

9

KLOKSLAG KWART VOOR NEGEN BELDE JOYCE DIE VRIJDAGOCHTEND AAN. 'Ik kom niet mee naar binnen, die man verwacht me om negen uur. Hij had om kwart voor elf een andere afspraak, dus ik denk dat ik rond elf uur weer terug ben. Sofie was wel een beetje hangerig vanmorgen en heeft maar twee stukjes brood gegeten, maar ze had geen koorts, dus ik durfde haar toch wel te brengen. Misschien heeft ze gisteren iets verkeerds gegeten. Dat heeft ze wel vaker, dan eet ze een dagje wat minder en de dag erna is het weer over.'
'Mijn vader was gisteren ook al ziek naar huis gekomen, hij was misselijk en had hoofdpijn. Misschien een virus dat rondwaart.'
'Ja, misschien wel. Als het echt niet gaat, bel je me maar op m'n mobiel.'
'Goed hoor. Ga maar gauw, wij redden ons wel.'
Na de beide meisjes een kus gegeven te hebben ging Joyce er weer vandoor. Manon zwaaide haar nog na, Sofie liep meteen door naar de kamer en ging op de bank zitten met haar knieën opgetrokken en haar duim in haar mond.
Lobke hielp haar haar jas uittrekken en vroeg toen: 'Wil je iets eten of drinken?'
Sofie schudde haar hoofd.
'Zal ik een bedje voor je maken op de bank?'
Een flauw knikje. 'Ja,' zei ze met een zielig stemmetje.
We gaan vooruit, dacht Lobke, ze zegt al ja in plaats van *yes*.
Ze keek naar Matthijs en Manon. Manon was bij Matthijs aan zijn treintafel gaan zitten en keek hoe hij bezig was z'n Thomas-treintje heen en weer te laten rijden. 'Tjoeketjoeketjoek, fuutfuuuuh.'
'Manon, ik ben even naar boven, een deken halen voor Sofie.'
Manon keek nauwelijks op, maar knikte als teken dat ze het begrepen had. Lobke rende de trap op, haalde een deken en een kussensloop uit de linnenkast en rende daarmee naar beneden. Ze deed het sloop om een van de kussens van de bank, legde de deken over Sofie heen en dekte haar toe. Sofie sliep al bijna. Lobke legde haar hand op Sofies voorhoofd. Dat voelde warm aan. Nou ja, als ze sliep, knapte ze misschien wel weer wat op.

Toch wat bezorgd om Sofie wilde ze bij haar in de buurt blijven. Ze pakte haar naaidoos en wat verstelwerkjes en ging daarmee op de bank zitten, aan het voeteneind van Sofies noodbedje. Matthijs en Manon zaten rustig te spelen.
Even later merkte Lobke dat Sofie wat onrustig werd. Zou ze soms moeten spugen? Ze haalde voor alle zekerheid maar alvast een emmer uit de bijkeuken en zette die naast de bank. Sofie had zich intussen omgedraaid en sliep weer.
Lobke keek naar het slapende meisje. Hè, dat was toch niks gedaan als een kind ziek was, of het nu een kind van jezelf was of van een ander. Dan kon je maar beter zelf ziek zijn. Ze dacht terug aan de tijd dat ze leukemie had. Nu ze zelf moeder was, wist ze hoe het was als je je als ouder dan zo machteloos voelde omdat je maar zo weinig kon doen. Hoe moesten haar ouders zich toen gevoeld hebben! En dat was een ziekte, hoe ernstig ook, waar ze weer van had kunnen herstellen. Terwijl Sanne... Haar gedachten gingen terug naar het bezoek aan Sanne gistermiddag. De boosheid die ze had gevoeld om de vuile rolstoel kwam ook voort uit haar eigen machteloze gevoel dat ze zo weinig voor Sanne kon doen, wist ze. Dat had ze wel vaker. Ze zagen Sanne stukje bij beetje achteruitgaan, en hadden het gevoel dat ze daarbij met hun rug tegen de muur stonden. Maar dat gevoel hadden de artsen ook, hadden ze eerlijk toegegeven. Ze hadden uitgelegd dat sommige kinderen met dezelfde ziekte als Sanne wel reageerden op de diverse medicijnen, en dat het soms gewoon een kwestie van uitproberen was om te zien of ze ook bij Sanne werkten. Als zelfs de artsen niet precies wisten hoe te handelen in het geval van Sanne, hoe konden zij als familie dat dan weten? Het driftige boenen op die rolstoel had haar het idee gegeven dat ze dát tenminste wel voor Sanne kon doen.
Haar gedachtegang werd onderbroken door de kokhalzende bewegingen van Sofie. Ze draaide zich kreunend om en wilde zich oprichten. Lobke pakte de emmer en hield die nog net op tijd onder Sofies hoofdje. Er kwam wat braaksel, maar niet veel. Lobke herinnerde zich dat Joyce had gezegd dat Sofie amper wat gegeten had vanmorgen.
'*I want my mommy*,' klaagde het meisje. Ze liet zich weer terugzakken op de bank.
'Mama komt zo weer terug,' probeerde Lobke te troosten. Ze stond op,

leegde de emmer in het toilet en pakte een snoetenpoetser om Sofies gezichtje mee af te vegen. Sofie sliep alweer bijna.
Manon kwam naar Lobke toe. '*My belly hurts*,' zei ze. Ze wees naar Sofie. '*I want to lie on the couch too*.'
'Och lieve schat,' zei Lobke, 'doet jouw buikje ook zeer?' Ze voelde aan Manons hoofdje. Dat was echter niet warm, en Manon zag er ook verder niet ziek uit. Zou ze alleen maar wat extra aandacht willen? Lobke keek naar Matthijs. Die was druk bezig met z'n Thomas-treintje en de autotjes eromheen.
'Zal ik je een verhaaltje voorlezen?' vroeg ze aan Manon.
Manon knikte.
Lobke pakte een Nijntje-boekje uit de boekenkast, ging in een van de fauteuils zitten en tilde Manon op haar schoot.
'Nijntje,' wees Manon.
'Ja, dat is Nijntje,' zei Lobke. Ze was verbaasd dat het meisje de Nederlandse naam van het bekende konijntje van Dick Bruna noemde; voor zover zij wist was de Engelse naam Miffy. 'Hebben jullie ook een boek van Nijntje thuis?'
Manon knikte. 'Hmhm, *Nijntje in the zoo*. Hoi-hoi, dat vind ik fijn!'
Lobke schoot in de lach bij de herkenning van een van de regels uit dat boekje. '*Nijntje in de dierentuin*,' zei ze, 'dat hebben wij ook. Zal ik dat voorlezen?'
'Ja!' riep Manon. De pijn in haar buikje was blijkbaar over.
Lobke zette haar op de grond en pakte het bewuste boekje uit de boekenkast. Daarna nam ze Manon weer op schoot. Manon wilde zelf de bladzijden omslaan.
Lobke begon: 'Zeg Nijn, zei vader op een...' Ze werd onderbroken door Manon: 'Dag.'
'Heel goed, je weet het laatste woord al!' zei Lobke verrast. Ze ging verder: 'Ik heb een goed...?'
'Idee,' vulde Manon aan.
'Ik ga eens naar de...?'
Maar 'dierentuin' bleek een te moeilijk woord. '*Zoo*!' riep Manon.
Lobke lachte. 'Wil jij soms met me...?'
'Mee!'

Zo gingen ze het hele boekje door. Daarna pakte Lobke *Het huis van Nijntje*, en ze las het langzaam voor, waarbij ze elk laatste woord extra goed uitsprak. De derde zin eindigde met 'gezellig'. Hé, dat was een woord dat Manon al kende!
'Kuz-zel-luk. *That means cosy*!' wist ze zich te herinneren.
'Dat heb je goed onthouden. Knappe meid!' Lobke gaf haar een knuffel. 'Probeer eens "gezellig" te zeggen, met de "ggg".'
Na een paar keer oefenen ging ook dat woordje goed.
Toen het boekje uit was, wilde Manon het nog een keer horen. En daarna nog eens. Bij de derde keer wist ze al diverse laatste woorden mee te zeggen: groot, rood, slab, pap. Soms was het al genoeg als Lobke de eerste letter zei.
'Je bent een knapperd,' zei Lobke. Het meisje leek haar erg leergierig.
Manon zocht zelf een volgend boekje uit: *Nijntje aan zee*. Ze vond het prachtig dat ook daar een van de regels was: 'Hoi-hoi, dat vind ik fijn!' Ook dat boekje wilde ze wel drie keer horen.
Sofie was intussen wakker geworden. Ze lag aandachtig mee te luisteren. Lobke vond haar er iets beter uitzien. Misschien was ze door dat overgeven toch wat opgeknapt.
'Zo.' Ze schoof Manon van haar schoot af en stond op om een bakje koffie voor zichzelf in te schenken. Toen ze zwanger was van Matthijs kon ze amper koffie verdragen, maar nu kon ze af en toe een bakje wel weer waarderen, al was ze meer een theedrinker dan een koffiedrinker geworden na de geboorte van Matthijs.
Nadat ze haar koffie ophad, tilde ze Matthijs op om hem in de kinderstoel te zetten, maar rook toen een verdacht geurtje. 'Zo te ruiken ben jij aan een verschoning toe, jongeman!' lachte ze. Ze pakte de luiertas onder de kapstok vandaan en verschoonde hem op een matje op de grond. Ze durfde niet naar boven te gaan terwijl Sofie ziek op de bank lag.
Maar Sofie zat alweer rechtop. Toen Lobke Matthijs in de kinderstoel had gezet en hem en Manon wat te drinken had gegeven, hoorde ze Sofie zeggen: '*I'm thirsty*.'
Lobke aarzelde. Ze kon zich voorstellen dat Sofie dorst had, maar was dat niet te snel na dat overgeven?
Sofie zei het nog eens, nu wat dringender: '*I'm thirsty*!'

'Nou, een klein slokje water dan,' zei Lobke. 'Eens kijken hoe dat bevalt.' Ze deed een bodempje water in een bekertje en gaf dat aan Sofie. Die dronk dat in één teug leeg en gaf daarna het bekertje terug aan Lobke. '*More.*'
Lobke voelde aan Sofies voorhoofd. Dat voelde niet meer zo warm aan.
'Doet je buikje geen pijn meer?'
Sofie schudde haar hoofd. '*No.* Eh... nee.'
'Goed zo!' zei Lobke en ze gaf Sofie een aai over haar bol. 'Wil je nog wat water?'
'Ja. Water.'
Nou, zo veel goede wil mocht wel beloond worden, vond Lobke. Ze deed nog wat water in het bekertje en gaf het aan Sofie. Die dronk ook dat achterelkaar op. Daarna schoof ze van de bank af en pakte een van de Nijntjeboekjes die nog op de tafel lagen.
'Zal ik jou ook voorlezen?' vroeg Lobke.
'Thijs ook Nijntje lese!' riep Matthijs vanuit de kinderstoel.
'Nou, vooruit dan maar,' zei Lobke. Ze tilde Matthijs uit de kinderstoel en installeerde zich op de bank met Sofie en Manon aan weerskanten en Matthijs op schoot. 'Welk boekje eerst?'
'Opa oma!' riep Matthijs. 'Opa timme!' Matthijs kende de boekjes ook al.
'Het boekje van opa en oma Pluis, vinden jullie dat ook goed?' vroeg Lobke aan de meisjes. Die knikten allebei.
Matthijs zocht gelijk de bladzijde op waarop opa aan het 'timme' was. 'Dese!' zei hij.
'Nee, eerst deze nog,' zei Lobke. Ze ging terug naar de eerste bladzij en begon: 'Opa Pluis en oma Pluis, die hielden veel van Nijn.'
Drie kwartier en zes boekjes later – waarvan er drie een paar keer herhaald moesten worden, waarbij zowel de meisjes als Matthijs de laatste woorden herhaalden – rekte Lobke zich uit. 'Zo, nou is er wel weer genoeg voorgelezen vandaag. Ik ben er schor van.' Ze zette Matthijs op de grond. 'Ga nu maar weer met Thomas spelen.'
'Nog water?' vroeg Sofie.
Lobke stond op. 'Jij krijgt nog een beetje water.'
'Hoi-hoi, dat vind ik fijn!' zei Sofie met een brede glimlach.

Lobke grinnikte en klapte in haar handen. 'Hartstikke goed, joh!' Ze gaf Sofie wat water, en daarna doken de beide meisjes in de speelgoedmand met barbies die Lobke weer klaargezet had.
Even over elven belde Joyce aan. Lobke was net Matthijs aan het verschonen, die alweer een vieze broek had. Sofie en Manon renden naar de voordeur, maar de knop zat net iets te hoog voor hen.
'Ik kom eraan, hoor!' riep Lobke.
De meisjes sprongen voor de deur heen en weer. '*Mommy*! *Mommy*!'
Toen Matthijs verschoond was, deed Lobke snel de deur open. Joyce stapte met een frisse blos op haar wangen naar binnen en blies in haar handen. 'Tjonge, het is ineens koud geworden. Ze geven ook vorst af voor de komende dagen. Zouden we een witte Kerst krijgen?'
'Geen idee. 't Zou wel leuk zijn voor Matthijs. Hij heeft nog nooit sneeuw gezien, ik ben benieuwd hoe hij daarop zal reageren. Hoe was het? Kom je nog even binnen, of moet je gelijk om Simon?'
Joyce keek op haar horloge. 'Tien minuutjes dan, uiterlijk kwart over elf wil ik weer weg.' Ze deed haar jas los en ging aan de eethoek zitten. Beide meisjes worstelden om bij haar op schoot te komen. 'Hoe is het gegaan vanmorgen? Zo te zien is Sofie weer helemaal opgeknapt.'
'Ze heeft wel overgegeven en een poosje liggen slapen op de bank, maar daarna knapte ze weer op. Ze heeft nog niets gegeten, wel een paar keer wat water gedronken, en dat is erin gebleven. Maar vertel, hoe was het?' Lobke ging tegenover Joyce zitten.
'Ik heb een geweldige ochtend gehad. Twee prachtige tuinen gezien, echt prachtig ontworpen, en een hoop nieuwe inspiratie opgedaan. Peter – die hovenier, Peter Gabriëlse heet hij – heeft zo'n beetje dezelfde smaak als ik. Tenminste, als het om tuinen gaat, verder weet ik dat natuurlijk niet. Het is echt een leuke vent, beetje type Herman Finkers in zijn jonge jaren. Alleen heeft hij geen snor, en ook geen Twents accent. We zijn ook nog samen naar ons huis gereden, zodat hij een indruk heeft van de tuin waar het over gaat. Hij heeft me een paar goede ideeën aan de hand gedaan waar ik heel enthousiast over ben. Die gaat hij nu verder uitwerken, en dan komt hij met een offerte. Dus wordt vervolgd.'
'Leuk voor je. En wij hebben ons ook vermaakt. Knappe dochters heb je. Ik heb een paar Nijntje-boeken voorgelezen, en ze konden al heel wat

Nederlandse woordjes zeggen. Hè meiden? Manon, het huisje van Nijntje is heel ge...?'
'Gggezelliggg,' zei Manon.
'Geweldig!' riep Joyce. Ze knuffelde Manon.
'En Sofie, opa Pluis kan heel goed...?'
'Timmeren!' De 'r' deed nog wel wat Engels aan, maar het was goed te verstaan.
'Nou, zo te horen is het allemaal goed gegaan. Hartstikke fijn.' Joyce wierp een blik op de klok. 'Maar nu moeten we Simon uit school gaan halen. Gaan jullie maar vast je jas pakken.' Ze zette beide meisjes van haar schoot op de grond en stond op. Ze gaf Lobke een kus. 'Bedankt. Alweer. Als ik eens iets terug kan doen...'
'Dan hoor je dat wel,' lachte Lobke. 'Groetjes aan Ivo en Simon, en een fijn weekend.'

Het werd geen witte Kerst, maar de dinsdag na Kerst begon het te sneeuwen, eerst zachte, fijne poedersneeuw, maar in de loop van de ochtend veranderde dat in grote, zware vlokken.
Roel had vakantie, en ook de praktijk waar Lobke als fysiotherapeute werkte was gesloten tussen Kerst en oud en nieuw, zodat ze samen in hun tuintje konden genieten van de verwondering van Matthijs over die vreemde witte dingen die verdwenen zodra hij ze probeerde te vangen. Telkens als hij er eentje in zijn wantjes gevangen had en die aan papa en mama wilde laten zien, was zijn verbaasde reactie: 'Istie nou?' Op een gegeven moment gaf hij het op. Hij ging voor Roel staan: 'Papa tille,' en keek vanaf diens arm omhoog naar de lucht waar al die vreemde dingen vandaan kwamen. Hij knipperde met zijn oogjes toen er een sneeuwvlok op een van zijn wimpertjes viel, en vond dat wel grappig. Schaterend hield hij zijn gezichtje omhoog geheven, alsof de sneeuw hem kietelde.
Lobke stak haar hand door Roels arm en legde haar hoofd op zijn schouder. 'Sneeuw blijft altijd mooi om naar te kijken, hè?'
Hij knikte. 'Ja, vooral als je door de ogen van een kind kijkt.'
Ze bleven staan genieten tot Matthijs het koud kreeg. Daarna gingen ze weer naar binnen.
Het bleef de hele dag sneeuwen en 's avonds lag er een dik pak. Ook

woensdag bleef het de hele dag sneeuwen.
Donderdagochtend rond halfnegen belde Joyce: 'Hebben jullie zin om vandaag een dagje bij ons te komen? Het is hier zó mooi met al die sneeuw! De kinderen talen helemaal niet naar dat zwembad of het speelparadijs. Ons vakantiehuis staat naast een dijk en we hebben gisteren in een speelgoedwinkel van die plastic sleetjes gekocht. Simon doet nu niets anders dan de hele dag van die dijk af glijden, en Sofie en Manon vermaken zich ook prima.'
'Even overleggen,' zei Lobke. Ze vertelde Roel van Joyce' voorstel.
'Ik heb geen idee hoe de kwaliteit van de wegen is met die sneeuw,' zei Roel, die net achter de laptop zat, 'en hoelang het rijden is. Waar zitten ze?' Hij tikte het adres in en zocht op de routeplanner. 'Dat is wel bijna anderhalf uur rijden.' Hij tikte nog iets in. 'De snelwegen zijn zo te zien wel schoon en het sneeuwt niet meer, dat verwachten ze morgen pas weer.' Hij keek Lobke aan. 'Wat vind jij? Doen of niet?'
'Ik heb er wel zin in,' zei Lobke. 'Dan nemen we het campingbedje mee, zodat Matthijs daar 's middags kan slapen.'
'Ik denk dat hij het ook wel leuk zal vinden,' zei Roel. 'Oké, dan gaan we vandaag naar Andijk.'
'We komen eraan!' riep Lobke door de telefoon.
'Leuk!'
'Moeten we nog iets meebrengen, brood of zo?'
'Nee hoor, we hebben genoeg in huis, en anders is er een winkel op het park. En als jullie vanavond mee-eten halen we wel friet of zo. Gezellig, ik verheug me erop!'
En zo waren ze een kwartiertje later onderweg naar Andijk. Het was prachtig zonnig weer, de snelwegen waren schoon en het was niet druk op de wegen, alleen op de ringweg bij Amsterdam. Binnen anderhalf uur reden ze het parkeerterrein van het park op.
'Ik ben vergeten te vragen welk nummer hun huisje heeft,' zei Lobke terwijl ze uitstapte. Ze pakte haar mobiel om Joyce te bellen, maar dat was niet nodig. Joyce kwam net aanlopen met in haar ene hand een gebaksdoos en in de andere hand het touw van de slee achter haar met daarop de beide meisjes. Ze kuste Lobke gedag.
'Goed getimed, hè? Ik was even iets lekkers voor bij de koffie halen en

kwam meteen kijken of jullie er al waren. Fijn dat jullie er zijn!'
Manon trok aan Lobkes jas. 'Hé Lobke, ggezelligg hè?' Ze keek stralend naar Lobke op. Het 'gezellig' klonk al minder schraperig.
Joyce lachte. 'Sinds ze hoorde dat jullie kwamen is ze steeds aan het oefenen geweest op dat woordje. Dat woord hoort blijkbaar bij jou.'
Sofie had meer belangstelling voor Matthijs. Zodra Roel hem uit zijn autostoeltje gehaald had, schoof ze de slee naar voren. 'Hier Matthijs, voor jou.'
Lobke keek verbaasd. 'Zo, dat gaat prima met hun Nederlands.'
Joyce knikte. 'Ja, ze pakken het heel snel op. En Simon trouwens ook, maar die hoort op school natuurlijk niet anders.'
Roel pakte de luiertas van de achterbank en sloot de auto af. Daarna wandelden ze naar de bungalow die Joyce en Ivo gehuurd hadden. Matthijs zat op de slee en Sofie was achter hem gaan zitten om hem vast te houden. Matthijs vond het geweldig!
Joyce had het koffiezetapparaat aangezet voor ze naar het parkeerterrein was gelopen, dus het geurde al heerlijk naar koffie toen ze binnenkwamen. Ivo zat druk te typen achter de laptop. Hij keek even op, zei: 'Ik ben zo klaar, even iets afmaken,' en typte weer verder zonder hen zelfs gedag te zeggen.
'Waar is Simon?' vroeg Joyce zichtbaar geïrriteerd.
'Ik dacht dat hij met jou mee was?' zei Ivo zonder op te kijken.
'Nee, ik zei nog toen ik wegging dat alleen de meisjes mee wilden.'
'O. Dan is hij zeker met z'n slee naar de dijk.' De laptop hield zijn blik gevangen.
Lobke voelde de spanning tussen hen. Ze zag Joyce twijfelen of ze nu Simon moest gaan zoeken of voor haar gasten moest zorgen. Ze zei snel: 'Als jij nu alvast koffie inschenkt, ga ik kijken of ik Simon kan vinden, goed? En als ik hem gevonden heb, zal ik hem dan mee hiernaartoe nemen?'
Joyce knikte dankbaar. 'Ja, graag. Dan kunnen we gezellig samen koffiedrinken. De dijk waar hij meestal glijdt is aan die kant.' Ze wees in de bewuste richting.
Lobke was blij dat ze haar laarzen aangetrokken had. De paden in het vakantiepark waren wel schoongeveegd, maar bij de dijk lag de sneeuw centimeters dik. Ze zag Simon al snel tussen de vele kinderen die daar

aan het sleeën waren en liep naar hem toe. Hij wilde net met zijn sleetje de dijk op klimmen.
'Hoi Simon. Mooi hè, die sneeuw? Mama heeft gevraagd of ik je wilde komen halen, dan gaan we koffiedrinken. Ga je mee?'
'Nog één keertje,' bedelde hij.
'Oké, nog één keertje. Dan zal ik kijken hoe hard je gaat.'
Hij klom naar boven, ging op z'n buik op het sleetje liggen en roetsjte razendsnel naar beneden. 'Whoeiej!' hoorde ze hem vrolijk gillen.
'Zal ik je trekken?' vroeg ze toen hij weer beneden was. Hij knikte.
Ze trok de slee voort tot ze weer bij de bungalow waren. Daar was de koffie al ingeschonken. Ivo klapte net z'n laptop dicht. 'Zo, klaar.'
Toen pas verwelkomde hij Lobke en Roel. 'Leuk dat jullie er zijn. Waren de wegen nog begaanbaar?'
'Ja hoor, het was goed te doen. Alleen het laatste stukje naar het park was wat glad, daar wordt natuurlijk veel minder gereden,' zei Roel.
Joyce had voor iedereen een stuk appeltaart gesneden, voor de drie kleinsten een kleiner stukje. Toen ze het voor Matthijs neer wilde zetten, zei Lobke snel: 'Nee joh, hij hoeft geen heel stuk, hij krijgt wel een hapje van mij.'
'Het is maar een klein stukje.'
Maar Lobke schudde beslist haar hoofd. 'Het is toch veel te veel voor hem, anders eet hij straks niet.'
Ondanks het nogal gespannen begin hadden ze een gezellige dag met elkaar. Het bleef de hele dag zonnig, en na het middagslaapje van Matthijs gingen ze samen een heel eind wandelen. Matthijs mocht dit keer bij Simon voor op z'n slee. 's Avonds haalden ze friet met iets erbij. Joyce maakte een frisse salade, en als toetje had ze een kerstijstaart gehaald in de winkel op het terrein. 'Die waren nu voor de helft van de prijs.'
Terwijl Roel en Ivo de tafel afruimden, deden Joyce en Lobke alle kinderen samen in bad. Dat was dikke pret! Ook Matthijs genoot zichtbaar. Joyce gaf Lobke een roze Dora-pyjamaatje. 'Hier. Die hadden we als reserve meegenomen voor als een van de meisjes 's nachts een ongelukje kreeg. Je kunt het Matthijs aantrekken en dan kan hij thuis meteen naar bed.'
Het pyjamaatje was wel iets te groot, dus Lobke moest de mouwen en broekspijpen omslaan. Sofie en Manon vonden het prachtig staan, maar

Simon bromde: 'Roze is voor meisjes, niet voor jongens!'
'Matthijs vindt dat nu nog niet erg,' troostte Lobke hem. 'Maar als hij zo groot is als jij, zal hij ook geen roze pyjama meer aan willen.'
Daarna mocht Simon nog even naar beneden om een dvd te kijken en brachten Joyce en Lobke de beide meisjes naar bed. Joyce had diverse voorleesboekjes meegenomen, maar Nijntje was favoriet, vooral de verhaaltjes met 'Hoi-hoi, dat vind ik fijn!' Matthijs mocht ook meeluisteren.
Toen Joyce en Lobke weer naar beneden gingen, wreef Matthijs met beide handjes tegen zijn neusje. 'Hij barst van de slaap na zo'n enerverende dag,' zei Lobke. 'Kom Roel, dan gaan we naar huis.'
Roel en Lobke bedankten nogmaals voor de uitnodiging, maar Joyce zei: 'Jullie bedankt voor de gezelligheid, ik heb echt een fijne dag gehad.'
Terwijl ze hen uitliet, zag Lobke dat Ivo alweer naar de laptop greep. Joyce zag het ook, en er verscheen een geïrriteerde blik in haar ogen. 'Daarom wilde ik óók dat jullie kwamen, anders zou hij heel de week alleen maar met dat ding bezig zijn.'
'Is hij zelfs in de vakantie nog bezig met z'n werk?' vroeg Roel.
'Welnee, op z'n werk loopt het best goed allemaal, en het bedrijf is deze week gesloten, hij heeft zelfs nog geen telefoontje gehad van de week. Nee, hij heeft een of ander spelletje ontdekt op internet en is daar nu al twee weken elk vrij moment mee bezig. Nou ja, ik laat hem maar, hij heeft met die verantwoordelijke baan toch ook zijn ontspanning nodig, maar ik zal blij zijn als hij het uitgespeeld heeft.'
Ze waren nog maar net onderweg toen Matthijs al in slaap viel. Halverwege de weg naar huis begon het zachtjes te sneeuwen. De verlichting langs de snelweg gaf een roze schijnsel op de sneeuwvlokken. Het was een prachtig gezicht, maar de wegen werden meteen wat glad, en ze waren blij dat ze zonder ongelukken thuiskwamen. Matthijs merkte niet eens dat hij overgelegd werd in zijn eigen bedje, zo vast sliep hij. Lobke en Roel namen nog een glaasje wijn en besloten daarna ook naar bed te gaan. Het was nog maar halftien, maar ze zaten allebei te gapen.
Even later was iedereen in huize Sikkens in diepe rust.

10

OUD EN NIEUW GING VOORBIJ, EN OOK DE MAAND JANUARI BRACHT GEEN BIJZONDERHEDEN. Af en toe belden Joyce en Lobke met elkaar, maar het kwam er niet van om bij elkaar op bezoek te gaan.

Half februari was Joyce jarig. Ze had Lobke en Roel uitgenodigd voor de zaterdagmiddag daarna. 'Vind je 't niet erg? Simon moet op mijn verjaardag gewoon naar school en ik wil die ochtend samen met de meisjes naar de kapper, ons lekker op laten tutten. 's Middags komen m'n ouders, m'n schoonouders en Daphne, Ivo's zus. Die is onlangs gescheiden en wil alleen maar over zichzelf praten, dus dat is niet echt prettig gezelschap. 's Avonds komen Kevin en Dennis met hun gezinnen bij ons eten, en ik denk dat ik daarna op apegapen lig.'

'Nee hoor, dat vind ik niet erg,' zei Lobke. 'Voor ons komt zaterdagmiddag ook beter uit. Overdag doordeweeks is toch een van ons beiden aan het werk, en 's avonds moet Matthijs weer bijtijds naar bed. Heb je nog wensen?'

'Genoeg, maar wat ik wil is niet voor geld te koop,' zei Joyce raadselachtig. 'Joh, ik vind het al leuk als je komt. Blijven jullie dan 's avonds eten?'

'Mag ik dan voor het toetje zorgen?'

'Oké. Ach, wil je dan als verjaardagscadeau die lekkere perziktiramisu maken die ik bij jullie weleens kreeg? Die vond ik altijd zo heerlijk!'

'Doe ik. En zodra Matthijs wakker is zaterdag, komen we. Tot dan.'

Die zaterdagmiddag reden ze om halftwee naar Oudewater. Lobke had Matthijs die ochtend wat eerder naar bed gebracht, zodat hij weer bijtijds wakker was. Op haar schoot had ze een grote schaal perziktiramisu, die ze de dag ervoor gemaakt had.

Roel had het huis alleen nog maar op foto's gezien, en zijn mond viel open toen ze de brede oprijlaan naar het huis opreden. Hij floot. 'Zo hé! Hoe groot is dat perceel wel niet?'

'Ruim vijfentwintighonderd vierkante meter,' wist Lobke.

'Dat is zo'n tien gymzalen bij elkaar!' zei Roel verbaasd. 'Wat een ruimte!'

Ze stapten uit. Roel haalde Matthijs uit zijn stoeltje en keek daarna bewon-

derend om zich heen. 'En moet je dat uitzicht zien! Fantastisch!'
Joyce had hen aan zien komen en opende de voordeur.
'Die voordeur is ook al zo mooi.' Roel kwam ogen tekort. 'Hoi Joyce. Wauw, wat wonen jullie hier mooi!'
'Ja hè. Welkom in ons huis. Kom binnen.'
'Nogmaals gefeliciteerd met je verjaardag,' zei Lobke terwijl ze als eerste Joyce zoende. Toen ging ze bewonderend verder: 'Wat zit je haar leuk! Dat nieuwe model staat je fantastisch!'
'Dank je.'
'Maar je ziet er ook moe uit,' constateerde Lobke toen. 'Was het zo druk gisteren?'
'Viel wel mee, hoor, maar ik heb vannacht weinig geslapen. Hè, heerlijk!' verzuchtte ze toen Lobke haar de schaal overhandigde. 'Er bestaat geen lekkerder toetje dan dat. Je moet me toch dat recept eens een keer geven.'
'Ik zal het je wel een keer mailen,' beloofde Lobke.
Daarna was Roel aan de beurt om Joyce te feliciteren. Zijn ogen werden zo groot als schoteltjes toen hij de ruime hal zag. 'Die is haast net zo groot als onze woonkamer.' Hij hielp Lobke en Matthijs hun jas uitdoen.
'Even die lekkere toet in de koelkast zetten,' zei Joyce. 'Willen jullie thee of koffie?'
'Koffie,' zei Roel. 'Thee,' zei Lobke tegelijkertijd. 'Doe mij dan ook maar thee,' zei Roel er meteen achteraan.
'Ben je mal, joh, ik heb het allebei,' zei Joyce. 'Eén koffie voor meneer en één thee voor mevrouw. Kom verder.' Ze zette de schaal met tiramisu in de keuken en ging hun voor naar de woonkamer, waar Simon, Sofie en Manon in een hoekje zaten te spelen. Matthijs liep meteen naar hen toe. Ivo was in gesprek met een echtpaar van rond de zestig.
'De buren wilden vanmiddag ook even langskomen,' legde Joyce uit. Ze stelde beide echtparen aan elkaar voor. 'Dit zijn meneer en mevrouw Gabriëlse van hiernaast, en dit zijn Roel en Lobke Sikkens en hun zoon Matthijs. Lobke is mijn beste vriendin, we zijn al bevriend vanaf dat we elkaar in groep 1 tegenkwamen.'
Gabriëlse? Bekende naam, dacht Lobke. Waar kende ze die ook alweer van? Ze liep achter Joyce aan naar de keuken. 'Gabriëlse, die naam ken ik ergens van,' zei ze tegen Joyce. 'Maar ik weet niet meer waarvan.'

Verbeeldde ze het zich nu, of kreeg Joyce een kleur? 'Dat zijn de ouders van Peter.'
'Peter?'
'Ja, Peter Gabriëlse. Weet je wel, die hovenier.'
'O, die. Da's ook toevallig.'
'Ja. Hij had me die eerste keer niet verteld dat zijn ouders naast ons woonden. Het had iets te maken met werk en privé gescheiden houden of zoiets. Maar zijn moeder sprak me een keer aan in de supermarkt omdat ze zijn auto af en toe voor ons huis zag staan. Ze hebben ons een keer op de koffie gevraagd, het zijn aardige mensen. Ze had van Peter gehoord dat ik van de week jarig was en feliciteerde me op die dag. Toen heb ik hen ook maar uitgenodigd voor vanmiddag.'
'Wordt het al wat met die tuinplannen van hem?'
'Ja, de tekeningen zijn inmiddels klaar. Ik zal ze straks wel laten zien. Wil jij de gebaksdoos meenemen?'
Terwijl Joyce de koffie en thee uitdeelde, ging Lobke rond met de gebaksdoos. Mevrouw Gabriëlse weigerde. 'Nee, dank je, ik mag dat niet hebben.'
'O, dat wist ik niet, anders had ik voor u wel iets anders meegebracht,' zei Joyce. 'Wilt u iets anders?'
'Als je een droog biscuitje hebt? Ik kan geen vet verdragen, heb last van m'n gal.'
'Natuurlijk, ik zal het zo pakken. Ogenblikje.'
Nadat Joyce de kinderen voorzien had van sap en mevrouw Gabriëlse van een biscuitje, kwam ze bij haar visite zitten. Die viel net op dat moment stil.
'Wat heb je gekregen voor je verjaardag?' doorbrak Lobke de stilte.
Joyce stak haar arm uit. 'Dit horloge van Ivo, een zelfgemaakt vaasje van Simon, en bloemen van de tweeling.' Verder somde ze op: 'Die fles wijn van de buren, een abonnement op een tuintijdschrift van m'n ouders, een bon voor de schoonheidsspecialiste van m'n schoonouders, en van Dennis en Ilse en Kevin en Lia een kruiwagen, die had ik gevraagd voor in de tuin. O ja, en van Daphne een theaterbon.'
'Leuke dingen.'
'Ja, ik ben flink verwend.'
'Wij hebben ook nog wat.' Lobke haalde een pakje uit de luiertas van

Matthijs en overhandigde dat aan Joyce. 'Van ons drietjes.'
Joyce haalde het papier eraf en bewonderde het tuinboek dat erin zat. 'Hé, dat had ik nog niet. Bedankt!' Ze wierp hun een kushand toe.
Het gesprek ging daarna over op koetjes en kalfjes, en na een uurtje vertrok het echtpaar Gabriëlse weer.
Daarna haalde Joyce het nieuwe ontwerp van de tuin tevoorschijn. Lobke en Roel luisterden belangstellend naar haar enthousiaste uitleg, terwijl Ivo zich bezighield met de kinderen.
'De opdeling in verschillende hoekjes en terrassen blijft bestaan,' legde Joyce uit. 'Hier wordt een stuk van het grasveld gehaald en betegeld, daar kunnen de kinderen dan met hun driewielertje spelen, ook als het gras nat is. Dat stuk wordt afgescheiden met verhoogde plantenbakken. Hier,' ze wees met haar vinger, 'komt een ronde pergola met daartegen een klimroos. Daar, aan de zijkant van het huis, komen een paar boogpergola's achter elkaar, en daar komen goudenregenplanten te staan. Dat heb ik afgekeken van de Bodnant Garden in Wales, waar we een keer geweest zijn. Als die in bloei staan, waan je je in het paradijs, zo mooi is dat.' Ze wees weer. 'Daar komt een verbindingspaadje. Dat en dat terras blijft, alleen komen daar andere planten omheen te staan, en op sommige plaatsen komen er bakken. We weten ook nog niet eens precies wat er allemaal in de tuin staat, dat zien we straks wanneer het opkomt. Er staan in elk geval ook een hoop bollen in, er zijn al sneeuwklokjes, krokussen en de puntjes van narcissen te zien. Sommige vaste planten die nu in de tuin staan, zijn sterk verouderd, die doen we weg, andere zullen we moeten verplaatsen, maar het komt er straks zo uit te zien.' Ze haalde uit een mapje een paar foto's. 'Die heeft Peter met een speciaal driedimensionaal computerprogramma gemaakt. Dat is zo leuk, het lijkt alsof je door de tuin wandelt als hij al klaar is.'
'Wauw!' verzuchtte Lobke. 'Wat mooi! En wat leuk, zo'n computerprogramma. 't Is net of je in een echte tuin kijkt. Wanneer gaan ze ermee aan de slag?'
'Dat wordt eind maart of begin april, afhankelijk van het weer. Tegen die tijd kunnen de meeste planten ook al verplaatst worden, dan zijn ze nog in ruststand en slaan ze makkelijker aan. Ik kan haast niet wachten.'
'Dat kan ik me voorstellen.'

'Volgens mij heeft deze jongeman een vieze broek, kan dat?' zei Ivo, die bij de kinderen op de vloer zat. Hij wees naar Matthijs.
Roel pakte de luiertas. 'Dat kan wel kloppen. Is er een plekje waar ik hem kan verschonen?'
Ivo sprong op. 'Kom maar mee naar boven, dan zal ik je gelijk de rest van het huis laten zien.'
Toen Roel en Ivo naar boven waren zei Lobke: 'Roel raakt niet uitgekeken op jullie huis. Het is dan ook heel erg mooi. En dan straks die mooie tuin. Ik denk dat ik van de zomer maar vaak bij je op bezoek zal komen.'
'Voel je welkom,' zei Joyce. 'Het zal me niet vaak genoeg zijn. In mei worden de meisjes vier, dan gaan ze ook naar school en zal ik hele dagen alleen zitten.' Ze snifte zogenaamd en lachte toen. 'Wil je iets drinken? Een wijntje of een glaasje fris?'
'Doe maar een glaasje fris. Dat wijntje bewaar ik wel voor bij het eten. Kan ik je ergens mee helpen?'
Joyce schudde haar hoofd. 'Ik heb voor vanavond een paar hartige taarten klaargemaakt, dat leek me wel gemakkelijk, die hoef ik straks alleen maar op te warmen in de magnetron. Ik heb ook nog een soepje vooraf, dat is al klaar, en jullie tiramisu als toetje. Hier,' ze stak Lobke een zakje met pinda's toe, 'je mag die in een schaaltje doen, dan schenk ik iets fris in. Wat zou Roel lusten? Een biertje?'
'Vraag het hem zelf maar, volgens mij komen ze net de trap af.'
Roel wilde ook iets fris en Ivo nam een pilsje. Joyce gaf de kinderen elk een doosje rozijntjes en zette drinken voor hen klaar op het kindertafeltje dat voor deze gelegenheid in de woonkamer was gezet.
Toen ze allemaal zaten, hief Joyce haar glas. 'Proost.'
'Op je verjaardag.'
Sofie kwam bij haar staan en wees naar het schaaltje pinda's. 'Mag ik die?'
Joyce schudde haar hoofd. 'Nee, die mag je pas als je met je arm over je hoofd je oor aan de andere kant kunt aanraken,' zei ze.
Dat scheen al eens eerder gezegd te zijn. Sofie deed haar rechterarm over haar hoofd en probeerde met alle macht haar linkeroor te pakken, maar dat lukte niet. Ze schoof haar arm wat naar achteren en probeerde het nog eens. Haar vingertjes raakten net haar oor.
'Ja, het lukt!' riep ze triomfantelijk.

'Nee, jij smokkelt,' zei Joyce streng. 'Óver je hoofd, niet achter je hoofd langs.'
'Ik kan dat wel,' zei Simon en hij demonstreerde het. 'Maar ik lust geen pinda's.'
Matthijs kwam bij Roel staan met een leeg rozijnendoosje. 'Op, papa.'
'Gooi het maar in de prullenbak,' zei Roel.
'Zal ik laten zien waar de prullenbak is?' vroeg Manon met haar liefste stemmetje. Ze pakte Matthijs' handje en nam hem mee naar de keuken.
'Ze spreken echt al goed Nederlands,' zei Lobke.
'Ja,' zei Joyce. 'Het gebeurt nog maar af en toe dat ze overstappen op het Engels. Soms doen ze dat nog wel als ze 's avonds wakker worden omdat ze moeten plassen of als ze dorst hebben, dan zijn ze zo slaperig dat ze automatisch in het Engels roepen. Maar het gebeurt steeds minder.'
'Hoe gaat het met Simon op school?' vroeg Lobke.
'Hij kan goed meekomen, als je dat bedoelt.'
'Nou, ik bedoelde eerder of hij het naar z'n zin heeft, hoe zijn omgang met de rest van de klas is. Hij zag er toch zo tegenop om naar Nederland te moeten? Heeft hij het nog weleens over zijn Engelse vriendjes?'
"Nauwelijks. Maar hij is wel een binnenvetter, die nooit helemaal het achterste van z'n tong laat zien.'
'Onzin,' zei Ivo. 'Jij maakt dat kind altijd gevoeliger dan het is. Hij heeft het nooit meer over zijn vriendjes omdat hij ze niet meer ziet en ook niet mist. Op die leeftijd gaan gevoelens van kinderen nu eenmaal niet zo diep.'
'Nou, dat ben ik niet met je eens,' zei Lobke. 'Ook op die leeftijd kunnen kinderen heel gevoelig zijn. Ik weet nog dat Tim, mijn zwager, overspannen was, en Lisanne, hun oudste, was toen drie, bijna vier. Zij heeft daar best wel wat van meegekregen. Het was soms aandoenlijk om te zien dat ze, zo jong als ze was, al rekening met hem hield. Alsof ze aanvoelde dat hij niet zo veel kon hebben.'
'Maar dat is een meisje, Simon is een jongen,' verweerde Ivo zich.
'En wat wil dat zeggen?' Lobke vroeg het bijna kattig.
'Jongens, of mannen zoals wij' – hij wees naar Roel en zichzelf – 'zitten nu eenmaal anders in elkaar dan meisjes.'
'Hé, eh... praat voor jezelf, wil je,' sputterde Roel tegen.
'Nu lijk je precies je vader,' zei Joyce tegen Ivo. 'Voor hem bestaan er

helemaal geen gevoelens.'
'In elk geval geen gevoelens die je zouden kunnen verhinderen je doel te bereiken,' zei Ivo. 'Dus als ik daarin op hem lijk, dan hoop ik dat Simon daarin ook op mij lijkt.'
'Zoiets kun je nu eenmaal niet dwingen,' zei Joyce hard. 'Simon is een gevoelig ventje, of je dat nu leuk vindt of niet.'
'Omdat jij hem zo gevoelig maakt.'
Lobke kreeg een vervelend gevoel. Zo te horen hadden Joyce en Ivo die discussie al vaker gevoerd. Gingen ze nu ruzie zitten maken waar zij en Roel bij waren?
'Hoe is het trouwens met je ouders?' probeerde ze van onderwerp te veranderen. 'Hebben ze het naar hun zin in het Gooi?'
Ivo begon een heel verhaal over de mooie wijk waar zijn ouders nu woonden, en dat er zelfs een paar bekende Nederlanders bij hen om de hoek woonden.
Joyce stond op. 'Ik ga de soep opzetten. Wil iemand nog iets drinken?' Ze schudden allemaal hun hoofd.
Lobke stond ook op. 'Ik help je wel even.' Ze hoorde dat Roel Ivo vroeg hoe het nu ging met de reorganisatie van het bedrijf.
Joyce draaide zich naar Lobke toe. 'Sorry.'
'Voor wat?'
'Voor daarnet, dat Ivo en ik ruzie gingen zitten maken waar jullie bij waren.' Ze zuchtte. 'We lijken het de laatste tijd steeds vaker oneens te zijn. Vooral als het over Simon gaat. Hij vindt dat Simon wat harder moet worden. Simon voelt dat uiteraard aan en trekt zich daardoor steeds meer terug in zichzelf. Hij toont nu zelfs helemaal geen gevoelens meer als zijn vader in de buurt is, ook geen enthousiasme of blijdschap. Ik vraag me zelfs af of hij nog wel blij kan zijn. Ik bedoel... Hij mag dan niet meer praten over zijn vriendjes, maar ik weet zeker dat hij ze nog wel mist. In het laatje van zijn nachtkastje ligt een boekje met tekeningen die hij van zijn klas heeft gekregen toen hij afscheid nam van zijn school in Engeland, en ik kan zien dat hij daar nog regelmatig in kijkt, ze liggen de ene keer anders dan de andere keer. Maar als ik hem ernaar vraag, schudt hij zijn hoofd. Hij doet goed zijn best op school en is gehoorzaam, misschien wel té. En ik hoor hem nooit meer over die Tom die hij in het begin zijn vriendje noemde. Volgens

zijn juf gaat hij zijn eigen gang, en de klas laat hem ook links liggen. Niet dat ze hem pesten of zo, dat gelukkig niet. Maar hij blijft op die manier "die jongen uit Engeland", ook al spreekt hij nu nog zo goed Nederlands. Ik maak me zorgen om hem, maar volgens Ivo stel ik me aan, en zo wordt het een steeds minder bespreekbaar onderwerp. Soms denk ik ook dat ik me zorgen maak om niets. Simon klaagt zelf niet, maar hij kan me soms zo aankijken met die grote ogen van hem...' Ze schudde haar hoofd. 'Vergeet maar wat ik gezegd heb. Ik moet gewoon niet zeuren. Wil je nog iets drinken?'
'Ik vind anders niet dat je zeurt, hoor.'
'Laten we er maar over ophouden, anders begint Ivo straks weer opnieuw. Hoe laat is het nu? Kwart voor vijf. Ik ga de soep opwarmen.' Ze voegde de daad bij het woord. 'Mag Matthijs ook groentesoep?'
'Ja, dat lust hij wel. Wil je er een beetje koud water bij doen voor hem?'
'Ja hoor, dat doe ik voor de kinderen ook altijd.'
Joyce dekte de tafel in de keuken en haalde het kindertafeltje weer uit de woonkamer. 'Zo, dan kunnen wij aan de grote tafel eten, en de kinderen aan het kleine tafeltje. Wat doen we met Matthijs?'
'Die neem ik wel op schoot. Ik neem aan dat je geen kinderstoel meer hebt staan.'
'Nee, die hebben we opgeruimd vlak voor de verhuizing. Maar we kunnen ook Simon bij ons aan tafel zetten en Matthijs op zo'n klein stoeltje.'
Lobke schudde haar hoofd. 'Nee, daar loopt hij toch maar van af. Ik neem hem wel op schoot, joh, geen probleem.'
Even later zaten ze allemaal in de keuken aan de soep. Lobke hielp eerst Matthijs, terwijl Roel z'n soep opat, en daarna mocht hij bij Roel op schoot zitten terwijl Lobke haar soep opat. Joyce had inmiddels de hartige taarten opgewarmd, en ook die werden met smaak verorberd. Ivo schonk de wijn in, alleen Roel wilde iets fris. 'Ik moet straks nog rijden.'
Het toetje daarna was een groot succes. Lobke had een grote schaal klaargemaakt en iedereen smulde ervan. De kinderen wilden zelfs allemaal nog wel een stukje.
'Nee,' zei Joyce plagerig, en ze hield beschermend haar handen om de schaal, 'het is míjn toetje, ík heb het gekregen voor m'n verjaardag, dus ík mag de rest hebben.'

'Dan krijg je pijn in je buik!' riep Simon.
'Nee, mammie, eerlijk delen!' riep Sofie.
'Ja, eerlijk delen,' riep Manon. 'Dat moet altijd!'
'Nou, vooruit dan maar,' zei Joyce. 'Of we kunnen de rest ook bewaren tot morgen, dan hebben we morgen ook een lekker toetje.'
'Néé!' riepen de beide meisjes. 'Nú opeten!' Ze staken hun schaaltje naar voren. 'Nú, mammie. *Pleasepleaseplease*!' Ze sprongen op en neer van opwinding.
'Oké-oké-oké,' riep Joyce. 'Kom maar hier met je schaaltje.' Ze verdeelde de rest van het toetje en bedeelde zichzelf met een flink stuk. 'Heerlijk, Lobke!'
Lobke was blij dat de voelbare spanning tussen Joyce en Ivo gezakt was. Ivo zat op zijn praatstoel. Hij vertelde over de reorganisatie van het bedrijf en hoe alles tot nu toe verlopen was. 'Iedereen zet zijn beste beentje voor,' zei hij, 'en zoals het er nu uitziet loopt het aan het eind van dit jaar naar behoren. De grote bazen in Engeland zijn tevreden, dus ben ik het ook.'
'Moet je nog vaak heen en weer naar Engeland?' vroeg Lobke.
'Voorlopig nog wel,' legde Ivo uit. 'Ze willen van alles op de hoogte gehouden worden en ze verwachten van mij dat ik de bestuursvergaderingen daar regelmatig bijwoon om up-to-date te blijven. Als straks alles hier draait, zal dat wel minder worden.'
'Vind je dat niet vervelend, zo vaak van huis te moeten zijn?'
Ivo keek verbaasd. 'Nee, waarom? Dat hoort er nu eenmaal bij.'
'Nou, het zou mij niks lijken als Roel regelmatig voor zijn werk naar het buitenland moest en mij alleen zou laten,' zei Lobke.
'Joyce ís niet alleen, die heeft de kinderen,' was Ivo's antwoord.
'Dat bedoel ik niet. Ik ben ook niet alleen, ik heb Matthijs, maar ik ben wel blij dat Roel en ik de zorg voor Matthijs samen delen,' zei Lobke vinniger dan ze bedoelde.
'Ja, maar jij hebt daarnaast ook nog een baan. Wij kunnen het ons veroorloven dat Joyce fulltimemoeder is, en dan is dat toch anders. Bij ons is dat nu eenmaal zo verdeeld.'
Lobke wilde nog iets zeggen, maar ze voelde ineens hoe er onder tafel tegen haar scheenbeen geschopt werd. Ze keek naar Joyce, die tegenover haar zat en wild zat te seinen met haar ogen. *Niet doen!*

'Nou, bij ons niet,' kon ze het toch niet nalaten te zeggen.
'Zo, dat was lekker,' zei Joyce. 'Zullen we nog een kopje koffie toe nemen?'
'Nee, we moeten naar huis,' zei Roel. Hij wees naar Matthijs. 'Dit mannetje valt bijna om van de slaap.'
'Zal ik eerst even helpen met opruimen?' vroeg Lobke.
'Nee hoor, dat doen wij wel als jullie weg zijn.'
Ze namen afscheid, en even later zaten ze in de auto op weg naar huis.
'Ik moest daarnet ineens denken aan een mopje dat ik pas hoorde,' zei Roel. 'Een echtpaar ging naar een concert en omdat ze geen oppas voor hun baby hadden, besloten ze die maar mee te nemen. Bij de ingang werd er gezegd: "Uw baby mag wel mee, maar als hij gaat huilen, moet u de zaal verlaten. U krijgt uw geld dan wel terug." Algauw kwam de man erachter dat het concert niet echt zijn smaak was, dus fluisterde hij tegen zijn vrouw: "Schat, knijp jij ons mannetje eens hard in zijn beentje."'
Lobke schoot in de lach. 'Waarom moest je juist aan dat mopje denken?'
'Omdat ik Matthijs gebruikte om daar weg te komen. Tjonge, de spanning tussen die twee was af en toe om te snijden. En jij zat Ivo nog te voeren ook, met je "bij ons niet".'
'Dan moet hij maar niet zo irritant doen,' vond Lobke. 'Vond jij hem niet irritant dan?'
Roel haalde z'n schouders op. 'Och, zo is Ivo nu eenmaal.'
'Nou, zo was hij anders niet toen Joyce verkering met hem kreeg. Tjonge, dat iemand zó kan veranderen!'
'Wie weet hoe ik nog kan veranderen,' plaagde Roel.
'Als jij zou doen zoals Ivo, nou, dan...'
'Wat dan?'
'Dan... dan ging ik bij je weg.'
Roel reageerde direct: 'En waar blijf je dan met de trouw die je me beloofd hebt? "In goede en in slechte dagen"?'
Lobke had daar geen antwoord op. Roel had gelijk, dat had ze hem beloofd. Niet alleen op hun trouwdag, maar ook toen hij haar op haar achttiende verjaardag het kettinkje overhandigde met het medaillon met daarin hun beider foto's – het kettinkje dat ze zoals ze toen beloofd had nog steeds dagelijks droeg, 'zolang ik leef'. Als teken van hun verbondenheid.
Zwijgend reden ze naar huis.

11

Het liet Lobke niet los. Steeds moest ze aan haar opmerking tegen Roel denken: 'Dan ging ik bij je weg.'

Was het zo eenvoudig? De ander voldoet niet meer aan jouw verwachtingen, dus ga je maar uit elkaar? Wat maakte een huwelijk nu tot een goed huwelijk?

Ze vroeg het aan haar moeder toen die een keer op een woensdagmiddag op de koffie kwam. 'Mam, als ik naar pap en jou kijk, denk ik dat jullie een goed huwelijk hebben. Hoe doe je dat?'

'Wat een merkwaardige vraag,' zei Hanneke. 'Hebben jij en Roel soms problemen?'

'Nee, wij niet, maar het gaat volgens mij niet zo lekker tussen Joyce en Ivo, en toen dacht ik...'

'Tussen Joyce en Ivo? Hoe kom je daarbij?'

'We zijn afgelopen zaterdag bij hen geweest om Joyce' verjaardag te vieren. En ik heb me daar enorm zitten ergeren aan Ivo. Eerst kregen hij en Joyce bijna ruzie waar wij bij zaten, over Simon, omdat Ivo zei dat kinderen van Simons leeftijd geen diepe gevoelens konden hebben. Dat vond ik toch zo'n domme opmerking! En tijdens het eten vroeg ik hem of hij het niet vervelend vond dat hij zo vaak van huis was, en ik zei dat ik blij was dat Roel en ik de zorg voor Matthijs samen deelden. Toen was zijn enige reactie dat Joyce fulltimemoeder kón zijn "omdat ze zich dat konden veroorloven", en dat dat nu eenmaal zo tussen hen verdeeld was.'

'Ik dacht dat je zei dat het tussen Jóyce en Ivo niet goed ging.'

'Ja, hoezo?'

'Ik hoor je alleen maar vertellen dat het afgelopen zaterdag tussen jóú en Ivo niet goed ging.' Hanneke glimlachte.

Lobke hapte even naar adem. 'Maar...' Toen ze het lachende gezicht van Hanneke zag, grinnikte ze.

'Mijn eigenlijke vraag was hoe het jou en pap gelukt is een goed huwelijk te hebben.'

'Fijn om te horen dat je ons huwelijk rekent tot de "goede" huwelijken,' zei Hanneke.

'Ja, duh! Wat had je dan gedacht?' zei Lobke verontwaardigd.
'Wat ben je toch snel aangebrand! Als ik niet beter wist zou ik zeggen dat je last had van je hormonen,' zei Hanneke.
'Ach nee, dat kan helemaal niet. Ik denk dat het komt omdat ik me al een paar dagen zorgen maak over Joyce. Ik heb het idee dat ze zich erg eenzaam voelt en dat ze van Ivo weinig steun krijgt. Ik had het daar zaterdag met Roel over, en toen zei ik dat ik bij hem weg zou gaan als hij net zo zou doen als Ivo. Toen vroeg Roel waar ik dan bleef met mijn belofte van trouw "in goede en in slechte dagen". En sindsdien loop ik daarover te sudderen.'
'O, nu snap ik je vraag ook beter,' zei Hanneke. Ze nam nadenkend een slokje van haar koffie. 'Tja, hoe krijg je een goed huwelijk? Dat gaat niet vanzelf.'
'Nee, dat had ik ook niet verwacht.'
'Ik had natuurlijk het voorbeeld van mijn ouders, die echt maatjes zijn, je weet hoe opa en oma zijn.'
Lobke knikte. Ja, als er twee mensen goed op elkaar ingespeeld waren, waren dat opa en oma De Bont.
Hanneke ging verder. 'Maar pap had een heel ander voorbeeld. Pap had een strenge vader, en een moeder die steeds maar probeerde te schipperen tussen zijn vader en hem, en die nooit echt voor hem opkwam. Ik heb die mensen nooit gekend, dus ik kan er eigenlijk niets over zeggen, maar van je vader begreep ik dat dat geen harmonieus huwelijk is geweest. Toch hebben pap en ik dat wel volgens jou, en dat vinden we zelf ook. En kijk maar naar Aafke en Tim. Tims ouders gingen uit elkaar toen hij nog klein was, en hij had bovendien nog een slechte relatie met zijn moeder. En toch hebben Aafke en hij ook een "goed" huwelijk. Tenminste, in mijn ogen. Dus is een slecht voorbeeld van ouders op zich geen reden dat het huwelijk van de kinderen ook slecht wordt. En is een goed voorbeeld van ouders geen vereiste, of een garantie dat de kinderen ook een goed huwelijk hebben.'
'Maar het helpt wel,' zei Lobke. 'Al is het alleen al in de partnerkeuze. Want toen ik zei dat ik bij Roel weg zou gaan als hij net zo zou doen als Ivo, bedoelde ik denk ik ook dat ik in dat geval sowieso nooit met hem getrouwd zou zijn.'
'Maar mensen kunnen veranderen,' zei Hanneke. 'Kijk maar naar Ivo. Dat zei ik vorig jaar al, op Matthijs' verjaardag.'

Lobke knikte. 'Ik denk dat Joyce niet met Ivo getrouwd was als hij toen al zo was.'
'Dat weet je nooit,' zei Hanneke. 'En bovendien, misschien is het maar een tijdelijk iets. Elk huwelijk kent fasen waarin het minder gaat, dat gaat met pieken en dalen. Pap en ik hebben ook weleens een periode gehad waarin we een beetje langs elkaar heen leefden. Niet dat ik ooit spijt heb gehad van mijn jawoord aan hem, hoor. Maar het was niet altijd koek en ei.'
'Jullie? Daar kan ik me niks bij voorstellen!' zei Lobke verbaasd.
Hanneke knikte. 'En wel meer dan eens.'
'Vertel eens?' Lobke ging er eens goed voor zitten.
'Je weet dat pap en ik elkaar hebben ontmoet op het huwelijk van tante Els en oom Ton, en dat we als een blok voor elkaar vielen.'
Lobke knikte. Dat verhaal kende ze.
'We zijn vrij snel getrouwd, al na anderhalf jaar. Die eerste tijd was geweldig. Samen dingen ondernemen. Samen eten. Samen koken. Naast elkaar wakker worden. We waren enorm verliefd. Na een jaar werden al die dingen een beetje "gewoon", maar kort daarna raakte ik zwanger van Aafke en deelden we samen het wonder van een nieuw leven dat ontstond door onze liefde.'
'Herkenbaar,' stelde Lobke.
'Vlak na de geboorte van Aafke viel ik met een smak van de roze wolk waarop ik tijdens mijn zwangerschap geleefd had. Pap was net van baan veranderd en had het erg druk. Waar ik me voor die tijd als zwangere vrouw heel bijzonder gevoeld had, was ik nu gewoon een moeder met een kind, en dáár waren er zo veel van! Aafke hield ons 's nachts nogal eens wakker en omdat pap zo druk was met zijn nieuwe baan liet ik hem maar slapen en ging er zelf uit. Maar dat ging me op den duur opbreken.'
Lobke knikte. 'Zelfde verhaal als van Joyce na de geboorte van de tweeling.'
'Ja. Ik liep over van zelfmedelijden, maar schaamde me daar tegelijkertijd zo voor dat ik dat tegen niemand durfde te zeggen, ook niet tegen je vader. Daar kwam nog bij dat we er pas toen achter kwamen dat ik een ochtendmens was en pap een avondmens.'
'Hè? Wisten jullie dat niet van elkaar?'
'Nee, tot die tijd hadden we ons steeds aan de ander aangepast, verliefd als we waren. Maar doordat ik zo moe was, wilde ik 's avonds vroeg naar bed,

terwijl pap na een drukke werkdag juist wilde genieten van een avondje met zijn vrouw. En we ontdekten nog wel meer verschillen die we tot dan voor elkaar verborgen hadden gehouden. Maar toen we eenmaal in gesprek gingen met elkaar, en dan bedoel ik ook écht in gesprek, ontdekten we ook wel grappige dingen waar we allebei erg om moesten lachen.'
'Zoals?' Lobke werd nu echt nieuwsgierig.
'Toen we nog verkering hadden en pap voor de eerste keer bij ons thuis kwam eten, had oma mijn lievelingseten klaargemaakt: gestoofde andijvie en een karbonaadje. Pap zei dat hij het heerlijk vond, dus maakte oma dat regelmatig klaar als hij kwam eten. Toen we gingen trouwen vroeg ik aan oma naar haar recept, zodat ik dat ook zo kon bereiden. Pas toen we dingen gingen uitspreken naar elkaar, vertelde pap me dat hij helemaal niet van kluiven hield, en dus ook niet van karbonaadjes, en dat hij liever stamppot andijvie had dan die slijmerige gestoofde andijvie. Ik vroeg hem waarom hij dat nooit had gezegd. "Omdat het jouw lievelingseten is", zei hij. De schat. Hij had altijd braaf zijn bordje leeggegeten en net gedaan alsof hij dat net zo lekker vond als ik. Omdat hij van me hield. Zo doen mensen wel vaker dingen die ze eigenlijk niet willen, omdat ze van die ander houden. Maar als de eerste verliefdheid over is, of er ontstaan problemen die ze voor die tijd niet hadden en die een crisis kunnen veroorzaken, dan komen zulk soort dingen pas boven tafel.'
'Of niet,' zei Lobke laconiek. 'Als ze allebei hun mond houden.'
'Of niet,' beaamde Hanneke. 'Maar daar zijn ze samen en ieder voor zich verantwoordelijk voor.'
'Ik denk dat Joyce iemand is die de lieve vrede wil bewaren door haar mond te houden.'
'Waarom denk je dat?'
'Toen ik aan tafel de discussie aan wilde gaan met Ivo, zat ze me onder tafel te schoppen en met haar ogen te seinen dat ik erover op moest houden.'
'Ik kan me ook voorstellen dat ze geen vervelende sfeer aan tafel wilde, zeker niet met de kinderen erbij. Misschien heeft ze dat diezelfde avond wel met Ivo uitgepraat, dat weet je toch niet?'
'Nee, dat weet ik inderdaad niet, maar ik heb wel meer signalen gezien...'
'Signalen zijn altijd op verschillende manieren te interpreteren,' viel Hanneke haar in de rede. 'Dus dat zegt niks.'

'Je vertelde dat jullie wel vaker een periode van verwijdering gehad hebben. Wanneer was de tweede?' vroeg Lobke toen.
'De tweede keer was een jaar na jouw geboorte. Ik was toen overspannen, ik heb je daar weleens wat over verteld toen je ziek was, en dat jij me toen uit dat dal hebt gehaald. We waren iets meer dan zeven jaar getrouwd en ik heb weleens begrepen dat het zevende of achtste jaar in een huwelijk extra gevoelig is voor crises. Bij ons ging het niet goed met Sanne en daar maakte ik me zorgen over. Maar tegelijkertijd had ik nog twee kinderen die aandacht vroegen, en een man, en een huishouden. Ik voelde me vreselijk alleen, zakte steeds verder weg, voelde me daar weer schuldig over tegenover pap en jullie, hees mezelf weer overeind en tobde weer een poosje verder, maar dat hield ik natuurlijk niet vol. In die tijd was ik erg boos op je vader. Ik snapte niet dat hij mijn zorgen niet deelde, dat hij gewoon door kon gaan met zijn leven terwijl ik me een slaaf van m'n gezin voelde. Ik denk achteraf dat er ook een stukje jaloezie bij kwam: hij kon overdag zijn aandacht op iets anders richten, terwijl ik er middenin bleef zitten. En ook had mijn overspannenheid te maken met angst om dood te gaan en mijn gezin verweesd achter te moeten laten.'
Lobke knikte. 'Dat had Tim ook toen hij overspannen was.'
'Precies. Aafke en Tim hebben zich ook door die crisis heen moeten worstelen, en zijn daar alleen maar hechter uit gekomen. Soms gebeurt dat, en soms gebeurt dat niet en gaan mensen uit elkaar. Zoals Tims ouders. Die zijn ook uit elkaar gegaan toen ze een jaar of zeven getrouwd waren.'
'Omdat Tims vader verliefd werd op een ander.'
'Nee, niet omdat hij verliefd werd. Daar kun je niet altijd wat aan doen, dat overkomt je soms gewoon. Ze gingen uit elkaar omdat hij toegaf aan die verliefdheid en daarvoor een vrouw en drie kinderen in de steek liet.'
'Voor een vrouw die hem later zelf in de steek liet,' zei Lobke droog. 'Maar dat is weer een ander verhaal. Wat zei je nou net? Je kunt er niks aan doen als je verliefd wordt? Als dat gebeurt terwijl je getrouwd bent, is dat toch al een teken dat er iets niet goed zit in je huwelijk?' Ze keek Hanneke gespannen aan, alsof ze het antwoord er wel uit wilde trekken.
'Dat hoeft helemaal niet,' zei Hanneke. 'Verliefdheid kent vele verschijningsvormen. Het gevoel dat je kunt hebben voor je pasgeboren kind grenst aan verliefdheid, toch?'

Lobke knikte. Ja, dat had zij ook gehad – en nog steeds – bij Matthijs.
'Terwijl dat niks met seks te maken heeft. Het enige is dat je je zó verbonden voelt met je kindje, dat je er alleen maar heel dicht bij wilt zijn en er alles voor wilt doen.'
Lobke knikte weer.
'En dat kun je dus ook hebben met iemand die je ontmoet, soms al heel snel. Zoals je vader en ik. En je kunt zelfs voor twee mensen tegelijk dat gevoel hebben.'
'Lijkt me vermoeiend,' zuchtte Lobke.
'Zoals je ook van meer mensen tegelijkertijd kunt houden. Weet je nog dat Tim bang was dat hij van een tweede kind niet zo veel zou kunnen houden als van Lisanne? Ik heb hem toen verteld dat je hart meegroeit. Het is niet óf-óf, maar én-én. En waarom zou dat met liefde wel kunnen, maar met verliefdheid niet? Jouw gevoel van verliefd-zijn op Matthijs ging toch niet ten koste van je liefde voor Roel?'
'Nee, dat niet, maar ik denk dat Roel er wel moeite mee gehad zou hebben als ik verliefd zou zijn op een andere man.'
'Terwijl dat zomaar kan gebeuren. Stel er komt een jonge man in jullie praktijk, die door jou behandeld wordt. Jullie raken in gesprek en jullie blijken aardig wat raakvlakken te hebben. Hij raakt iets heel anders in je dan Roel. Je vindt hem grappig en charmant en gaat uitkijken naar de behandelmomenten. Hij heeft geen relatie, en hij laat je na een paar behandelingen merken dat hij jou helemaal ziet zitten. Jij hebt je trouwring nooit om tijdens je werk, dus hij weet niet dat jij wel getrouwd bent. Wat doe je als hij je vertelt verliefd te zijn en je vraagt of je een keer met hem uit wilt?'
'Dan vertel ik hem dat dat niet gaat, omdat ik getrouwd ben en een kind heb.'
'En dan? Blijf je hem dan behandelen, of draag je dat over aan een collega?'
Lobke hoefde daar niet lang over na te denken. 'Het laatste.'
'Waarom niet eerder? Waarom niet op het moment dat je merkt dat je uitkijkt naar zijn komst?'
Lobke haalde haar schouders op. 'Omdat ik dan nog niet weet dat hij verliefd op me zal worden.'
'Of misschien wel omdat je de gevoelens die je bij hem hebt wel prettig vond, en een mens wil zich toch graag prettig voelen? Bovendien heb je

hem al wel laten merken dat je hem ook aardig vindt. Dan loop je toch het risico dat je daarmee bepaalde verwachtingen schept?'

'Ingewikkeld, hoor. Als je het zo bekijkt, zou ik niet eens jonge mannelijke cliënten mogen hebben omdat het risico van verliefd worden aanwezig is.'

'En wat jouw eigen gevoelens aangaat: je vond hem tot dan toe aardig. Verdwijnen die gevoelens ineens als hij vertelt dat hij verliefd op je is en jij vindt dat dat niet mag? En eerlijk zeggen!' Hanneke hief streng haar vinger op.

Lobke dacht even na. Ze probeerde zich de situatie voor te stellen, en ze moest daarbij gelijk aan één bepaalde cliënt denken. 'Ik heb dat weleens bij de hand gehad, maar ik heb het nooit aan Roel durven vertellen,' begon ze aarzelend. 'Vorig jaar zomer. Een man die misschien wel vijftien jaar ouder was dan ik, iemand met een schouderblessure. Hij eerste wat me van hem opviel waren zijn prachtige ogen. Hij was eigenlijk helemaal mijn type niet, zo'n haantje, weet je wel, maar hij had een bepaald soort droge humor die ik erg grappig vond. Hij had een mooi lichaam, niet van die abnormaal brede bodybuildersschouders, maar gewoon, mooi gespierd. En ik merkte op een gegeven moment dat ik het prettig vond om hem aan te raken...'

Even was het stil. 'En toen?' vroeg Hanneke.

'Het gaf een bepaalde spanning tussen ons. Ik vond dat heel verwarrend en voelde me schuldig tegenover Roel. Maar aan de andere kant zei ik tegen mezelf dat er niks aan de hand was, dat mijn relatie met Roel wel goed zat en dat ik die cliënt alleen maar aardig vond, niks mis mee. Alleen: hij merkte die spanning op een gegeven moment ook, en hij pakte toen een keer bijna aan het eind van de behandeling mijn hand en keek me doordringend aan met die prachtige ogen. Meer was het niet, maar ik ben toen de behandelkamer uit gelopen en heb aan een collega gevraagd om het over te nemen omdat ik me niet goed voelde. Ik ben daarna net zo lang op het toilet blijven zitten tot ik zeker wist dat hij weg was.'

'Waarom?'

'Omdat ik dat niet wilde.'

'Wat niet wilde?'

'De gevoelens die hij bij me opriep.'

'Was dat verliefdheid?'

'Dat weet ik niet. Het kan ook gewoon fysieke aantrekkingskracht geweest zijn.'
'Maar iets wat je dus overkwam, zonder dat je er iets aan kon doen. En wat niks te maken had met de kwaliteit van jouw relatie met Roel.'
Lobke knikte. 'Ik begrijp waar je naartoe wilt. Als je het zo bekijkt, heb je gelijk: het gaat er niet om dát je verliefd wordt of die aantrekkingskracht voelt, maar wat je er daarna mee doet.'
'Juist! En ik weet waar ik over praat, want in die tijd waar ik het net over had, toen ik overspannen was, ben ik ook een tijdje verliefd geweest op een andere man.'
'Mam!' Lobkes ogen werden groot als schoteltjes.
Hanneke knikte. 'Op onze huisarts. Toen ik na een tijd in dat diepe dal gezeten te hebben door je vader naar de huisarts was gestuurd, had ik het idee dat alleen die man begreep hoe ik me voelde. Hij gaf me medicijnen, zorgde ervoor dat ik gezinshulp kreeg – een gouden meid, ik heb je daarover verteld – maar hij nam zelf ook de tijd voor me. Hij kwam af en toe op huisbezoek en ik ging uitkijken naar die momenten, voelde me gehoord én gezien. Ik ging zelfs fantaseren hoe het moest zijn om met zo iemand getrouwd te zijn en schrok ervan toen ik merkte dat ik hem met je vader ging vergelijken, en dat pap daarin niet altijd even sterk naar voren kwam. Pap is niet zo'n prater, dat weet je zelf ook wel, en soms zelfs een enorme binnenvetter. Daar ging ik me in die tijd steeds vaker aan storen, en we leefden steeds meer langs elkaar heen. Pap dacht er goed aan te doen mij zo veel mogelijk met rust te laten, waardoor ik het idee kreeg dat hij mij helemaal niet nodig had. De gezinshulp zorgde voor jullie, dus jullie hadden me ook niet nodig. De gesprekken met die huisarts, waarin ik me wel erkend voelde om wie ik was, waren de enige momenten waarin ik opleefde. Afijn, op een gegeven moment voelde dat toch niet goed, en ik wilde ook mijn plaats in het gezin weer terug. Ik heb toen eerlijk aan pap opgebiecht dat ik verliefd was op de huisarts. Gek genoeg nam dat al een deel van de spanning weg. Alsof het geen "verboden vrucht" meer was, en daardoor misschien wel minder aantrekkelijk geworden. Pap schrok van mijn bekentenis, maar hij keerde zich niet van me af – waar ik eerlijk gezegd wel bang voor was – maar vroeg wat hij dan anders moest doen, en waarin hij tekortschoot. Dat was het begin van een serie heel fijne gesprek-

ken met je vader, waarin we weer naar elkaar toe groeiden. De verliefdheid op die huisarts stierf een stille dood. De man heeft het nooit geweten. Later hoorde ik dat zieke mensen wel vaker verliefd worden op hun hulpverlener, juist omdat ze zich op dat moment erg kwetsbaar voelen en zo'n hulpverlener een soort strohalm voor ze wordt waar ze zich aan vast willen klampen, en verliefd worden is daar een mooie en prettige manier voor.'

'Mooi verhaal,' vond Lobke.

'Dus om op je vraag terug te komen hoe je een "goed" huwelijk krijgt: door in gesprek te blijven met elkaar, maar dan ook eerlijk, dus zeggen wat je vindt en niet zeggen wat je denkt dat die ander wil horen. Denk maar aan het voorbeeld van die andijvie. Door naar elkaar te luisteren. Door de ander te accepteren zoals hij is, en hem of haar niet te vergelijken met anderen. En door er niet meteen vandoor te gaan als het even tegenzit, of als je iemand tegenkomt die leuker lijkt dan je huidige partner. Want ook die zal zijn of haar mindere kanten hebben, en die ontdek je pas als de eerste verliefdheid over is.'

Hanneke hief haar hoofd op. 'Volgens mij is er iemand wakker. Mag ik 'm uit bed halen?' bedelde ze.

'Volgens mij ben jij nog steeds een beetje verliefd op onze zoon,' lachte Lobke.

Hanneke knikte breed lachend terwijl ze opstond. 'Op al m'n kinderen én op al m'n kleinkinderen. En dat gaat nooit over. Maar je vader weet ervan, en hij vindt 't goed.'

Ze liep de trap op. 'Oma komt al!'

's Avonds vertelde Lobke Roel wat ze die middag met haar moeder besproken had. 'Ik bleef maar nadenken over mijn opmerking dat ik dan bij je weg zou gaan.'

'En, is je mening daarover nu veranderd?'

Lobke knikte. 'Ja. Ik zou niet bij je weggaan, maar ik zou wel in gesprek met je gaan. En met je blijven praten en praten, net zo lang tot ik me begrepen voelde.'

'Dus toch onder voorbehoud.'

'Hoe bedoel je?'

'Stel dat je blijft praten als Brugman, maar dat ik je nog steeds niet begrijp.

Omdat ik nu eenmaal anders in elkaar zit, omdat ik een man ben, weet ik veel. Of misschien begrijp ik je beter dan je zelf denkt, maar komt dat bij jou niet over. Kan er dan toch een moment komen waarop je bij me weggaat?'
Lobke moest lang nadenken. 'Dat weet ik niet. Ik kan me daar nu niks bij voorstellen en moet er niet aan denken dat wij uit elkaar groeien, maar we kunnen nu eenmaal niet in de toekomst kijken. Een mens kan veranderen. Kijk maar naar Ivo.'
'Maar ik ben Ivo niet.'
'Nee, gelukkig niet, zeg!'
'Bovendien hou ik van jou, en alleen van jou,' zei Roel. 'Ik zou nooit verliefd kunnen worden op een ander.'
'Volgens mam kan ieder mens op elk moment verliefd worden op een ander,' zei Lobke. 'Verliefdheid overkomt je, volgens haar, daar kun je dus niets aan doen. Het gaat er alleen om hoe je daarmee omgaat.'
'Met alle respect voor je moeder en haar wijsheid, daar geloof ik nou niks van,' zei Roel stellig. 'Daar ben je toch altijd zelf bij?'
Lobke aarzelde. Na het gesprek vanmiddag met haar moeder was ze vast van plan geweest om het verhaal van die cliënt van vorig jaar op te biechten aan Roel, in de hoop dat hij net zo begrijpend zou reageren als haar vader destijds op het verhaal van haar moeder, zeker omdat het zich al een poos geleden afgespeeld had. Maar nu twijfelde ze of ze daar wel goed aan deed.
Ze besloot het er toch op te wagen. 'Vorig jaar had ik een cliënt met wie dat toch wel heel dichtbij kwam,' zei ze. Ze keek gespannen naar Roels gezicht. Hoe zou hij reageren?
'O? Vertel eens, heb ik iets gemist?' Zijn toon voorspelde niet veel goeds.
Ze vertelde verder. 'Er is niks tussen ons gebeurd, hoor. Maar er ontstond op een gegeven moment wel een bepaalde spanning tussen ons. Een spanning die ik niet wilde, maar me toch overkwam.' Ze vertelde hoe het afgelopen was.
Roel keek donker. 'En waarom vertel je me dat nu pas?'
'Omdat mam me vertelde over de keer dat haar dat ook overkomen was, en dat het zo'n opluchting was om dat gewoon open te kunnen bespreken met m'n vader.'

'Nou, ik vraag me af of ik dit wel had willen weten.'
'Had je dan liever gehad dat ik dergelijke gevoelens achter je rug om had?'
'Die had je toch? Je vertelt het nu pas, terwijl het vorig jaar gebeurd is. Ik had liever dat je dergelijke gevoelens helemáál niet had bij andere mannen.'
'Heb jij dan nooit zoiets gevoeld bij andere vrouwen?'
Roel legde zijn hand op zijn hart. 'Nooit!' Hij trok een bedenkelijk gezicht. 'Moet ik me nu zorgen maken over ons huwelijk?' vroeg hij bezorgd. 'Betekenen jouw gevoelens voor die man misschien dat je seksueel bij mij tekortkomt? Of dat ik niet gespierd genoeg ben of zo?'
'Nee!' riep Lobke uit. 'Daar heeft het helemaal niks mee te maken! Die man was mijn type niet eens!'
'Die gevoelens moeten toch ergens vandaan komen?'
Lobke huilde bijna. 'Roel!'
Roel stond op. 'Ik ga naar bed,' zei hij.
Lobke trok aan zijn hand. 'Kom nou nog even zitten. Zo moeten we niet gaan slapen.'
Maar Roel voelde zich in zijn eer gekrenkt. Of dat nu kwam omdat Lobke gevoelens voor een andere man had gehad of omdat ze het hem nu pas vertelde, kon hij niet zeggen. Hij wist alleen maar dat hij nu even niet met haar wilde praten.
Nadat Roel naar boven vertrokken was, bleef Lobke nog een poosje vertwijfeld op de bank zitten. Had ze het nu wel of niet moeten vertellen? Ze had eerlijk gezegd niet verwacht dat Roel zo zou reageren, was er misschien wel van uitgegaan dat zijn reactie zou lijken op die van haar vader, waarover haar moeder verteld had. Toch was ze ook vreemd opgelucht. Het had uiteindelijk niet goed gevoeld om het te verzwijgen.
Ze stond op, deed de lichten uit en de voordeur op het nachtslot, en liep toen langzaam de trap op. Boven ging ze gewoontegetrouw eerst bij Matthijs kijken. Hij had zich blootgewoeld, dus ze dekte hem voorzichtig weer toe. Zijn rustige ademhaling en zijn ontspannen gezichtje gaven haar een vreemd soort troost.
Ze kleedde zich traag uit in de badkamer en poetste even traag haar tanden. Het was alsof ze het moment van naar bed gaan zo lang mogelijk uit wilde stellen. Zou Roel al slapen? Dat kon toch haast niet? Ze hadden best weleens ruzie, maar waren nog nooit gaan slapen zonder elkaar welte-

rusten gekust te hebben.
Maar toen ze hun slaapkamer binnenkwam, hoorde ze zachte ronkgeluiden. Roel lag op zijn buik te slapen, zijn armen om het kussen geslagen, alsof hij daarbij zijn troost gezocht had en dat een alternatief was voor Lobke in zijn armen.
Lobke schoof voorzichtig naast hem onder het dekbed en ging op haar zij liggen, met haar rug naar hem toe. Ze staarde in het donker en luisterde naar de geluiden van buiten die doordrongen in de slaapkamer. Een autodeur die dichtsloeg, mensen die elkaar vrolijk iets toeriepen, een startende en wegrijdende auto, een voordeur die dichtgedaan werd, en daarna stilte. Maar in haar hoofd was het allesbehalve stil.

12

Lobke schrok wakker doordat Matthijs haar riep. 'Mama, wakker!'
Ze had heel vast liggen slapen, en had het gevoel dat haar geest van heel ver moest komen. Ze merkte dat ze in elkaar gedoken lag, verkrampt bijna, en probeerde te ontspannen door languit op haar rug te gaan liggen, diep in te ademen en langzaam weer uit te ademen. Ze hield haar ogen nog een poosje gesloten, terwijl haar geest in haar hoofd langzaam op gang kwam. Er was iets, iets vervelends, maar wat ook alweer...? Het glipte telkens weg, alsof het haar niet onder ogen durfde te komen.
'Mama, wakker!'
Ze wilde terugroepen, maar haar stem weigerde, alsof ook die weer op gang moest komen. Ze schraapte haar keel en riep: 'Mama komt.'
Ze woelde wild met beide handen door haar haren, alsof ze daarmee haar langzaam ontwakende geest een beetje op kon jutten. Ze gaapte en rekte zich uit.
Ineens schoot haar weer te binnen wat zich de avond daarvoor had afgespeeld. Ze keek naast zich. Roel was er al uit. Op haar wekker zag ze dat het kwart voor acht was. Roel was natuurlijk al lang weg.
'Mama! Thijs wakker!'
'Ja, mama komt.'
Ze stapte het bed uit, zocht naar haar sloffen, rekte zich uit met haar armen langs haar hoofd, gaapte nog eens, en verbaasde zich er nu pas over dat ze gisteravond blijkbaar toch in slaap gevallen was. Ze had verwacht dat ze de hele nacht wakker zou liggen.
Ze smakte met haar mond om de vieze smaak weg te krijgen. Eerst maar een slokje drinken. 'Mama komt, hoor, mama moet even plassen.'
Ze spoelde eerst haar mond, ging daarna naar het toilet en liep toen naar Matthijs. Hij stond rechtop in bed met een brede lach op zijn gezicht en stak zijn handjes naar haar uit. 'Botam ete!'
Ze tilde hem op en knuffelde hem. Zijn warme lijfje voelde troostrijk aan en vulde een deel van het lege gevoel in haar armen. 'Ja, we gaan een boterham eten. Eerst een schone broek.'
Beneden zette ze Matthijs in de kinderstoel en zocht ondertussen met haar

ogen naar tekenen van Roel. Misschien had hij een briefje achtergelaten, zoals hij wel vaker deed. Maar er lag niets. Een gebruikt ontbijtbordje en een glas op het aanrecht. Hij was in elk geval niet zonder ontbijt de deur uit gegaan.
Ze zette de waterkoker aan en maakte een boterham klaar voor Matthijs. Zelf wilde ze alleen maar thee. Ze vouwde haar handen om het glas en staarde voor zich uit.
Wat was het toch vreemd gelopen gisteren. Eerst het gesprek met haar moeder, waarin ze haar zorgen om Joyce en Ivo geuit had en haar gevraagd had wat nu een huwelijk 'goed' maakte. Toen haar gesprek met Roel 's avonds. Zijn zichtbare gekwetstheid om wat ze hem 'opgebiecht' had. En wat uiteindelijk begon als bezorgdheid om de relatie van een ander, eindigde ermee dat ze zich nu zorgen maakte om haar eigen relatie met Roel. En waarom voelde Roel zich eigenlijk gekwetst? Er was uiteindelijk toch niks gebeurd? Ze was toch niet vreemdgegaan of zo?
Waarom heb je je verwarring over je gevoelens voor die man dan niet meteen met hem gedeeld, zei een stemmetje in haar hoofd. Blijkbaar voelde dat toch als 'verkeerd'.
'Op! Nog botam!' Matthijs stak haar zijn bordje toe.
Ze zette haar theeglas neer en stond op. 'Wat wil je erop?'
'Sem.'
'Oké, een boterham met jam.'
Maar toen ze de jampot pakte, riep hij: 'Nee, nie sem. Wos.'
'Eentje met worst?'
'Ja, wos.'
Terwijl Matthijs zijn boterham met worst opat, pakte ze zelf toch ook maar iets te eten, een klein schaaltje yoghurt met cruesli.
Toen ze klaar waren met eten en ze Matthijs uit de kinderstoel tilde, vroeg hij: 'Ga me toe?'
Dat was iets van de laatste dagen. Het was al een paar keer gebeurd dat hij vooral 's morgens die vraag stelde waar ze naartoe gingen.
Hij had zelf al een antwoord en zei met een stralend gezicht: 'Opa oma!'
Ze lachte en gaf hem een aai over zijn bol. 'Nee, we gaan vandaag niet naar opa en oma. Oma is gisteren pas hier geweest, weet je nog? We gaan naar boven, wassen en aankleden.'

'Tanne poese.'
'Ja, en tandjes poetsen.'
Toen ze allebei aangekleed waren, nam ze hem weer mee naar beneden. Weer stelde hij de vraag: 'Ga me toe?'
'Zullen we vandaag naar Sofie en Manon gaan?' Ze had ineens behoefte aan een luisterend oor. Eerst maar eens bellen of Joyce thuis was.
'Hallo, dit is de voicemail van Joyce...' Ze drukte het gesprek meteen weg. Joyce was blijkbaar niet thuis. Ze keek op de klok. Bijna negen uur. Misschien was Joyce boodschappen doen met de tweeling nadat ze Simon naar school gebracht hadden. Nou ja, straks nog maar eens proberen.
Na een halfuurtje kreeg ze echter weer de voicemail. Ook nam Joyce haar mobiel niet op. Wat nu? De drang om even het huis te ontvluchten werd sterker. Zou Aafke thuis zijn?
Aafke nam vrijwel meteen op. 'Hoi zusje, hoe is 't met jou?'
'Niet zo lekker, ik zit een beetje met mezelf in de knoop en heb behoefte aan een luisterend oor. Ben je thuis?'
'Nee, ik ben net boodschappen doen.' Lobke hoorde Aafke lachen. 'Duh! Als ik niet thuis was, zou ik toch ook de telefoon niet opnemen?'
'Nou ja, ik bedoel eigenlijk of je straks ook nog thuis bent. Voor 't zelfde geld heb je vanmorgen met iemand afgesproken, of heeft Tim vandaag een vrije dag.'
'Ja, ik ben straks ook nog thuis, en nee, ik heb vanmorgen met niemand afgesproken, en nee, Tim is niet vrij vandaag. Dus ik wil je wel helpen om die knoop te ontrafelen, kom maar op. Blijf je dan ook mee lunchen?'
'Ja, gezellig. Hè, fijn! Ik stap meteen in de auto. Tot zo.'
'Doe je voorzichtig?' hoorde ze Aafke nog net roepen voor ze ophing.
Lobke zocht wat spullen bij elkaar voor Matthijs en hees hem in zijn jasje. 'Kom, dan gaan we naar tante Aafke, en naar Stijn en Marit.' Ze trok haar jas aan en liep met Matthijs naar de auto. Bij het afsluiten van de voordeur aarzelde ze nog even. Zou ze een briefje voor Roel neerleggen dat ze naar Aafke was? Stel dat hij vandaag onverwachts eerder naar huis kwam? Nee, toch maar niet. Hij had voor haar toch ook geen briefje achtergelaten toen hij vanmorgen wegging?
Het bleek niet druk onderweg. Het had 's nachts blijkbaar wat geijzeld, want ze zag dat er overal gestrooid was, en dat er enkele auto's met blik-

schade langs de weg stonden. Maar goed dat ze dat niet geweten had, anders had ze waarschijnlijk niet eens de weg op durven gaan.
Aafke stond haar al op te wachten met Marit op haar arm. 'Was 't niet glad onderweg? Ze waarschuwden op het nieuws voor plaatselijke ijzel.'
'Ze hadden gestrooid, dus het viel mee met de gladheid.' Lobke gaf haar zus een kus. 'Ha, zussie. Fijn dat ik vanmorgen bij je terechtkon.'
Aafke keek haar onderzoekend aan. 'Problemen?'
'Dat weet ik nog niet.'
'Dat klinkt raadselachtig,' zei Aafke. 'Doe maar gauw je jas uit, ik heb de koffie al klaar.'
Stijn kwam net van de wc af. 'Zo, kun jij dat al alleen?' vroeg Lobke verbaasd. 'Knappe vent, hoor!'
'Nou ja, over een halfjaar gaat hij al naar school, en dan moet hij het ook zelf kunnen,' vond Aafke. 'Lisanne was al veel eerder zindelijk. Heb je je handjes gewassen, Stijn?'
'Ja, kijk maar.' Stijn stak zijn handjes omhoog.
Even later zaten Aafke en Lobke aan de koffie. Marit zat in de box, en Stijn en Matthijs waren met de Lego aan het spelen.
'Nou, barst maar los,' zei Aafke. 'Wat is er aan de hand?'
'Tja, waar zal ik beginnen?' vroeg Lobke zich hardop af.
'Bij het begin, dat lijkt me het meest logisch.'
'Het is misschien eenvoudiger om met het eind te beginnen,' zuchtte Lobke. 'Gisteravond zijn Roel en ik gaan slapen zonder elkaar welterusten gewenst te hebben. En dat is nog niet eerder voorgekomen.'
'Och, eens moet de eerste keer zijn,' zei Aafke droog.
'Hebben jullie dat ook weleens gehad?'
'Tuurlijk,' zei Aafke meteen. 'Dat zal in ieder huwelijk wel voorkomen.'
'Ik kan me anders niet voorstellen dat opi en omi dat gedaan hebben,' zei Lobke.
'Opi en omi zijn al bijna zestig jaar getrouwd, en die zullen in al die jaren ook vast weleens een ruzie gehad hebben die langer dan een dag duurde, hoor,' lachte Aafke. 'En pap en mam ook, dat weet ik zeker.'
'Nou, ik vind het maar niks.'
'Je was er anders zelf bij dat het gebeurde.'
'Hoe bedoel je?'

'Nou, ik weet niet wat de aanleiding was dat jullie elkaar niet welterusten gewenst hebben, maar als er ruzie was, had je dat toch ook uit kunnen praten voordat je ging slapen? Hebben jullie trouwens wel naast elkaar geslapen vannacht?'
Lobke knikte. 'Ja, dat wel. Maar Roel sliep al toen ik naar bed kwam.'
'Waarom heb je hem niet wakker gemaakt als het je blijkbaar zo dwarszat?'
Lobke haalde haar schouders op. 'Geen idee. Misschien was ik bang dat de ruzie daar alleen maar erger door werd. Roel was erg boos toen hij naar boven ging.'
'En waar was hij zo boos om?' Aafke schoot in de lach, maar keek schuldbewust toen Lobke haar verstoord aankeek. 'Ja, sorry hoor, maar je vertelt het verhaal écht van achter naar voren, en ik moest ineens denken aan iemand die een mop van achter naar voren wilde vertellen en zei: "Begin maar vast te lachen." Ik vroeg me af of ik bij jouw verhaal alvast moest beginnen met huilen omdat het zo triest is.'
'Flauw,' vond Lobke, maar in weerwil van zichzelf moest ze toch meelachen.
'Je hebt gelijk, dat was flauw. Maar waarom was hij boos?'
Lobke zuchtte. 'Ik zal toch maar bij het begin beginnen. Ik maak me de laatste tijd zorgen om Joyce en Ivo. Volgens mij gaat het niet goed tussen hen. De laatste keer zat ik me vreselijk te ergeren aan Ivo, en onderweg naar huis kregen Roel en ik een discussie, ik weet niet eens meer hoe die ging, maar het eind van het liedje was dat ik tegen Roel zei dat ik bij hem weg zou gaan als hij net zo deed als Ivo.'
'Dan moet Ivo wel heel vervelend gedaan hebben,' schrok Aafke.
'Dat deed hij ook, tenminste, in mijn ogen. Roel vond het geloof ik wel meevallen. Toen ik zei dat ik in dat geval bij hem weg zou gaan, vroeg Roel: "En waar blijf je dan met je 'trouw in goede en in slechte dagen'?" Die vraag bleef in m'n hoofd hangen. Toen mam gistermiddag op de koffie kwam, vroeg ik aan haar wat een huwelijk tot een "goed" huwelijk maakte.'
'Lastige vraag,' vond Aafke. 'Wil je trouwens nog koffie?' Ze stond op en pakte de kopjes van de tafel.
'Straks, laat me eerst m'n verhaal maar afmaken, anders raak ik de draad kwijt.'

'Oké.' Aafke zette de kopjes neer en ging weer zitten.
'Mam zei dat het soms helpt als je een goed voorbeeld van je eigen ouders krijgt, maar dat dat geen garantie is dat je eigen huwelijk ook goed is. Aan de andere kant is het ook geen voorwaarde dat het huwelijk van je ouders goed was, kijk maar naar pap, en naar Tim.'
Aafke knikte. 'Zeker weten. En een goed huwelijk krijg je zeker niet vanzelf, dat is soms hard werken en gaat met vallen en opstaan.'
'Ja, dat zei mam ook. Ze noemde een paar voorbeelden waardoor je uit elkaar kon groeien, en toen noemde ik het voorbeeld van Tims vader die verliefd werd op een ander. Mams reactie verbaasde me. Het kwam erop neer dat verliefd worden op zich iets is wat je overkomt, daar kun je niets aan doen, maar het gaat erom wat je er daarna mee doet. Als je eraan toegeeft en daardoor je partner verlaat en kiest voor die ander, dan leidt dat tot een scheiding. Zoals bij Tims ouders. Maar als je merkt dat je verliefd wordt op een ander en je bespreekt dat openlijk met je partner, juist omdat je die verliefdheid niet wilt, dan kan die openheid weer leiden tot een betere relatie met je partner.'
'Klinkt logisch, maar dat lijkt me niet altijd even gemakkelijk,' zei Aafke peinzend. 'Ik bedoel... Je wilt die ander toch ook niet kwetsen.'
'Nee. En dat is nu precies wat er gebeurde gisteravond.' Lobke beet op haar lip en staarde voor zich uit.
Aafke wilde vragen: 'Wat gebeurde er dan?', maar ze besloot haar mond te houden en Lobke er zelf mee te laten komen. Ze wierp een steelse blik op de kinderen. Stijn was een station aan het bouwen, terwijl Matthijs verwoede pogingen deed om een toren te maken van de Legoblokken. Marit was in de box in slaap gevallen.
Lobke slaakte een diepe zucht. 'Gisteravond vertelde ik aan Roel wat mam en ik zoal besproken hadden. Roel was het niet met mam eens dat verliefdheid je overkwam, daar was je nog altijd zelf bij, volgens hem. En toen heb ik hem verteld wat ik 's middags ook aan mam verteld heb: dat ik vorig jaar een keer een cliënt gehad heb tot wie ik me aangetrokken voelde, en toen ik merkte dat dat wederzijds was, heb ik hem overgedragen aan een collega. Er is helemaal niks gebeurd, en ik had het tot nu toe ook niet nodig gevonden om het tegen Roel te zeggen.' Ze zuchtte weer. 'En ik had dat ook beter niet kunnen doen. Maar ja, dat is achteraf.'

'Waarom vertelde je het dan toch?'
Lobke schokschouderde. 'Tja, waarom vertelde ik het toch? Nou, ik denk om twee redenen. Ten eerste omdat het toch niet goed voelde dat ik het niet verteld had op het moment dat het speelde. En ten tweede om Roel duidelijk te maken dat ik vond dat mam wél gelijk had, dat je wel zomaar verliefd kunt worden zonder dat je dat wilt. Alhoewel... verliefd is wel een heel groot woord voor datgene wat ik voelde. Ik vond hem gewoon heel aantrekkelijk, hij had zo'n gespierd lijf, en ik vond het prettig om hem aan te raken, merkte ik.'
'Dus je voelde je fysiek tot hem aangetrokken,' constateerde Aafke.
'Misschien, ik weet het niet.'
'Was het seksueel? Wou je ook met hem naar bed, fantaseerde je daarover?' vroeg Aafke.
'Helemaal niet!' reageerde Lobke verontwaardigd. 'Geen haar op m'n hoofd die daaraan dacht!'
'Zou je willen dat Roel zo'n lijf had?'
'Ook niet! Roels lijf is prima zoals het is!' Lobke keek Aafke fel aan.
'Je hoeft niet boos te worden,' zei Aafke nuchter. 'Ik vraag alleen maar wat.'
'Dan moet je maar niet van die stomme vragen stellen.'
'En toen?' ging Aafke verder.
'En toen niks. Zoals ik al zei: ik heb hem overgedragen aan een andere collega.'
'Nee, niet met die man. Met Roel, gisteren.'
'O.' Lobke zakte achterover in de kussens. 'Roel werd boos. Hij vroeg me waarom ik het nu wel nodig vond om dat op te biechten en zei dat hij het liever helemaal niet had geweten. Hij ging zich nu afvragen of ik seksueel misschien bij hem tekortkwam, want die gevoelens moesten toch ergens vandaan komen. Ik zei dat dat niet het geval was, maar hij werd steeds bozer en ging naar boven. Ik ben nog een poosje beneden blijven zitten, en toen ik later boven kwam, sliep hij al. Ik vond dat aan de ene kant heel vervelend, maar was aan de andere kant ook wel opgelucht, want ik zou niet weten wat ik had moeten zeggen om hem weer goed te krijgen. Dat zou misschien alleen maar olie op het vuur zijn geweest.'
Aafke knikte. 'Tja, ruziemaken moet je ook leren, en als je dat weinig doet...'

'Hoezo?'
'Nou, wij hebben daarin weinig voorbeeld gehad van pap en mam. Die hadden nauwelijks ruzie, zeker niet waar wij bij waren. Jij en ik zijn zelf ook niet zulke ruziemakers, misschien wel juist daarom. Maar soms kan een ruzie ook opluchten. Ik heb dat geleerd toen Tim overspannen was. Tim bleek een hoop onderliggende boosheid tegen zijn moeder te hebben, die hij echter nooit had durven uiten omdat hij bang was dat zij hem dan, net als z'n vader, in de steek zou laten. Hij moest dus zorgen dat zij niet boos op hem werd, en terwijl hij alle reden had om boos op haar te worden, uitte hij dat niet. Dat werkte zelfs door in zijn relatie met mij, Tim durfde op mij ook amper boos te worden. Nu had hij daar ook weinig reden toe.' Ze grijnsde. 'Nee, flauwekul natuurlijk. Ik ben soms niet te genieten, vooral vlak voor mijn menstruatie. Tim zei daar nooit iets van, maar hij trok zich dan terug in zichzelf, was een paar dagen stiller dan anders, moeilijker bereikbaar ook. Ik dacht dat dat iets was wat bij Tim hoorde, ik kende hem niet anders. Pas in de therapie met Lars heeft Tim geleerd z'n boosheid te uiten, ook als hij af en toe eens boos was op mij. Dat was voor mij ook wennen, maar het heeft onze relatie wel verdiept.'
Lobke zuchtte. 'Lastig, hoor. Ik snap dat je ondanks een goeie relatie best weleens boos kunt zijn op elkaar, maar dat Roel boos werd om wat ik vertelde... En dan gaan slapen zonder me welterusten te zeggen!'
Aafke schoot in de lach. 'Zo te horen zit dat je nog het meest dwars.'
'Ja, eigenlijk wel. En hij is vanmorgen dus ook boos de deur uit gegaan, want er lag nergens een briefje met "sorry" erop of zoiets.'
'Waarom zou hij sorry zeggen?' vroeg Aafke verbaasd. 'Omdat hij boos werd? Misschien heeft hij vanmorgen zelf wel gezocht naar een briefje van jou met "sorry" erop, en was hij teleurgesteld dat dat er niet lag.'
'Van mij?' zei Lobke met grote ogen. 'Waarom moet ík sorry zeggen? Ik heb niks verkeerds gedaan met die man.'
'Misschien moet je hem eens vragen waarom hij boos werd. En dan goed naar hem luisteren, in plaats van meteen in de verdediging schieten. En eh... één tip, zusje: niet bang zijn voor ruzie.'

'Niet bang zijn voor ruzie.' Die woorden van Aafke bleven naklinken toen Lobke na de lunch terugreed naar huis. Was ze dat, bang voor ruzie?

Ze had een hekel aan ruzie, maar was dat hetzelfde als 'bang zijn voor'? Hoe dan ook ging ze het in beide gevallen uit de weg. 'Ruzie'. Zelfs het woord vond ze niet prettig klinken. Grappig hoe ze dat soms had met woorden. 'Peper' was letterlijk een veel pittiger woord dan 'zoet'. En een woord als 'vanillevla' vond ze klinken als een dikke, papperige massa, vooral als je het langzaam uitsprak, terwijl ze bij het woord 'ijsblokje' altijd meteen een tinkelend geluid in haar hoofd hoorde, als ijsblokjes tegen de rand van een glas. Zouden meer mensen dat hebben? Ook vond ze soms de woorden in een andere taal prettiger klinken dan in het Nederlands. Vooral het Engels had vaak veel leukere woorden dan het Nederlands. Bijvoorbeeld een uitdrukking als *I'm flabbergasted*, dat klonk toch veel leuker dan 'Ik sta paf'?
Wat was 'ruzie' ook alweer in het Engels? Een *quarrel* of een *fight*? Dan klonk dat eerste woord prettiger. Bij *fight* moest ze meteen denken aan 'gevecht', nooit leuk. Terwijl *quarrel* veel minder erg klonk, alsof het alleen maar om een wissewasje ging. 'Wissewasje', dat was dan weer wél een leuk Nederlands woord.
Was datgene wat ze nu met Roel had een 'wissewasje'? Ze hoopte het, maar zag tegelijkertijd op tegen het tijdstip waarop hij vanmiddag naar huis zou komen. Wat was het vandaag? Donderdag. Dan was hij meestal tussen halfvijf en kwart voor vijf thuis. Zou hij nog boos zijn? Ze keek in de achteruitkijkspiegel en zag dat de oogjes van Matthijs bijna dichtvielen. 'Hé, Matthijs, wakker blijven!' riep ze. Als hij in de auto in slaap zou vallen, werd hij toch weer wakker zodra ze hem eruit haalde, wist ze uit ervaring, en dan lukte het niet meer om hem zijn middagslaapje te laten doen – met als gevolg dat hij dan tegen etenstijd helemaal versleten was. Alhoewel, misschien was het niet eens zo'n gek idee om hem een hazenslaapje te laten doen in de auto, en hem dan rond halfvijf in bed te leggen. Als het tot een ruzie zou komen met Roel, zou Matthijs daar in elk geval geen getuige van hoeven zijn.
De wegen waren helemaal schoon gereden, dus besloot ze in plaats van over de A12 binnendoor over Haastrecht en Oudewater naar huis te rijden, zodat ze er wat langer over zou doen voor ze thuis was en Matthijs, die inmiddels sliep, toch nog een kort tukje kon doen.
Drie kwartier later parkeerde ze de auto voor de deur. Zoals ze al verwacht

had, werd Matthijs meteen wakker. 'Thuis,' constateerde hij.
'Ja, we zijn weer thuis.' Lobke pakte de luiertas van de bijrijdersstoel en wilde uitstappen.
'Papa,' zei Matthijs enthousiast en hij wees met zijn vingertje. Hij wipte op en neer in zijn autostoeltje. 'Papa!'
Lobke keek verschrikt op. Ja, inderdaad, Roel was al thuis. Hij stond voor het raam en keek niet blij.
Ze haalde Matthijs uit zijn stoeltje en zette hem op de stoep. Hij rende meteen naar de voordeur, die Roel inmiddels opengedaan had. 'Papa!'
Roel tilde hem op. 'Ha, mannetje, ben je er weer?' Hij knuffelde Matthijs en knikte toen naar Lobke. 'Hoi.' Hij had een gespannen uitdrukking op zijn gezicht.
'Hoi. Wat ben jij vroeg.'
'Ik was om elf uur al thuis.'
'O?' Ze vroeg niet naar het waarom. 'Ik was naar Aafke en heb daar geluncht.'
'Je had wel een briefje neer kunnen leggen dat je weg was. Ik heb je ook nog een paar keer gebeld op je mobiel, maar je nam niet op.'
Lobke hoorde het verwijt in zijn stem. Ze schoot meteen in de verdediging. 'Ik had m'n mobiel uitstaan. En een briefje? Waarom? Ik wist niet beter dan dat jij pas om halfvijf thuis zou zijn, en dan was ik allang weer terug.' Het kwam er vinnig uit.
Roel opende zijn mond om iets vinnigs terug te zeggen, maar hij bedacht zich en in plaats daarvan vroeg hij: 'Moet Matthijs nog naar bed?'
'Eigenlijk wel, maar hij heeft in de auto geslapen, dus zal hij wel over zijn slaap heen zijn.'
Terwijl Lobke haar jas uittrok, hielp Roel Matthijs uit zijn jasje. 'Was het leuk bij tante Aafke? En heb je met Stijn gespeeld?'
'Pankoek gete!'
'Heb je pannenkoeken gegeten? Zo zo, dat is lekker. Had tante Aafke pannenkoeken gebakken?'
'Ze had nog een restje over van gistermiddag,' zei Lobke. Ze was blij dat Matthijs als een soort bliksemafleider fungeerde. De spanning tussen hen was voelbaar. Zonder Matthijs zou er waarschijnlijk een geladen stilte tussen hen hangen en zouden ze allebei wachten tot de ander het echte ge-

sprek tussen hen zou beginnen.
Matthijs was ondertussen naar de kamer gelopen en pakte een auto uit zijn speelgoedkist. Lobke liep door naar de keuken. 'Zal ik theezetten?'
'Er zit al heet water in de kan.'
Lobke pakte twee schone glazen en schonk daar heet water in. Roel pakte de theedoos en de suikerpot, en samen liepen ze naar de kamer en gingen aan de eethoek zitten. Lobke zocht een zakje groene thee en deed dat in haar glas.
'Was het niet glad onderweg?' begon Roel.
'Nee, viel wel mee, er was gestrooid. En op de fietspaden?'
'Vanmorgen vroeg wel een beetje, maar toen ik naar huis kwam niet meer.'
Dingen die ze gewoonlijk ook tegen elkaar zeiden, alleen leken het nu dooddoeners, een manier om de stilte op te vullen.
Lobke deed het theezakje op en neer in haar theeglas en staarde naar het langzaam kleurende water. Toen vroeg ze het toch. 'Waarom was je al zo vroeg thuis?'
Ze kreeg meteen antwoord. 'Dat van gisteravond zat me niet lekker. Ik voelde me er steeds beroerder over, zelfs letterlijk. Bij de koffie heb ik tegen André gezegd dat ik niet lekker was en hij heeft me naar huis gestuurd. Hij zou wel vervanging regelen, zei hij.'
'O.'
'En jij? Waarom ging jij naar Aafke?'
Even was het stil. Toen zei Lobke: 'Omdat het mij ook niet lekker zat. Ik wilde er met iemand over praten. Joyce was niet thuis, maar Aafke gelukkig wel.'
'Joyce heeft nog gebeld.'
'O?'
'Rond een uur of twaalf. Ze had gezien dat je gebeld had. Ik heb gezegd dat ik dacht dat je bij haar zat, en dat ik niet wist waar je dan wel was.'
'Dacht je dat ik bij Joyce zat?'
'Ja, bij wie anders?' Het klonk wat bitter. 'Dan konden jullie lekker elkaar beklagen dat jullie zulke vervelende echtgenoten hebben.'
'Jij bent geen vervelende echtgenoot!' Lobkes stem schoot uit.
Matthijs keek op en stopte met spelen. 'Mama boos,' zei hij.
Lobke bond meteen in. 'Nee hoor, mama is niet boos. Ga maar weer lek-

ker spelen.' Ze keek Roel aan. 'Ik wil graag met je praten, maar zullen we dat na het eten doen, als Matthijs in bed ligt? We kunnen vroeg eten, zodat hij er bijtijds in ligt. Dan hebben we de tijd voor onszelf en kan alles nog even bezinken.'
'Oké.'
Zwijgend dronken ze hun thee.

13

De middag ging langzaam voorbij. Lobke ging met Matthijs om boodschappen terwijl Roel de schuur in dook om die op te ruimen.
Rond halfvier belde Joyce. 'Je had gebeld, zag ik?'
'Ja, ik had behoefte aan een luisterend oor.'
'O? Tja, ik was vanmorgen niet thuis, had jij pech.'
'Ik ben naar Aafke gegaan, daar kon ik m'n verhaal ook kwijt.'
'Problemen?' vroeg Joyce.
'Een beetje. Hoor je nog wel een keer. Hoe is het met jou?'
'Goed hoor. Druk met van alles en nog wat. Morgen mogen Sofie en Manon een ochtendje meedraaien op school. We hebben ze afgelopen week opgegeven en ze mogen nu af en toe een ochtend naar groep 1, morgen dus voor het eerst.'
'Dat is waar, die worden in mei alweer vier. Dat zal stil worden voor je!'
'Dat denk ik ook, maar daar loop ik maar niet al te veel op vooruit. Zij hebben er in elk geval heel veel zin in.'
'Hoe is het nu met Simon?'
'Mwah, dat houdt nog niet over. Hij kan goed meekomen op school, daar zit het 'm niet in. Ze geven hem zelfs al oefeningen uit groep 3, omdat hij daar duidelijk al aan toe is. Maar verder is hij erg stil en gesloten.'
'Jammer.'
'Ja.'
'En met Ivo?'
'Wat dacht je? Druk natuurlijk. Hé, kom anders volgende week een keer op de koffie. Wat dacht je van volgende week vrijdag? Dan gaan de meisjes weer een ochtend naar school en kunnen we rustig praten.'
'Even op de kalender kijken.' Lobke liep met de telefoon in haar hand naar de keuken, waar op het prikbord een weekkalender hing. 'Ja, dat kan. Ik schrijf het meteen op.'
'Gezellig. Nou, ik ga naar m'n meiden, die vliegen elkaar weer eens in de haren. Fijn weekend en groetjes aan Roel.'
'Jij aan Ivo. Tot volgende week.'
Lobke hing op en ging alvast vlees braden voor het avondeten. Roel kwam

de keuken binnen. Terwijl hij z'n handen waste, vroeg hij: 'Kan ik nog iets doen?'
'Hier niet, maar misschien kun je even kijken of Matthijs een schone broek moet.'
Even later hoorde ze hem met Matthijs naar boven gaan, waarbij Matthijs schaterde van het lachen.
Om vijf uur gingen ze al aan tafel, en om kwart voor zes lag Matthijs in bed. Hij sliep binnen twee minuten. Daarna zaten ze wat onwennig tegenover elkaar aan de tafel, afwachtend wie er zou beginnen.
'Niet bang zijn voor ruzie,' hoorde Lobke weer in haar hoofd. Maar wat als je helemaal geen ruzie wilt?
'Ik heb vanmorgen met Aafke gepraat, en zij zei me dat we niet bang moesten zijn om ruzie te maken,' begon Lobke. 'Omdat ruzie ook de lucht kan klaren.'
'Maar ik wil helemaal geen ruzie maken,' zei Roel. Hij keek haar aan. 'Jij wel dan?'
'Nee, ik ook niet. Maar misschien heeft Aafke wel gelijk. Als we allebei zo omzichtig te werk gaan omdat we geen ruzie willen, blijven we misschien allebei om de hete brij heen draaien, waardoor we wel aardig zijn tegen elkaar, maar dingen niet echt uitspreken.'
'En wat is die hete brij dan?' vroeg Roel. Hij keek haar gespannen aan.
'Dat zal voor ons allebei iets anders zijn,' zei Lobke. 'Ik heb daar vanmiddag over na lopen denken. Voor jou is die hete brij misschien dat ik je iets verteld heb wat jij niet leuk vond, en voor mij dat je gisteravond bent gaan slapen zonder me welterusten te wensen. Want dat vond ik weer niet fijn.'
'Ik was er zelf ook verbaasd over dat ik zo snel sliep, want ik was echt boos op je gisteravond.'
Lobke dacht aan wat Aafke had gezegd en besloot eerst naar Roel te luisteren voor ze haar eigen verhaal deed. 'Waarom was je dan zo boos?'
Hij haalde z'n schouders op. 'Ik zal wel jaloers geweest zijn.'
'Jaloers?'
'Ja. Op die vent.'
Lobkes eerste reactie was weer te roepen dat er helemaal niks gebeurd was, maar ze hield zichzelf in bedwang: niet meteen in de verdediging schieten, luisteren! Ze zei niets en wachtte tot Roel weer verderging.

'Toen ik thuiskwam en zag dat jij er niet was, raakte ik even in paniek,' zei Roel toen. 'Ik was bang dat je er stiekem vandoor was. Met Matthijs.'
Nu kon Lobke zich niet meer inhouden. 'Hoe kom je daar nu toch bij!' riep ze uit. Ze keek hem met grote ogen aan.
'Nou, omdat ik gisteravond boos weggelopen was van jou.' Hij zuchtte even. 'Ik heb vanmorgen en vanmiddag genoeg tijd gehad om na te denken,' zei hij toen. 'Ik had gisteravond niet boos weg moeten lopen. Oké, dan hadden we waarschijnlijk ruzie gekregen en elkaar verwijten naar het hoofd gegooid waar we achteraf weer spijt van gekregen zouden hebben, je weet niet hoe het dan gelopen was. Maar ik liep wel weg. Ik voelde me in mijn eer gekrenkt. Jij had gevoelens ontwikkeld voor een andere man. Je zei wel dat er niets gebeurd was, maar die gevoelens waren er wel. En ik vond dat je die gevoelens alleen maar voor mij mocht hebben. Dat vind ik eerlijk gezegd nog steeds. Maar ik realiseer me nu wel dat ik jouw gevoel niet kan dwingen.'
'Volgens mam kun je zelfs je éígen gevoel niet altijd dwingen,' kon Lobke het toch niet laten om te zeggen.
'Dat ben ik niet met haar eens, dat heb ik gisteren ook al gezegd,' zei Roel vermoeid. 'Maar wat ik zeggen wilde: toen ik vanmorgen thuiskwam en zag dat jij en Matthijs er niet waren en er ook geen briefje lag, was m'n eerste gedachte dat je ervandoor was. Ik ben zelfs meteen boven in de kasten gaan kijken of er kleren van jou en Matthijs weg waren. Toen dat niet het geval bleek, dacht ik dat je waarschijnlijk naar Joyce was om daar je nood te klagen over mij. Toen Joyce aan het eind van de ochtend naar jou belde en je daar dus niet bleek te zijn, was er weer even die paniek. Vanmiddag bedacht ik me dat dat het is waar ik bang voor ben als je zegt dat je gevoelens hebt voor een andere man. Ik vroeg niet voor niets laatst aan je waar je dan blijft met je trouwbelofte. Als je moeder zegt dat je dus zomaar ineens verliefd kunt worden zonder dat je daar iets aan kunt doen, ben ik bang dat ik constant op m'n hoede moet zijn. Omdat er een moment kan komen waarop jij bij me weggaat, omdat je kiest voor een ander. En dat je Matthijs dan met je meeneemt. Dat zou maken dat ik jou, dat ik Matthijs niet meer in alle vrijheid en onbevangenheid lief kan hebben. Want de pijn die ik zal voelen als jullie uit mijn leven verdwijnen, zal ik niet kunnen dragen...'

Even slikte hij, toen ging hij verder: 'Ik heb die pijn gevoeld toen ik afscheid moest nemen van mijn moeder. En toen jij die leukemie kreeg, ben ik ook bang geweest dat ik afscheid moest nemen van jou. Gelukkig werd je weer helemaal beter, en ik ging steeds meer van jou houden. Matthijs maakte ons geluk compleet. Maar het idee dat de kans bestaat dat ik jullie kwijt...'
Hij stokte. Lobke zag dat zijn vuisten zich balden.
'Mag ik nu wat zeggen?' vroeg ze met schorre stem.
Hij knikte.
'Ten eerste: als jij bang bent dat ik bij het minste of geringste meningsverschil bij je wegga, heb je weinig vertrouwen in mijn liefde voor jou. Wat dat betreft heb je gelijk: waar zou ik dan blijven met mijn trouwbelofte? Ten tweede: je kunt me nog steeds kwijtraken, die leukemie kan terugkomen. Ik ben weliswaar schoon en heb nu evenveel kans als een ander om het weer te krijgen, maar dat zal heel mijn leven lang in mijn achterhoofd blijven zitten.'
'Maar dat is wat anders,' protesteerde Roel. 'Dat zal verschrikkelijk zijn, maar in dat geval zul je daar zelf niets aan kunnen doen. Ik zal daarmee dan moeten leren leven.'
'Ten derde,' ging Lobke onverstoorbaar verder, 'ja, ik vond het fijn om die man aan te raken. Ik heb daar ook vandaag verder over nagedacht. Aafke vroeg me zelfs op de man af of het seksuele gevoelens waren. Maar dat aanraken had volgens mij meer met mijn gevoel voor schoonheid te maken dan met seksuele gevoelens of verliefdheid of wat dan ook. Die man was al halverwege de veertig, maar had voor zijn leeftijd een mooi mannenlijf, zoals de David van Michelangelo. Een dergelijke schoonheid kan me ontroeren, maar dat doet een mooie vaas of een ontluikende roos ook, die wil ik ook aanraken. De beeldjes van opi die hij voor me gemaakt heeft roepen dat ook bij me op. Ik wil dan met mijn vingers die lijnen volgen, de gladheid voelen, de volmaaktheid ervan aanraken. Daarmee eer ik de schepper van die prachtige beeldjes. Het bovenlijf van die "vent", zoals jij hem noemt, vond ik ook prachtig, maar niet meer dan dat. Ik wilde niet de rest van dat lijf zien of aanraken, ik wilde niet met hem naar bed, fantaseerde niet over hoe hij zou zoenen, niks van dat alles. Ik vond het alleen maar prettig om hem aan te raken.'
'Als het niet meer was dan dat, waarom heb je hem dan overgedragen aan

een collega?' vroeg Roel toch wat wantrouwend.
'Het was ook nog eens een aardige man. Nee, je hoeft niet zo'n blik te krijgen van zie-je-nou-wel. Hij was als persoon helemaal mijn type niet, maar hij had een bepaalde droge humor die ik erg grappig vond. Als het een chagrijnige of opdringerige man geweest was, had ik hem waarschijnlijk ook lang zo mooi niet gevonden, want dat heeft toch invloed op elkaar. Zoals iemand met een gehandicapt lijf ook prachtig om te zien kan zijn als die persoon een positieve uitstraling heeft die hem of haar mooi maakt. Snap je?' Ze keek wat hulpeloos naar Roel.
Die knikte aarzelend. 'Ga door.'
'Maar zodra ik merkte dat hij mij meer dan aardig vond, ben ik de behandelkamer uit gelopen en heb ik hem overgedragen aan een collega. Juist omdat ik van jou hou. Juist omdat ik niet wil dat iemand tussen ons komt. Maar daarmee bleef ik hem nog wél mooi vinden.'
Ze zag dat ze Roel nog niet overtuigd had en zocht naar andere woorden. 'Jij bent gek op toetjes met chocola erin. Stel, je krijgt een of andere ziekte waardoor je geen chocola meer mag eten. Net zoals honden dood kunnen gaan van het eten van chocola, zo kan dat dan bij jou ook.'
'Toe maar, vergelijk me maar met een hond,' mopperde Roel.
'Stil nou, ik zeg alleen: stel dat. Betekent dat dan dat jij ineens geen chocola meer zult lusten omdat je het niet meer mag hebben?'
'N...nee,' zei Roel, 'ik denk dat het water me nog steeds in de mond zal lopen als ik chocola zie.'
'Precies!' zei Lobke triomfantelijk. 'Je mag het niet meer hebben van de dokter, maar ook van jezelf niet, want je wilt nog lang niet dood. Tenminste, dat neem ik aan.' Ze keek hem schalks aan. De lach op zijn gezicht liet zien dat ze het pleit al half gewonnen had. 'Maar daarom kun je nog steeds chocola wel lekker vinden, dat verdwijnt niet. Nou, zo is dat bij mij ook. Ik ben getrouwd met jou en heb je trouw beloofd tot de dood ons scheidt. Ik mag van mezelf dus niet vreemdgaan met een andere man. Maar dat betekent niet dat ik niet meer kan zien of een man mooi is of niet. Toch?'
Roel bewoog z'n hoofd wat heen en weer. 'Volgens mij gaat je vergelijking hier en daar wat mank, maar vooruit, ik geloof je.' En toen Lobke breed naar hem lachte, voegde hij er met een waarschuwende vinger aan toe: 'Maar om bij dat voorbeeld van die chocola te blijven: ik hou zo veel van

jou en van Matthijs dat ik niet eens meer aan chocola zal willen dénken als ik het niet meer mocht hebben. Juist om niet meer in de verleiding te komen. En daarin blijf ik het dus oneens met je moeder: daar heb ik zelf invloed op, ik zal mezelf niet laten overvallen door een behoefte aan chocola. Of door een verliefdheid.'

Lobke stond op, liep naar hem toe en nestelde zich op zijn schoot. 'Weet je, dan ben je nog bijzonderder dan ik dacht. Van de zeven miljard mensen die op aarde leven, zijn er vast niet veel die zichzelf zo in bedwang hebben dat ze niet verliefd worden als ze dat niet willen.' Ze gaf hem een snelle kus. 'Roel Sikkens, ik hou van jou.'

Hij keek haar diep in de ogen. 'Dan mag je die kus best wel wat inniger maken,' zei hij streng.

Ze had geen verdere aansporing nodig.

'Wat was er nou vorige week?' vroeg Joyce zodra ze die vrijdag tegenover elkaar zaten met een kop koffie. Matthijs was meteen doorgelopen naar de hoek met speelgoed en zat een toren te bouwen.

'O, het ging even niet zo goed tussen Roel en mij,' zei Lobke en ze lachte. 'Maar dat is inmiddels alweer meer dan goedgemaakt.'

'Tussen jou en Roel? Daar kan ik me niks bij voorstellen,' zei Joyce verbaasd. 'Hoe kwam dat zo?'

'Och, dat heb je toch allemaal weleens in een huwelijk?' zei Lobke. 'Dat zullen jullie ook weleens hebben.'

'Breek me de bek niet open,' zei Joyce.

'Hoezo?' Lobke was niet verbaasd over Joyce' reactie, maar ze was wel benieuwd of Joyce nu iets meer zou vertellen dan ze tot nu toe alleen maar in vage termen gedaan had.

'Je wou me toch niet vertellen dat het je niet opgevallen is dat het allemaal niet zo lekker loopt tussen Ivo en mij,' zei Joyce.

'Nou, ik heb weleens gedacht: ik ben blij dat ik met Roel en niet met Ivo getrouwd ben,' zei Lobke toen eerlijk. 'Jullie hebben zo te zien sowieso een heel ander soort relatie dan wij. Maar dat lijkt me ook wel logisch. Jullie gezin is groter dan het onze, dus daar gaat veel tijd en aandacht van jou in zitten, en Ivo heeft een baan waar hij veel tijd en aandacht in moet steken, dus dan blijft er minder tijd en aandacht over voor je relatie. Toch?'

'Minder? Zeg maar gerust helemaal geen tijd.' Joyce zuchtte. 'Ik heb het gevoel dat we steeds meer uit elkaar groeien. Ivo gaat helemaal op in die reorganisatie, en als hij niet met z'n hoofd daar zit, zit hij achter de computer een spelletje te spelen. "Even ontspannen" noemt hij dat. Maar hij is dan zo fanatiek bezig dat ik me nauwelijks voor kan stellen dat zoiets ontspannend is. Oké, we wisten van tevoren dat hij, zeker de eerste maanden, weinig tijd voor ons gezin zou hebben. Hij komt ook vaak pas laat thuis, meestal pas als de kinderen en ik al gegeten hebben. Soms liggen ze zelfs al in bed. Simon wilde in het begin nog weleens vragen of hij op mocht blijven tot papa thuis was, maar daar vraagt hij tegenwoordig ook al niet meer om. Want als papa thuiskomt, eet hij snel en dan duikt hij meteen weer achter z'n computer. We hadden afgesproken dat Ivo de zondag in elk geval voor ons zou reserveren, maar dat heeft hij alleen de eerste maand gedaan, daarna was het: "Nog even iets voorbereiden voor morgen", iets wat per se af moest. Maar als ik hem koffie kwam brengen betrapte ik hem er soms op dat hij niet zat te werken maar te gamen.'

'En zei je daar dan niks van?'

'Eerst wel, maar dan reageerde hij heel geïrriteerd dat hij de hele tijd bezig geweest was met het werk, en dat hij toevallig net even een spelletje aan het doen was. Op een gegeven moment zei ik maar niets meer. Maar ik ging hem ook geen koffie meer brengen. Alleen leek hij dat niet eens te missen...'

'Heb je hem op jullie afspraak gewezen?'

Joyce zuchtte weer. 'Weet je, ik had daar eigenlijk geen zin meer in. Als hij liever achter die computer wil zitten dan bij mij, dan moet hij dat maar doen. Misschien wel flauw, misschien laat ik het inderdaad ook allemaal gebeuren en is het m'n eigen schuld dat we uit elkaar groeien. Maar wat moet ik dan? Hard roepen: hé, wij zijn er ook nog, ík ben er ook nog?'

'Wat zou er gebeuren als je dat zou doen?'

Joyce haalde haar schouders op. 'Ik denk dat hij verstoord op zou kijken en zeggen dat ik niet zo kinderachtig moet doen.'

Ze sloot een moment haar ogen. 'Een paar weken geleden...' Ze staarde naar buiten en zweeg.

Na een poosje vroeg Lobke: 'Wat was er een paar weken geleden?'

Joyce bleef naar de tuin kijken, alsof ze daar het antwoord op de vraag zag.

Toen zei ze: 'Op mijn verjaardag ben ik 's morgens met de meisjes naar de kapper geweest en heb er toen dit nieuwe model in laten knippen.'
Lobke knikte. 'Ja, en ik vind nog steeds dat het je geweldig staat.'
'Ja, ik was er ook wel tevreden mee. Na de lunch heb ik me lekker op zitten tutten, nieuwe eyeliner, beetje lipstick, lekker geurtje op. Ik was erg benieuwd wat Ivo ervan zou zeggen.'
'Laat me raden: hij zag het niet eens.'
'Hij zei er in elk geval niks van toen hij thuiskwam. Zijn ouders waren hier 's middags, samen met Daphne. Mijn ouders waren er ook. Ivo had beloofd dat hij bijtijds thuis zou zijn, en inderdaad, hij was er al om kwart voor vier. M'n schoonmoeder claimde hem gelijk helemaal voor zichzelf, riep dat ze hem al zo lang niet gezien had, en hing helemaal idolaat aan zijn lippen toen hij ging vertellen over het bedrijf. Mijn ouders en Daphne vertrokken om een uur of vijf en ik ging toen aan de slag in de keuken, want om zes uur zouden mijn broers met hun gezin komen eten. Toen kwam m'n schoonmoeder poeslief vragen of het erg bezwaarlijk was als zij ook zouden blijven eten, want dan kon ze tenminste nog een poosje van "haar jongen" en haar kleinkinderen genieten die ze zo weinig zag. Grrr!'
'En jij zei natuurlijk dat dat helemaal niet bezwaarlijk was,' veronderstelde Lobke.
'Ik kon toch moeilijk zeggen dat ik haar liever zag gaan dan komen? Afijn, om een uur of acht verdwenen mijn broers met aanhang, en pas om negen uur gingen pa en ma Vermeer naar huis.'
'En al die tijd had Ivo nog niks van je haar gezegd?'
Joyce schudde haar hoofd. 'Niks.'
'Wat een...' Lobke was verontwaardigd.
Joyce zuchtte nog maar weer eens. 'Het wordt nog erger...' Ze staarde weer naar buiten.
'Nog erger?'
Joyce knikte en ze keek Lobke met een verdrietige blik aan. 'Toen iedereen weg was, wilde ik gaan opruimen, maar eerst vroeg ik hem wat hij van m'n nieuwe coupe vond. "Het staat je wel aardig," zei hij. Wel aardig! Alsof ik een schoolmeisje was! Toen had ik ineens zoiets van: en nú wil ik jouw aandacht, tenslotte ben ík jarig. Ik ging pal voor hem staan, sloeg m'n armen om zijn nek en zei zwoel dat ik nog een verrassing voor hem had als hij nu

mee naar boven ging. Ik had een heel sexy lingeriesetje gekocht, waarmee ik hoopte dat hij mij weer aantrekkelijk zou vinden, dat hij me weer zou zien als vrouw, niet alleen als degene die voor zijn kinderen en zijn huishouden zorgde. Hij kuste me toen en zei: "Ga maar vast, ik kom zo, nog even iets afmaken." "Kom je dan echt gauw?" bedelde ik nog. Nou, je voelt 'm al aankomen: ik lag daar zo verleidelijk mogelijk te wachten in m'n sexy setje, schemerlampjes aan, maar wie er kwam, geen Ivo. Ineens was ik het zo beu, ik heb dat setje uitgetrokken en in de prullenbak gegooid, heb het oudste en vaalste T-shirt aangetrokken dat ik kon vinden en ben daarmee in bed gaan liggen, met het licht uit. Ik dacht: bekijk het maar, meneertje, ik ga slapen! Maar ik had er alleen mezelf mee, want van boosheid kon ik natuurlijk helemaal niet slapen. En weet je hoe laat hij uiteindelijk naar bed kwam? Halfdrie! Hij deed heel zachtjes, dacht waarschijnlijk dat ik sliep en dat ik niet eens gemerkt had dat hij zo lang wegbleef.'
'En jij liet hem in die waan?' vroeg Lobke verbaasd. Zij zou zelf razend geweest zijn op Roel als hij zoiets gedaan had! 'Was hij dan niet nieuwsgierig naar die verrassing?'
'Waarschijnlijk is dat niet eens tot hem doorgedrongen, zat hij allang weer met zijn gedachten bij z'n werk. Of bij dat spelletje, weet ik veel.'
'En de volgende morgen?'
'Ik heb denk ik van halfvier tot halfzes een beetje gedommeld, daarna ben ik eruit gegaan, heb mezelf zachtjes aangekleed en ben toen een eind gaan lopen om die kwaadheid uit m'n lijf te krijgen. Ik heb alle deuren goed afgesloten zodat de kinderen niet zelf naar buiten konden als ze wakker werden.'
'En toen?'
'Ik heb echt een heel eind gelopen, en daar knapte ik wel van op. Tegen acht uur was ik weer thuis. Ivo lag nog in bed, de kinderen zaten met z'n drietjes naast elkaar op de bank tv te kijken. Ze waren zichtbaar blij me te zien, en Simon vertelde toen het hele verhaal. Sofie was bij ons op de slaapkamer geweest, die komt weleens bij me liggen als ze vroeg wakker wordt, en zij had gezien dat ik weg was. Ze dacht dat ik al beneden was. Toen ze me daar ook niet kon vinden, heeft ze Simon en Manon wakker gemaakt en hun verteld dat papa nog sliep maar dat ik weg was. Vooral de meisjes waren erg geschrokken, Manon was gaan huilen, en toen heeft Simon hen

mee naar beneden genomen en gezegd dat ik vast gauw weer terug was en dat hij wel alvast een boterham klaar zou maken. Dat heeft hij gedaan, dat was te zien aan de puinhoop op het aanrecht, en hij heeft ook een beker melk voor hen ingeschonken. Daarna zijn ze op de bank gaan zitten wachten tot ik weer thuiskwam.'

'Wat lief van Simon!'

'Ja, hij kan o zo zorgzaam zijn. Meer dan z'n vader,' kwam het er wat bitter achteraan.

'En Ivo?'

'Die kwam om halfnegen uit bed. Toen waren de kinderen al aangekleed en was de ontbijtboel al opgeborgen.'

'Dus hij had je niet eens gemist,' constateerde Lobke.

'Nee.'

'Maar heb je hem wel verteld dat je boos was?'

Joyce schudde beslist haar hoofd. 'Nee. Ik heb tijdens die wandeling veel nagedacht, ook of het iets op zou leveren als ik mijn boosheid en frustratie eens goed aan Ivo zou laten zien. Of het hem wakker zou schudden. Maar ik heb besloten dat ik m'n mond hou. Dit is niet het juiste moment. Ivo staat op scherp met dat bedrijf, dat veel verantwoordelijkheden met zich meebrengt, hij kan daar op dit moment geen relatieproblemen bij hebben. Dat begrijp ik best. Zodra die reorganisatie achter de rug is, zal ik wel voorstellen om er eens een week of zo met z'n tweetjes tussenuit te gaan, echt de tijd te nemen voor elkaar. Dan kunnen we in alle rust weer in gesprek komen met elkaar.'

Lobke leunde achterover, alsof ze letterlijk wat afstand wilde nemen van deze Joyce.

Joyce zag het. 'Ben je het er niet mee eens?'

Lobke schudde haar hoofd. 'Nee, totaal niet. Sorry hoor, Joyce, maar dat komt op mij over als een soort struisvogelpolitiek, zo van: ik weet maar al te goed dat het er is, maar ik steek m'n kop in het zand en dan is het er ineens niet meer. Of het is net zoiets als tijdens een oorlog wachten tot het "vanzelf" vrede wordt, en dan pas voor jezelf opkomen.' Ineens begon ze wat schamper te lachen. 'Hoor wie het zegt! Toen Roel en ik vorige week mot hadden, zijn wij zelf ook gaan slapen zonder het direct uit te praten. Dat zat me de volgende morgen toen zo dwars dat ik jou belde om m'n

hart te luchten.'
'En ik was er niet,' zei Joyce droog. 'Daar heb je veel aan, aan zo'n vriendin.'
Ze schoten allebei in de lach. Maar Joyce ging direct daarna ernstig verder: 'Ik heb er echt goed over nagedacht. Op dit moment iets forceren en op m'n strepen gaan staan is voor niemand goed. Voor Ivo niet, want die heeft al genoeg aan z'n hoofd. Voor de kinderen niet, want dat geeft alleen maar spanning, en daar zal vooral Simon last van hebben. En voor mij dan dus ook niet, want vooral het belang van de kinderen weegt voor mij zwaarder dan dat van mezelf.'
'Dat snap ik best,' zei Lobke. 'Als ik moest kiezen tussen mijn eigen belangen of die van Matthijs, koos ik ook meteen voor die van Matthijs. Maar ben je dan niet bang dat, áls het moment daar is dat Ivo weer tijd en aandacht voor jou heeft, het dan te laat zal zijn?'
Joyce kauwde op haar lip en staarde nadenkend voor zich uit. 'Dat weet ik niet,' zei ze na een poosje. 'Ik hoop van niet. Ik hoop van niet...'

14

HET VOORJAAR DEED ZIJN INTREDE, EN MEDE DOOR HET ZACHTE WEER VOLGden de voorjaarsbloeiers in de tuinen elkaar in snel tempo op. Voor Lobke was geel de kleur van het voorjaar. Natuurlijk vond ze het wit van de sneeuwklokjes ook prachtig en keek ze die elke winter bijna uit de grond, maar het zachte geel van de winterakoniet, het botergeel van de krokussen, het wit-geel van de narcissen en het felle geel van het speenkruid langs het vele water in en om Montfoort waren voor haar hét teken van een naderende lente. En daarna de goudgele waterval van de forsythia, elk jaar weer een genot om te zien. De borders in hun achtertuin boden geen ruimte om daar een forsythia te zetten, maar aan de overkant van hun straat hadden de huizen een voortuin, en bij hen pal tegenover stond een flinke forsythia te stralen, zodat ze alleen maar uit het raam hoefde te kijken om hem te zien.

Eind maart kwam daar een explosie van kleuren bij: primula's in de mooiste kleuren, van zachtgeel tot feloranje, en van dieprood tot donkerpaars; de saffierblauwe bloemen van het longkruid; het tere rozerood van de prunus; tulpen in allerlei kleuren, tot bijna zwarte toe; Lobke kwam elk voorjaar ogen tekort. Het was alsof ze door haar ziekte elk jaargetijde bewuster beleefde dan vroeger, vooral het voorjaar, de telkens terugkerende belofte van nieuw leven.

Op een woensdagmiddag begin april belde Joyce dat het hoveniersbedrijf van Peter al de volgende dag aan de slag zou gaan in de tuin. 'Ze hadden ons volgende week pas ingepland, maar er viel iets uit en nu kunnen ze morgen al,' zei ze enthousiast. 'Ivo heeft een reorganisatie, maar die krijgen wij hier ook. Het wordt een hele klus, maar ik heb er alle vertrouwen in dat het mooi wordt!' Ze vroeg daarna of Sofie en Manon die volgende ochtend bij Lobke mochten komen, zodat zijzelf een deel van de dag haar handen vrij had om mee te helpen. Lobke had meteen voorgesteld dat de meisjes dan bij haar zouden lunchen. 'En dan breng ik hen na het middagslaapje van Matthijs zelf naar Oudewater, is dat goed? Dan kan ik meteen zien hoe het wordt. Ik ben zo benieuwd!'

'Dat zou fijn zijn!' had Joyce het voorstel met beide handen aangenomen.

'Dan laat ik Simon morgen op school overblijven en heb ik de hele dag mijn handen vrij.'
'Zal ik Simon 's middags uit school halen? Ik kom daar toch praktisch langs.'
'Vind je dat niet erg? Dat zou helemaal super zijn. Dan geef ik wel aan zijn juf door dat jij om hem komt. Maar dan moet je me wel even een kopie van je paspoort of je rijbewijs mailen, dan kan ik dat morgen aan hen geven, anders krijg je hem niet mee.'
Lobke had gelukkig een printer met scanner, en ze mailde diezelfde middag nog een kopie van haar paspoort.
Joyce had de beide meisjes al even over achten gebracht. 'Ik heb gewacht tot die mannen er waren en ben toen meteen vertrokken. Op de terugweg zet ik Simon af op school, hij weet dat jij hem vanmiddag komt halen.' Ze haalde de beide autostoeltjes van de meisjes uit haar auto en zette die over in die van Lobke. 'Simon mag vanmiddag dat kleine stukje van school naar ons huis wel voorin, uiteraard wel in de gordel.'
Lobke ging rond tien uur met de drie kinderen naar de speeltuin. Het was heerlijk voorjaarsweer, en ze had krentenbollen en pakjes sap meegenomen en een kleed om op te zitten, zodat ze tussen de middag buiten op het gras konden eten. De meisjes vonden het geweldig, en Matthijs niet minder! Pas tegen één uur gingen ze weer terug naar huis. Onderweg viel Matthijs al in de wandelwagen in slaap, en om hem niet wakker te maken zette Lobke hem thuis met wandelwagen en al op een beschut plekje op de achterplaats, waar hij nog een poosje lekker doorsliep. Ze nam de meisjes mee naar binnen en deed met hen een potje memory, een spel dat ze al aardig doorkregen, vooral Manon was er goed in.
Matthijs werd rond kwart voor drie pas weer wakker, Lobke wilde hem net wakker gaan maken. Ze gaf hem een schone broek en iets te drinken, en daarna installeerde ze de kinderen op de achterbank.
Zo stonden ze bijtijds bij Simons school. Er stond al een rij ouders te wachten, en zo te zien aan een aantal grijze hoofden stonden daar ook grootouders tussen. Even later kwamen de kinderen van groep 1 en 2 naar buiten. Simon slenterde wat achteraan, handen in de zakken, zijn rugtas bungelend aan een arm.
Lobke stapte uit de auto en zwaaide naar hem. 'Joehoe, Simon!' Ze liep op

de juf af en stak haar hand uit. 'Hallo, ik ben Lobke Sikkens, een vriendin van Simons moeder. Ik kom vanmiddag Simon ophalen.'
'Ja, dat heeft Joyce verteld,' zei de juf. Ze legde haar hand op Simons schouder. 'Het ging niet zo lekker vanmiddag, hè?'
Simon haalde z'n schouders op en zei mokkend: 'Die rotjongens...'
'Nou, je was anders zelf ook niet even aardig vanmiddag,' zei de juf. Ze keerde zich tot Lobke. 'Hij heeft tussen de middag tijdens het overblijfuur gevochten met twee jongens van groep 4.'
Lobke zette grote ogen op. 'Simon, gevochten? Dat verbaast me.'
'We kregen er niet uit wat er nu precies gebeurd is, het enige wat we begrepen was dat Simon begonnen is met vechten. Hij wil er echter niet over praten met ons, en die twee jongens wilden er ook niets over zeggen. Misschien dat zijn moeder er iets uit krijgt.'
'Ik zal het doorgeven,' zei Lobke. 'Zijn er nog gewonden gevallen?'
'Een van die jongens was een tand kwijt, maar hij is aan 't wisselen en die tand zat al los, begreep ik. En bij Simon is een knoop van zijn overhemd, die zit in het voorvakje van z'n rugtas.'
Ze gaf Simon een aai over z'n bol. 'Hij was nogal van slag, heeft de hele middag in een hoekje zitten tekenen en wilde verder nergens aan meedoen. Ik heb hem maar met rust gelaten. Maar morgen doe je weer gewoon mee, hè, Simon?' richtte ze zich weer tot de jongen. 'Tot morgen.'
Simon zei niets terug. Hij wilde naar de auto, zag Lobke. 'Ik zal het doorgeven,' zei ze nogmaals tegen de juf, en daarna tegen Simon: 'Ga je mee? Je zusjes en Matthijs wachten al in de auto.'
Zwijgend liep hij met haar mee, en zwijgend stapte hij voor in de auto. Hij reageerde niet op de enthousiaste begroeting van zijn zusjes. Toen Lobke hem wilde helpen met de gordel zei hij wat kortaf: 'Dat kan ik zelf wel.'
Het was maar een klein eindje van school naar het huis van Joyce en Ivo. Voor het huis stond een pick-up met op het portier het logo *Hoveniersbedrijf Gabriëlse.* Ernaast stond een bestelauto met daarop hetzelfde logo. Achter het huis waren twee mannen in donkergroene tuinbroeken bezig met het aanleggen van een terras. Een derde man was naast het huis bezig met het opzetten van de boogpergola's. Joyce was met een vierde man in gesprek en stond druk te gebaren.
Ze keek verbaasd op toen ze Lobke met de kinderen het tuinpad op zag

komen. 'Hé, is het al zo laat?'
De beide meisjes waren wat terughoudend geweest toen ze die vreemde mannen in hun tuin zagen, maar nu renden ze op Joyce af. 'Mammie!'
Joyce ging op haar hurken zitten, spreidde haar armen uit en ving hen op. Toen ze hen allebei flink geknuffeld had, stond ze weer op en begroette Lobke en Simon. 'Is alles goed gegaan?'
'Ja hoor, ze hebben zich prima vermaakt. Heb je straks even tijd voor me?' Lobke vond het niet nodig om over Simons perikelen te vertellen waar die man bij stond met wie Joyce had staan praten.
'Tuurlijk.' Joyce wees op de man die naast haar stond. 'Dit is trouwens Peter.'
Hij had inderdaad iets weg van Herman Finkers, dacht Lobke, vooral die mond en die lachende ogen. Ze stak haar hand uit. 'Lobke Sikkens.'
'De oppas,' begreep hij.
'Ook. En vriendin, en soulmate, en een soort zusje,' zei Joyce lachend. 'We kennen elkaar al... hoelang al?'
'Even rekenen. Jij kwam in september bij mij in groep 1, dus dat is al... hé, we hebben dit jaar een jubileum!' lachte Lobke. 'We kennen elkaar straks in september al vijfentwintig jaar!'
'Dat gaan we vieren!' zei Joyce enthousiast. 'Hoe we dat doen zien we tegen die tijd wel, maar dat is wel een feestje waard.'
'Ik ga weer verder,' zei Peter en hij voegde de daad bij het woord.
'Willen jullie zo nog een keer koffie?' riep Joyce hem na.
'Nee, dank je. We maken dat terras daar nog even af en komen morgen weer terug voor de rest.'
Lobke keek bewonderend om zich heen. 'Ze zijn al een heel eind gekomen vandaag. Je kunt al goed zien hoe de indeling eruit zal zien als het klaar is.'
'Ja, gaaf hè?' zei Joyce blij. 'Kom, dan gaan we naar binnen. Wat wou je me vertellen?'
Terwijl ze naar de keuken liepen, vertelde Lobke wat de juf van Simon verteld had.
Joyce was al net zo verbaasd als Lobke. 'Heeft Simon gevochten? Dat kan ik me niet voorstellen!' Ze grinnikte. 'Weet je nog dat we op de basisschool een jongen hadden die volgens zijn moeder thuis het heiligste boontje was dat je je voor kunt stellen, maar die op school de beest uithing? Hoe heet-

te hij ook alweer? Iets met een P of zo, maar geen Peter.'
'Pieter Wonink!' zeiden ze allebei tegelijk, en Lobke deed met een nuffig stemmetje de moeder na: 'Mijn Pieter doet zoiets niet, hoor!'
'Laat ik dus maar niet direct zeggen dat mijn Simon zoiets niet doet,' zei Joyce droog. 'Maar waarom zou Simon gevochten hebben?' Ze keek bedenkelijk.
'De juf zei dat hij er niet over wilde praten, en volgens die andere twee jongens was híj begonnen.'
Joyce keek naar de kinderen die in de hoek van de keuken zaten te spelen, alleen de tweeling en Matthijs. Daarna liep ze naar de hal en riep naar boven: 'Simon! Ben je boven?'
'Ja!' klonk het terug.
'Wil je even komen?'
'Waarom?'
'Ik wil je wat vragen.'
De deur naar de hal stond open, zodat Lobke kon horen en zien wat er gebeurde. Ze keek nieuwsgierig naar haar vriendin. Hoe zou ze dit oppakken?
Er klonk wat gestommel en daarna kwam Simon langzaam de overloop op lopen.
'Wat is er?' Hij klonk niet erg toeschietelijk.
'Kom eens naar beneden.' Joyce zei het vriendelijk, ze wenkte hem met haar hand.
Simon kwam tergend langzaam de trap af. Toen hij beneden was, ging Joyce op haar hurken voor hem zitten. Ze pakte zijn handen beet, keek hem aan en zei zacht: 'Wat hoor ik nu? Heb je gevochten op school?' Er klonk geen veroordeling in haar stem.
Simon haalde zijn schouders op.
'Nou?'
Hij knikte.
'Wat was er zo erg dat je daarvoor moest vechten?'
Simons stem klonk vol ingehouden woede. 'Die rotjongens...'
'Wat deden ze?'
Weer haalde hij zijn schouders op.
Joyce stond op, ging op de onderste traprede zitten en trok hem op haar

schoot. 'Vertel het maar. Ik ben niet boos.'
Dat bleek het toverwoord. 'Ze... ze hebben... mijn tekening... kapotgemaakt,' kwam het er hortend en stotend uit.
'Had je een tekening gemaakt?'
Simon knikte. 'Voor pa...papa...'
Langzaam kwam het hele verhaal eruit. Er bleven tussen de middag zeven kinderen op school lunchen, samen met een overblijfmoeder. Na het eten mochten ze iets voor zichzelf gaan doen. Vier kinderen wilden buiten spelen onder toezicht van een van de leerkrachten, Simon en die twee jongens uit groep 4 wilden binnen blijven bij de overblijfmoeder. Simon was een tekening gaan maken. 'Voor papa. Voor op z'n werk.' Simon had er zijn uiterste best op gedaan, en de tekening was erg mooi geworden. Hij had hem tussen zijn handen omhooggehouden richting het raam om de zon erdoorheen te zien schijnen, wat de tekening nog mooier maakte. Op dat moment waren die twee jongens naar hem toe gekomen. De langste van de twee had een grote klap tegen de tekening gegeven, waardoor die in tweeën scheurde, en de ander had er hard om staan lachen. Simon was de jongen die zijn tekening vernield had meteen aangevlogen. Die had dat blijkbaar niet zien aankomen, hij verloor zijn evenwicht en viel met zijn gezicht tegen de tafel, waarbij hij een tand verloren had. Hij had een hoop misbaar gemaakt met die tand in zijn hand. De andere jongen was daarop heel boos geworden, hij had Simon bij zijn overhemd gepakt en hem ruw heen en weer geschud. Toen pas was de overblijfmoeder erbij gekomen, die was tijdens dat incident net naar het toilet. Simon was zo verontwaardigd geweest dat hij niet uit zijn woorden had kunnen komen. De jongens hadden hem unaniem aangewezen als degene die begonnen was met vechten. 'Zomaar, we deden niks!'
Toen het verhaal uit was, klemde Simon zich zacht snikkend tegen Joyce aan. 'Die... die rotjongens...' snikte hij.
'Waarom heb je dan niet gezegd dat zij jouw tekening kapotgemaakt hadden?' vroeg Joyce.
'Ik... ik kon niet... praten want... dan zou ik... gaan huilen... en dan... gaan ze alleen... nog maar meer... lachen.'
Joyce knuffelde hem. 'Nou, dan vind ik het hartstikke knap van je dat je je zo groot hebt weten te houden,' zei ze. 'En dat je zomaar tegen twee jon-

gens op durfde te boksen die én groter waren dan jij én nog eens met z'n tweeën! Alleen... vechten lost nooit iets op, dat weet je, hè?'
'Maar... maar... mijn tekening...'
'Die jongens hadden dat ook nooit mogen doen!' zei Joyce beslist. 'Dat was héél gemeen van ze! Zullen we morgen samen aan de juf vertellen hoe het echt gegaan is?'
'Maar... die jongens zeiden...'
'Ik geloof jou,' zei Joyce. 'En als de juffrouw het verhaal uit jouw mond hoort, zal zij jou ook wel geloven. Oké?'
'Oké,' zei Simon met een timide stemmetje.
'En dan probeer je nu gewoon weer diezelfde tekening te maken voor papa, goed? Je weet vast nog wel hoe die eruitgezien heeft. Ik denk dat papa er erg blij mee zal zijn.'
Simon haalde zijn neus op. Joyce pakte een zakdoek uit haar zak, liet hem snuiten en schoof hem toen van haar schoot af. 'Kom, dan krijg je eerst een beetje drinken, en dan gaan we daarna een mooi papier uitzoeken voor je tekening.' Ze stak haar hand uit, en hij pakte die. Samen kwamen ze naar de keuken.
Lobke had geboeid gekeken naar de wisselwerking tussen Joyce en Simon. Ze had bewondering voor de manier waarop Joyce toch het verhaal uit Simon gekregen had.
Toen Simon even later rustig zat te tekenen, zei ze dan ook: 'Knap gedaan.'
'Wat?'
'Nou,' Lobke knikte richting Simon, 'hoe je hem zover kreeg dat hij toch z'n verhaal wilde doen.'
'Ja, wat had ik dan moeten doen?' zei Joyce zacht zodat Simon haar niet hoorde. 'Als ik Simon z'n rust gun en wacht tot hij misschien vanavond bereid is om te vertellen wat er aan de hand is, gaat Ivo zich er geheid mee bemoeien, en die heeft een heel andere aanpak. Die zal zeggen dat Simon veel meer van zich af moet bijten, en dat hij het zelf uitlokt dat ze hem pesten omdat hij zo timide doet. Simon kruipt daardoor alleen nog maar meer in z'n schulp, en daardoor raakt Ivo nog meer geïrriteerd, en zo raken ze in een vicieuze cirkel waar ze geen van beiden meer uit komen. Eind van het liedje: Ivo boos op mij omdat hij vindt dat ik Simon veel te week opvoed, Simon verdrietig omdat hij zich niet begrepen voelt, en ik boos op

Ivo en verdrietig om Simon.'
'Dus als ik het goed begrijp fungeer jij als een soort stootkussen tussen die twee.'
'Ja, zo zou je dat kunnen zeggen,' zei Joyce schouderophalend. 'En ondanks dat je als stootkussen alle klappen op moet vangen en dat niet lekker voelt, zal ik er alles aan doen om te voorkomen dat het tot een botsing komt. Gevolg: Ivo blij omdat er volgens hem dus geen problemen zijn, Simon blij omdat hij het idee heeft dat zijn moeder hem tenminste wél begrijpt, en ik blij omdat mijn dierbaren blij zijn.'
Ze wees naar Simon. 'Kijk hem nu eens bezig zijn met zijn tekening voor papa. Ivo heeft niet half door hoe Simon hunkert naar zijn aandacht, naar zichtbare tekenen van zijn liefde.' Ze slaakte een diepe zucht en grimaste naar Lobke. 'Ja joh, het leven is niet enkel rozengeur en maneschijn...'
'Nee, helaas niet.' Lobke keek op de klok. 'Ik moet naar huis, Roel komt zo thuis.'
'Je zegt het alsof je op je kop krijgt als je niet thuis bent als je heer en meester arriveert,' plaagde Joyce.
'Dat is ook zo,' grijnsde Lobke. 'Nee, we zijn vandaag zes jaar getrouwd, en we zouden vanavond uit eten gaan. Roel heeft een heel leuk Italiaans restaurant gevonden op internet, Pronto Pronto heet het. Volgens kenners kun je daar buiten Italië het best Italiaans eten, we zijn erg benieuwd. Maar aangezien ik me nog moet omkleden...' Ze gebaarde naar haar gemakkelijk zittende jeans en sweater. 'Ik kan toch moeilijk zo gaan.'
'Is het vandaag jullie trouwdag? O, wat stom, helemaal niet aan gedacht! Gefeliciteerd!' Ze gaf Lobke drie zoenen. 'Dat had je me weleens mogen zeggen toen ik gisteren belde. Dan had ik niet gevraagd of je de meisjes kon hebben.'
'Waarom niet? Roel moest vandaag toch ook gewoon werken? Nee hoor, ik ben blij dat je lekker door hebt kunnen werken. Maar nu ga ik echt.' Ze liep naar Matthijs. 'Kom, dan gaan we naar papa.'
'Heb je oppas voor vanavond?' vroeg Joyce.
Lobke knikte. 'Ja, een buurvrouw, "bure" Verschuure. Zij is weduwe en past af en toe 's avonds op als Matthijs al in bed ligt. Overdag vindt ze dat te druk, maar aangezien hij meestal lekker slaapt, wil ze 's avonds wel bij ons in huis komen zitten. "Of ik nu bij jullie televisiekijk of thuis, dat maakt

niet uit," zegt ze altijd.'
'Nou, feliciteer Roel ook van me en veel plezier vanavond.'

Ze gaven die avond Matthijs al vroeg te eten en stopten hem daarna samen in bed. Binnen vijf minuten sliep hij.
Om kwart voor zeven kwam buurvrouw Verschuure. 'Jullie zien er allebei prachtig uit,' zei ze. 'Hartelijk gefeliciteerd.' Ze overhandigde hun een pakje waar zes ijzeren onderzetters in bleken te zitten. 'Voor jullie ijzeren bruiloft.'
'IJzeren bruiloft?'
De buurvrouw knikte. 'Ja, wist je dat niet? Als je zes jaar getrouwd bent, is dat je ijzeren bruiloft. Elk jaar heeft zijn eigen benaming.'
'Nooit van gehoord,' zei Lobke. 'Ik wist dat het bij twaalfenhalf jaar een koperen bruiloft heet, en vijfentwintig jaar staat voor zilver en vijftig voor goud, maar ik wist niet dat elk huwelijksjaar een naam had.'
'Nou, dan weet je het nu wel,' zei de buurvrouw. 'Gaan jullie nu maar, ik zorg zelf wel voor m'n kopje thee. Eet smakelijk.'

Het restaurant bleek een langgerekt pand met aan weerszijden tafeltjes, soms op een verhoging. Achterin keek je zo de open keuken in. Het was meer een trattoria dan een restaurant, je kon er allerlei kleine gerechtjes bestellen, 'piatto piccolo'. De bediening was prima, de gerechten waren stuk voor stuk mooi opgemaakt, en de smaak van het eten was subliem.
Tijdens het eten vertelde Lobke over Simon, en dat ze zo met hem te doen had gehad. 'Hij zag er zo eenzaam en kwetsbaar uit, m'n hart brak gewoon. Ik denk dat alle moeders dat hebben, zo'n oergevoel van: kom niet aan mijn kinderen! Ik werd zelfs boos op die twee pesterige jongens. Ivo kan wel zo makkelijk zeggen dat de gevoelens van kinderen niet zo diep gaan, maar als je hem gezien had...'
'Nou, zo kwetsbaar bleek hij anders ook niet toen hij met die twee grotere jongens op de vuist ging. Hij is misschien wel weerbaarder dan je denkt. De moeder van die ene jongen zegt nu thuis misschien ook wel tegen haar man dat ze zo te doen heeft met haar zoontje die een tand uit z'n mond geslagen is.'
'Simon had geen tand uit z'n mond geslagen! Die jongen viel tegen een

tafeltje en daarbij verloor hij die tand. Die overigens al los zat.'
'Maar die moeder zal waarschijnlijk datzelfde "oergevoel" waar jij het over hebt, voelen naar haar eigen zoontje, en boos zijn op Simon omdat hij haar kind aangevlogen is.'
'Waar die jongen het zelf naar gemaakt had door Simons tekening kapot te maken.'
'Hoe weet je nu of Simon het niet zelf uitgelokt heeft? Je bent er toch niet bij geweest?'
'Natuurlijk heeft Simon dat niet zelf uitgelokt! Zoiets doet hij niet, dat weet ik zeker.'
Ineens schoot ze in de lach. 'Ik lijk de moeder van Pieter Wonink wel...'
'Wie is Pieter Wonink?'
'Pieter Wonink was een irritant jongetje bij ons op de basisschool. Zo'n jongetje dat de katjes in het donker knijpt, stiekem, achterbaks, maar o zo schijnheilig als z'n moeder in de buurt was. Die geloofde het dus nooit als er klachten over hem kwamen.' Ze deed de stem van de moeder weer na: '"Mijn Pieter doet zoiets niet, hoor", zei ze dan altijd. Hij had een hoge dunk van zichzelf, zei dat hij professor ging worden.' Ze proestte. 'We hebben hem een keer flink tuk gehad. We hadden in de klas lootjes getrokken voor sinterklaas, en ik had hem getrokken. Ik vond daar niks aan, hoe kon ik nu een leuke surprise maken voor zo'n vervelend ventje? Toen ik daar thuis over mopperde, kwam mam me te hulp. Samen maakten we een uiltje, met daarin zijn cadeautje verstopt. En mam maakte een prachtig gedicht, over Pieter en dat Sint wist dat hij professor wilde worden, en dat hij zo knap was en zo. Iedereen moest zijn gedicht hardop voorlezen, en Pieter vond het uiteraard helemaal geweldig dat zelfs Sint wist dat hij zo knap was. Hij droeg het gedicht met veel bravoure voor. Tot hij bij het slot kwam. Ik weet niet meer hoe het hele gedicht ging, maar het eind weet ik nog precies. Het ging zo:
Een wijze uil, dat ben je zeker,
maar vergeet niet, mijn beste vent,
dat voordat je een uil zult wezen,
je eerst nog een uilskuiken bent!
Ik zie hem nog zo voor me. Die laatste zin mompelde hij zo'n beetje voor zich heen, en hij wist niet hoe snel hij weer op zijn plek moest gaan zitten.

En dat was Pieter Wonink,' besloot ze haar verhaal.
Roel begon te lachen. 'Ach, wat zielig. Kijk, dát vind ik nu sneu, zo'n kwetsbare jongen en hem dan zo te plagen... Ik denk dat zijn moeder ook last had van haar oergevoel toen ze dat gedicht las. Iemand die aan háár Pietertje kwam.'
Lobke lachte met hem mee. 'Je hebt gelijk, die moeder heeft dat vast gevoeld.'
Ze keek op haar horloge. 'Wil je nog wat drinken of...?'
Roel schudde zijn hoofd. 'Laten we bure Verschuure maar gaan aflossen en kijken hoe het met ons eigen kwetsbare jongetje is.' Hij wenkte naar de serveerster. 'Mag ik de rekening alsjeblieft?'
Even later liepen ze hand in hand naar de parkeerplaats.
'Hè, dat was gezellig,' genoot Lobke na en ze kneep in Roels hand. 'Toch wel fijn om af en toe bewust aandacht aan elkaar te besteden. Dat houdt je relatie levend.'
Onwillekeurig dacht ze een moment aan Ivo en Joyce, maar ze schudde de gedachte snel van zich af. Nu even niet aan hen denken, deze avond was voor Roel en haar!

15

MEI DEED ZIJN INTREDE EN BRACHT WEER NIEUWE KLEUREN EN GEUREN MET zich mee. De zomer was duidelijk in aantocht. Vogels vlogen af en aan met takjes in hun bek, het vee dartelde in de wei, alles groeide en bloeide. Lobke had net Matthijs naar bed gebracht voor zijn middagslaapje en was nu bezig alvast runderlapjes te braden voor vanavond. Ze deed het deksel op de pan, zo, sudderen maar!

Toen ze terugliep naar de kamer viel haar oog op de kalender in de keuken. Da's waar, overmorgen werden Sofie en Manon vier. Ze had al een poosje niets van Joyce gehoord en was zelf ook druk geweest met van alles en nog wat. Ze wierp een blik op de klok: kwart voor een. Joyce was vast thuis.

Ze pakte de telefoon en toetste Joyce' nummer in. Na een paar keer overgaan werd de telefoon opgenomen. 'Hallo.' Een van de bijna-jarige-jetjes.

'Hallo, met Lobke. Is mama er ook?'

Zo te horen werd de telefoon met een klap neergelegd, en Lobke hoorde het geluid van trippelende voetjes. 'Mammie!'

Even later werd de telefoon weer opgepakt. 'Met Joyce.' Ze klonk buiten adem.

'Hoi, met mij. Heb je hard gelopen?'

'Zoiets. Hoi, hoe is 't? Tijdje geleden alweer.'

'Ja, dat dacht ik ook, daarom bel ik. En omdat de tweeling vrijdag jarig is. Wanneer vier je het?'

'Zaterdagmiddag. Ivo is gisteren naar Engeland vertrokken en hij komt vrijdag pas in de loop van de middag terug. We hebben gistermorgen bedacht dat we zaterdagmiddag wel een tuinfeest kunnen houden. Ze geven goed weer af, en dan kan iedereen gelijk zien hoe mooi de tuin geworden is. Ik had je vanavond willen bellen. Komen jullie ook?'

'Ja, leuk. Hebben ze nog een verlanglijstje?'

'Ja, ik zal het je zo mailen.'

'Oké, dan zie je ons zaterdag wel verschijnen. Hoe laat?'

'Het is van twee tot vijf.'

'Zodra Matthijs wakker is, komen we naar je toe. Tot zaterdag.'

Klokslag halfdrie stuurde Roel de auto de oprit op. Er stonden al een hoop auto's, en van achter het huis klonk een gezellig geroezemoes.
Roel haalde Matthijs uit z'n stoeltje, en Lobke pakte twee pakjes van de achterbank. Daarna liepen ze met Matthijs tussen hen in naar achteren.
De tuin was gezellig versierd met slingers en vlaggetjes en ballonnen. Op de verschillende terrasjes stonden statafeltjes waar al een groot aantal mensen met een glas in hun hand stond te praten. Een van de terrasjes was speciaal voor kinderen ingericht, daar stonden lage tafeltjes en stoeltjes rond een kist met speelgoed.
Ze zagen Ivo druk in gesprek met een gezette man in een duur ogend pak en met een dikke sigaar tussen zijn vingers, waar hij af en toe een stevige trek van nam. In zijn andere hand had hij een glas wijn. De man had een air over zich waardoor Lobke hem bij voorbaat al onsympathiek vond.
De beide jarige meisjes waren met een paar andere kinderen tikkertje aan het spelen. Ze hadden allebei een prachtige roze jurk aan en een kroontje op hun hoofd met daarop een 4. Zodra ze Lobke zagen, renden ze op haar af. 'Hoi Lobke. Wij zijn jarig! Heb je een cadeautje meegebracht?'
'Wat zien jullie er prachtig uit, jullie lijken wel prinsesjes!' zei Lobke bewonderend. Maar ze hoorden het amper, ze waren meer benieuwd naar wat er in de pakjes zat. Ze scheurden het papier eraf en keken wat er in het doosje zat. 'Een jurk voor de pop!' Sofie keek in het doosje van haar zusje. 'De mijne is roze, die is veel mooier.'
Manon klemde het doosje tegen zich aan. 'Nee hoor, geel is nog mooierder.' Ze rende weer weg. 'Kom, dan gaan we ze bij de andere cadeautjes leggen.'
Lobke keek rond. 'Ik zie Joyce niet, zie jij haar?' vroeg ze aan Roel.
'Misschien is ze binnen. Ah, daar komt ze al.'
Joyce kwam naar buiten met in elke hand een blad met daarop allerlei hapjes. Lobke liep naar haar toe. 'Hoi, gefeliciteerd met je dochters. Kan ik helpen?'
'Graag.' Joyce wenkte met haar hoofd naar binnen. 'In de keuken staan nog een paar bladen.'
Lobke liep naar binnen. In de woonkamer zag ze Simon onderuitgezakt op de bank zitten. Ze bleef even bij hem staan. 'Hoi Simon.'

'Hoi.'
'Wil je niet naar buiten?'
Hij reageerde niet. Ze zag dat hij een balletje in zijn hand had dat hij van de ene hand naar de andere rolde en weer terug.
'Matthijs is er ook,' probeerde Lobke weer.
Geen reactie. Het balletje bleef heen en weer gaan.
Joyce kwam weer binnen. 'Kun je 't vinden? Ze staan op het aanrecht.'
'Ja, ik kom.'
Samen brachten ze de overige bladen naar buiten. Tegen een van de muren stonden een paar lange tafels, een met kleine wegwerpbordjes en schalen met hapjes, en de andere met glazen en allerlei flessen fris en drank. 'De mensen moeten zelf maar pakken wat ze lekker vinden, dat leek me handiger dan steeds maar lopen vragen wat iemand wil drinken.'
'Slim,' vond Lobke. 'Wat is er met Simon?'
'Dat is een heel verhaal, maar nu even niet. Nu is het feest. Kom, we moeten nog zingen voor de meiden.' Ze liep naar het midden van de tuin en klapte in haar handen om ieders aandacht te trekken. Toen iedereen min of meer stil was, riep ze Sofie en Manon bij zich en liet hen op twee versierde kistjes staan. Daarna moesten alle aanwezigen alle verjaardagsversjes zingen die ze kenden. Dat bleken er een heleboel te zijn! Zelfs voor Lobke onbekende versjes passeerden de revue. Al die tijd bleven de meisjes stralend rondkijken, met hun handjes aan hun jurken meedeinend op de maten van de muziek.
Het geheel werd afgesloten met een vierwerf 'Hoera!', wat de meisjes zelf om het hardst meeriepen.
'En nu de taart!' riep Sofie. 'Mammie, nu de taart!'
'Ja, de taart!' echode Manon.
Ze sprongen van hun kistjes af en renden naar Joyce.
Die deed alsof ze schrok. 'O ja, de taart!' Ze sloeg haar hand voor haar mond. 'Dat is waar, er moest ook nog taart zijn. Helemaal vergeten!'
De beide meisjes schaterden. 'Niet waar! Hij staat in de koelkast. Domme mammie!'
'Staat hij in de koelkast? Nou, kom dan maar, dan gaan we de taart halen.'
Ze nam de beide meisjes bij de hand en liep naar de keuken. Even later kwamen ze terug. Sofie en Manon mochten helpen dragen. Heel voor-

zichtig, voetje voor voetje, liepen ze met een blad tussen hen in met daarop de taart.
'Ooh!' klonk het langgerekt van de aanwezige gasten.
De taart was werkelijk een plaatje, de banketbakker had goed zijn best gedaan. De taart had de vorm van een acht en was overdekt met een laag roze marsepein. Op de ene helft stond 'Sofie' met daaronder in glazuur een foto van Sofie, en op de andere helft stond 'Manon', ook met foto. In het midden stond '2 x 4 = 8', en rondom de foto's was het versierd met knalroze en witte bloemetjes.
Schuifelend brachten de meisjes onder toezicht van Joyce de taart naar de tafel met de hapjes. Ze slaakten een zucht van verlichting toen die missie geslaagd was.
'Hij is roze, en dat is mijn lievelingskleur,' zei Sofie.
'En mijn lievelingskleur ook!' klonk haar echo Manon.
'Zullen we vragen of papa de taart aansnijdt?' vroeg Joyce. 'Hij staat daar.' Ze wees waar Ivo stond.
'Ja!' Sofie rende naar hem toe en pakte zijn hand. 'Kom, papa, je moet taart snijden.'
'*Sorry, I have to help my daughters*,' verontschuldigde Ivo zich tegen de dikke man. Hij liet zich meetrekken en pakte het mes aan dat Joyce hem gaf. 'Wie wil er allemaal een stukje?'
Iedereen wilde wel. 'Ik wil mijn foto!' riep Sofie.
'En ik wil míjn foto!' riep Manon.
Ze kregen allebei hun zin.
Joyce deed een stukje taart op een bordje en liep ermee naar binnen. Voor Simon, begreep Lobke. Even later kwam ze weer naar buiten met een bezorgde blik in haar ogen. Ze forceerde een glimlach en mengde zich tussen de gasten. Ivo stond alweer te praten met de dikke man-met-sigaar.
Lobke stapte op de ouders van Joyce af, die in een rustig hoekje in de tuin zaten, waar een hardhouten tuinset stond. Ze had hen al een poos niet gezien, terwijl ze daar vroeger kind aan huis was. 'Hallo. Gefeliciteerd met uw kleindochters.'
'Ha Lobke, hoe is het met jou?' Mevrouw Den Heyer kuste Lobke op beide wangen, en ook vader Den Heyer liet zich niet onbetuigd. 'Je ziet er goed uit, zeg. Zijn Roel en Matthijs er ook?'

'Ja, die zijn daar.' Lobke wees naar de kindertafel, waar Matthijs zat te spelen en Roel een oogje in het zeil hield.
'Wat een lekker ventje is dat. Hoe oud is hij nu?'
'Tweeënhalf, in oktober wordt hij drie.'
'En met jou en Roel alles goed? En hoe is het met je ouders, en met Aafke en Sanne?'
Ze raakten in gesprek en de laatste familienieuwtjes werden uitgewisseld.
'Leuk voor jou en Joyce dat jullie nu weer dicht bij elkaar wonen,' zei mevrouw Den Heyer.
'Ja, ik ben er ook blij mee. De laatste jaren verliep ons contact voornamelijk via de mail of per telefoon, maar als ik nu bel en vraag of ze zin heeft in een bakkie, kan ze met een kwartier bij me zijn.'
'En ook makkelijk met oppassen, ik begrijp dat jij je al een paar keer over de meisjes hebt ontfermd.'
'Dat is zo, maar nu die vier zijn, gaan ze naar school, dus dan zal dat minder vaak nodig zijn.'
'Tja, die gaan nu naar school. Ik ben benieuwd hoe dat straks met Joyce gaat,' zei mevrouw Den Heyer. Ze keek wat bezorgd.
'Hoezo?'
'Nou, Joyce is altijd helemaal gericht geweest op de kinderen, en als ze straks alle drie naar school gaan... Als ze maar niet in een gat valt.'
'Denkt u dat? Ik dacht juist dat Joyce blij zou zijn dat ze wat meer haar handen vrij heeft, zodat ze lekker in de tuin kan werken. Daar zit genoeg werk in. Het is wel erg mooi geworden, hè.'
'Ja, ze heeft ook wel geboft met die hovenier, hij heeft er echt iets bijzonders van gemaakt. Ik vind die boogpergola's met de goudenregen ook zo mooi. Het zijn nu nog jonge planten, maar als ze straks volwassen zijn, wordt dat echt een blikvanger. Hebben jullie ook een tuin?'
'Nee, alleen een kleine achterplaats.' Het gesprek kabbelde verder. Ook Kevin en Dennis, de broers van Joyce, en hun vrouwen Lia en Ilse, voegden zich bij het groepje. Lobke zag dat Ilse zwanger was, en daarna ging het gesprek over zwangerschappen, bevallingen, problemen bij het opvoeden, er waren gespreksonderwerpen genoeg. De mannen zaten er wat verveeld bij, maar deden geen moeite om het gesprek over een andere boeg te gooien. Kevin ging nog maar eens rond met een schaal met hapjes, en Dennis

gooide borrelnootjes omhoog die hij probeerde op te vangen in zijn mond – en stikte daar vervolgens bijna in. Hij liep helemaal rood aan, hoestte en hoestte. Lobke rende naar de keuken om een glaasje water voor hem te halen. Simon zat nog steeds in de woonkamer, zag ze, balletje in de ene hand, balletje in de andere hand.

Na de hoestbui van Dennis bloedde het gesprek een beetje dood, en Lobke ging op zoek naar Roel en Matthijs. Matthijs leek zich prima te vermaken met de andere kinderen, maar Roel stond er wat verloren bij.

Lobke stak haar arm door die van hem. 'Heb je niemand om mee te praten?'

'Nee, ik ken hier bijna niemand, en Ivo heeft het te druk met z'n baas.'

'O, is die dikke sigarenmeneer zijn baas?' Lobke keek in de richting van Ivo, die alleen maar aandacht leek te hebben voor de druk gesticulerende dikke man tegenover hem. 'Ja, zo ziet hij er ook uit.'

'O? Hoe ziet een baas er dan uit?'

'Nou, duur pak, dikke zegelring, dikke sigaar, dik lijf, en z'n ego zal ook wel dik zijn. Zo te zien is het een bourgondiër en is hij hard op weg naar z'n eerste hartaanval – als hij die al niet gehad heeft.'

Roel schoot in de lach. 'Zo te horen vind je hem weinig sympathiek.'

'Hoe kom je daar nu bij? Nee hoor, geef mij jou maar. Wat doen we, blijven we nog een poosje of wil je naar huis?'

'Als jij het niet erg vindt, wil ik eigenlijk wel naar huis. Lekker rustig met z'n drietjes in ons eigen tuintje, luie stoel, pilsje, boekje, dat lijkt me nu het heerlijkste wat er is.'

'Dan gaan we. Ik heb Joyce nog helemaal niet gesproken, maar die bel ik dan wel. Volgens mij is er iets.'

'O?'

'Ja, ze doet geforceerd vrolijk en Simon zit de hele middag al op de bank in de woonkamer.'

'Ik vroeg me al af waar hij was.'

Lobke liep naar Matthijs toe. Ze tilde hem op en knuffelde hem. 'Kom, dan gaan we naar huis.'

Hij probeerde zich los te wurmen. 'Nee, nie huis, tindje pele!'

'Maar de kindjes gaan straks ook allemaal weer naar huis. En als we thuis zijn gaan we...? Pizza eten!' Voor pizza zou ze hem bij wijze van spreken

midden in de nacht wakker kunnen maken.
Hij klapte in zijn handjes. 'Ja! Pizza!'
Lobke zocht het gezelschap af, op zoek naar Joyce. Ze zag haar zitten bij haar ouders en liep op hen af. 'Hoi, wij gaan weer naar huis.'
Joyce stond op. 'Nu al? Er komen straks nog warme hapjes en zo.'
Lobke schudde haar hoofd. 'Nee, dank je.' Ze zwaaide Joyce' ouders gedag en liep met Joyce naar de voorkant van het huis, waar Roel stond te wachten. 'Jammer dat we elkaar niet gesproken hebben, gaat het wel goed?'
'Nee, het gaat helemaal niet goed. Ik bel je wel, of anders mail ik je vanavond of morgen wel, oké? Het is een heel verhaal.'
'Oké.' Lobke gaf haar vriendin een kus. 'Pas goed op jezelf.'
'Doe ik.'
Joyce kuste Roel en Matthijs gedag en ging daarna weer naar haar visite.
Met een bedenkelijke blik stapte Lobke in de auto.
'Wat is er?' vroeg Roel.
'Ik weet het niet, maar het gaat niet goed hier.'

'Niet goed' bleek nog maar zachtjes uitgedrukt. Toen Lobke zondagochtend haar mailbox opende, was er een mail van Joyce.

van Joyce Vermeer-den Heyer <joycevermeer@gmail.com>
aan Lobke Sikkens-Schrijver <roelenlobke@home.nl>
datum 13 mei 2012 00:35
onderwerp Help!

Hoi Lobke,

Negen maanden geleden stuurde ik je een mail met hetzelfde kopje: Help! Toen mailde ik je midden in de nacht omdat ik niet kon slapen door iets wat Ivo me vertelde, en de geschiedenis herhaalt zich: ik kan weer niet slapen om wat Ivo me vanmorgen – of eigenlijk gistermorgen, het is al zondag – vertelde.
Je zag gisteren al aan me dat er wat was, en ook door Simon heb je dat al kunnen zien. Maar de meisjes hadden de hele week al zo naar hun feestje uitgekeken, dat ik dat niet voor hen wilde verpesten. Al stond m'n hoofd er helemaal niet naar.
Gistermiddag – vrijdagmiddag – zou Ivo al rond drie uur thuis zijn, zodat we op de

verjaardag van de meiden in elk geval 's avonds samen konden eten. 's Morgens belde hij me dat z'n baas mee terug vloog naar Nederland, dat ze van Schiphol regelrecht naar Waddinxveen zouden gaan omdat die man het bedrijf met eigen ogen wilde zien en met een paar mensen wilde praten, en dat hij daarna met z'n baas uit eten ging, dus dat hij nog niet wist hoe laat hij thuis zou zijn. Sorry sorry, maar de zaken gingen weer eens voor het meisje. Ik ben 's avonds maar met de kinderen naar de McDonald's geweest, zodat het nog een beetje feestelijk was. Geen idee hoe laat Ivo 's nachts thuiskwam, ik sliep al.

Vanmorgen bij het ontbijt vertelde hij enthousiast dat zijn baas erg tevreden was met wat hij gehoord en gezien had in Waddinxveen, dat ze bezig zijn om hun werkterrein nog verder te verleggen, dat het volgende project Amerika zal zijn en dat Ivo dat mag gaan doen, iemand anders mag de reorganisatie in Waddinxveen afronden. En dat project in Amerika zal in elk geval voor drie of vier jaar zijn.

Amerika! Ivo had niet in de gaten dat Simon meeluisterde en gelijk begreep dat dat dus binnenkort weer verhuizen wordt. Ik zag het wel, maar het was al te laat. Simon schoot helemaal in de stress, schoot van tafel af, rende naar boven en riep dat hij niet meeging naar Amerika. Ivo werd kwaad en rende stampend achter hem aan, we hoorden hem boven schreeuwen tegen Simon. De meisjes meteen huilen, die schrokken natuurlijk. Ik voelde me verscheurd, wilde de meisjes troosten, maar wilde ook bij Simon zijn, en hem beschermen tegen Ivo. Nu ik dit opschrijf vind ik het eigenlijk belachelijk klinken, dat je je kind wilt beschermen tegen zijn eigen vader.

Even later kwam Ivo weer naar beneden. Hij zei dat Simon voor straf op z'n kamer moest blijven tot hij weer 'voor rede vatbaar' was. Zo zei hij het echt! Het is een jongetje van nog geen zes, en die moet al meer 'voor rede vatbaar' zijn dan z'n vader! Toen ik dat zei tegen Ivo en dat ik vond dat hij wel wat meer rekening met Simon had kunnen houden omdat hij weet hoe gevoelig die vorige verhuizing nog ligt, ging hij tekeer tegen mij. Nu was het míjn schuld dat Simon zo gereageerd had, het oude liedje, ik maakte hem te weekhartig, enz. enz. De meisjes zaten er met grote bange ogen bij. Ik heb toen m'n mond maar gehouden, omdat ik bang was dat alles wat ik zou zeggen alleen maar olie op het vuur zou zijn – en dat terwijl het een feestelijke dag voor de meisjes zou moeten zijn.

Afijn, we zijn de ochtend doorgekomen. We hebben samen met de meisjes de tuin versierd. Simon bleef de hele ochtend boven en liet zich niet zien. Ik heb hem iets te drinken gebracht en toen lag hij nog steeds in bed, diep weggedoken onder z'n dekbed. Hij wilde niet met me praten. Ivo is hem om halftwee gaan halen, heeft hem

aangekleed en mee naar beneden genomen, en heeft gezegd dat hij beneden moest blijven tot het feest voorbij was. En dat hij het niet in z'n hoofd moest halen om een hoop misbaar te maken als z'n baas er was. Ja, want die zou ook komen, dat vertelde hij toen pas. Nou ja, je hebt hem vast wel gezien, die dikke man met wie hij de hele middag heeft staan praten. Hij was in Engeland al een paar keer bij ons wezen eten en wilde ons graag weer eens zien, vertelde Ivo. Voor die man moesten we de schijn van 'leuk gezin' natuurlijk hoog houden, en daar paste geen boos, mokkend jongetje in.
Het was dat ik de meisjes hun feestje zo gunde, anders was ik het liefst zelf ook de hele middag naast Simon op de bank verdrietig gaan zitten zijn. Want IK WIL OOK HELEMAAL NIET NAAR AMERIKA! Ik moet er niet aan denken. Wéér verhuizen, wéér helemaal opnieuw beginnen. Ik heb gewacht tot de kinderen in bed lagen en toen heb ik dat tegen Ivo gezegd, zo rustig mogelijk. Ik heb gezegd dat het me geen goed idee leek om naar Amerika te verhuizen, dat we nu net hier gewend waren en dat het voor de kinderen, vooral voor Simon, ook niet goed was om zo kort na de vorige verhuizing alweer naar een ander land te moeten. Ik zei dat het niet goed voor hen was zich nergens te kunnen hechten. Maar Ivo vindt dat onzin. 'Je wilde ook eerst niet naar Nederland terug omdat het je in Engeland goed beviel, en kijk nu eens hoe je het hier naar je zin hebt. Dat heb je vast ook als we in Amerika zijn. We zoeken daar een mooi huis, ook weer met een grote tuin. Bovendien is het juist goed voor de kinderen om hun wereld te vergroten, om andere culturen te ontmoeten, daar worden het sterke en stabiele mensen van. Ze spreken de taal al, voor je 't weet zijn jullie daar weer gewend.'
Nou, echt niet! Ik ben hier snel gewend omdat ik nu dichter bij m'n ouders en bij jou woon, maar Simon durft zich volgens mij nog steeds niet te hechten. Ivo zegt dat dat flauwekul is en weer een teken dat ik overdrijf als het om Simon gaat. Hij heeft totaal geen oog voor hoe Simon in elkaar zit. Hij heeft het alleen maar over de 'grote kans' die zijn baas hem geeft. Grote kans. Op wat? Op nog meer verantwoordelijkheid, nog meer geld, en dus nog meer status? Of een grote kans dat hij van zijn kinderen vervreemdt? En van mij? Door steeds maar méér te willen?
Ik weet niet meer wat ik moet doen, Lobke. Moet ik Ivo steunen in zijn verlangen naar steeds méér, of moet ik vierkant achter mijn kinderen gaan staan en zeggen dat het niet gebeurt omdat ik het niet wil? Als ik niet mee wil naar Amerika, sta ik de toekomst van Ivo in de weg. Maar als ik meega in zijn droom...
Néé, ik wil het niet! Alles in me komt in opstand, alleen al bij het idéé dat we binnen

een halfjaar naar Amerika zullen moeten.
Maar wat dan? Ivo is mijn man, ik heb beloofd hem trouw te zijn 'in goede en in slechte dagen'. Alleen lijkt het er nu op dat wij allebei een verschillend beeld hebben van wat 'goede' en wat 'slechte' dagen zijn...
Ivo heeft verteld dat hij over twee weken een week met z'n baas naar Amerika gaat. Om zich alvast 'te oriënteren'. Op die 'grote kans'.
Het is zo stil in huis. De kinderen slapen – tenminste, de meisjes en Ivo slapen, bij Simon moet je dat maar afwachten – en ik zit hier klaarwakker beneden dit bericht naar jou te typen. Buiten verlicht de vollemaan de tuin. De tuin die er ook aan bijgedragen heeft dat ik me verzoend heb met de verhuizing naar Nederland. Hij is mooi geworden, vind je niet? Ik had me zo verheugd op die waterval van goudenregen die over een paar jaar de boogpergola zou veranderen in een sprookje. Maar daar zullen nu andere mensen van gaan genieten...
Ik word boos en verdrietig als ik daaraan denk. Waarom mag alleen Ivo zijn droom volgen? Waarom mag mijn droom geen werkelijkheid worden? Een droom van goudgele watervallen waarin drie (!) gelukkige kinderen lachend de wereld in kijken. Wetend dat ze een plek hebben waar mensen zijn die aandacht voor hen hebben, die van hen houden, die hun belangen op het oog hebben, een plek waar ze altijd op terug kunnen vallen. Of misschien is dat wel iets wat ik zelf zoek, en verschuil ik me daarin achter de kinderen.
Wat wil ik zelf? Weet je dat dat een vraag is die ik mezelf al stel sinds ik in dat tuincentrum de Terminator ben tegengekomen? Omdat ik daardoor het idee kreeg dat mijn ogen geopend werden voor het feit dat de tijd niet stilstaat, dat een mens in tien jaar tijd zo veel ouder – oud – kan worden?
Wil ik te veel, Lobke? Zie ik het helemaal verkeerd, zoals Ivo beweert? Jij kent me. Zal ik gelukkig kunnen worden in Amerika? Zullen Simon, Sofie en Manon daar 'sterke en stabiele mensen' worden, zoals Ivo beweert? Is Amerika zijn 'grote kans', zoals Ivo beweert?
Ivo beweert een heleboel, zo te lezen. Wat ik beweer doet niet ter zake, lijkt het wel. Wat wil ik zelf?
Weet je nog dat ik een tijdje geleden tegen je zei dat ik na de reorganisatie er een weekje tussenuit wilde met Ivo, om dan even zijn aandacht voor míj te vragen? Dat weekje kan ik dus wel op m'n buik schrijven, Ivo zal alleen nog maar minder tijd voor mij, voor ons hebben.
Ik weet dat Ivo goed is in zijn werk. Erg goed zelfs. Z'n baas geeft hem die 'grote kans'

niet voor niets. Maar die baas heeft andere belangen dan ik. Zoals ik het nu zie (maar misschien verandert dat nog, wie weet) heeft Ivo eerder de belangen van zijn baas op het oog dan die van zijn vrouw en kinderen. En misschien zelfs wel meer dan die van hemzelf, als je kijkt naar de langere termijn... Of hou ik juist een betere toekomst voor ons allemaal tegen door niet naar Amerika te willen?
Ik kom er niet uit. Ik weet alleen dat ik moe ben. Van het denken, van het tobben, van het afwegen, van het heen en weer schieten tussen 'wel meegaan' en 'niet meegaan' in Ivo's droom. Moe van het steeds moeten schipperen tussen Ivo en Simon, de twee mannen in mijn leven die me allebei op een andere manier nodig lijken te hebben.
Maar is dat wel zo? Heeft Ivo mij wel nodig bij het realiseren van zijn droom?
Ik ga naar bed. Misschien val ik wel in slaap en ziet het er morgen heel anders uit...

Fijn dat ik jou in de buurt weet. Laat het allemaal maar een beetje bezinken, dan doe ik het ook. Bel me maar niet, anders ga ik misschien gelijk lopen janken aan de telefoon. Ik zal me voor de kinderen toch een beetje groot moeten houden.

Dikke knuffel,

Joyce

16

'Lobke!'
'Hè, wat?' Lobke schrok op uit haar gepeins.
'Ik heb al twee keer gevraagd of je nog een kopje thee wilt,' riep Roel vanuit de keuken.
'Thee? O, ja, doe maar.'
'Zat je te slapen?' vroeg Roel toen hij even later met twee glazen thee naar buiten kwam, waar Lobke op het enige schaduwrijke plekje in hun tuin zat. Het was een warme dag. Matthijs lag met niet meer dan een luier en een rompertje aan te slapen.
'Nee, ik sliep niet, maar ik doe niet anders dan tobben over Joyce en Ivo.'
'En, helpt dat?'
'Nee, natuurlijk niet. Maar ik heb zo met haar en Simon te doen.'
Lobke had Roel in grote lijnen verteld over de mail van Joyce. Hij had schouderophalend gereageerd: 'Lastige situatie, voor allebei.' Nu zei hij: 'En Ivo dan?'
'Hoezo, en Ivo dan?'
'Nou, voor hem zal het toch ook moeilijk zijn, als Joyce iets heel anders wil dan hij.'
'Volgens mij vindt hij dat niet moeilijk, alleen maar lastig, en is alleen wat híj wil belangrijk.'
'Ivo is nu eenmaal erg ambitieus. Het is toch logisch dat hij blij is met de kansen die zijn baas hem biedt?'
'Maar het draait toch allemaal niet alleen om hem? Joyce en de kinderen zijn er toch ook nog?'
'Soms zijn er omstandigheden waarin mensen niet altijd kunnen doen wat ze willen, omdat een ander op dat moment even voorgaat. Zoals toen jij ziek was, toen draaide het in jullie gezin bijna alleen maar om jou.'
Lobke keek hem fel aan. 'Dat is heel wat anders! Ik was ziek, daar kon ik niks aan doen!' Ze schudde haar hoofd. 'Ik snap niet dat je dát voorbeeld vergelijkbaar vindt met wat er nu in het gezin van Ivo en Joyce speelt. Ik had geen keus, die leukemie overkwam me. Ivo heeft die keus wel, hij kan ervoor kiezen om wel of niet naar Amerika te gaan!'

'Je hoeft niet boos te worden. Je hebt gelijk, Ivo heeft die keus. Maar Joyce heeft toch ook een keus hoe ze daarmee omgaat? Ze kan erin meegaan en ze kan ertegenin gaan.'
'Ik denk dat Joyce haar keus op dit moment meer laat bepalen door de belangen van Simon dan door de belangen van Ivo. Logisch toch? Je kind gaat toch altijd voor?'
'Hoe weet Joyce zo zeker dat het voor Simon niet goed is om naar Amerika te verhuizen? Voor 't zelfde geld heeft hij het daar prima naar zijn zin. Ik hoor je trouwens alleen maar over Joyce en Simon, hoe zit het met Sofie en Manon?'
'Die hebben elkaar, dat is anders.'
'Maar die zullen in Amerika toch ook weer naar een nieuwe school moeten en hun vriendinnetjes van hier missen.'
'Voor wie ben je nu eigenlijk?' vroeg Lobke. 'Eerst zeg je dat Amerika wel een goed idee is, en nu noem je daar weer bezwaren tegen.'
'Ik zeg helemaal niet dat naar Amerika gaan een goed idee is, ik zeg alleen dat er meerdere kanten aan zitten, zowel positieve als negatieve, voor iedereen: Ivo, Joyce, Simon, Sofie en Manon. En daarbij is het ook nog eens moeilijk om te voorspellen hoe iedereen op zo'n verhuizing zal reageren. Dat is koffiedik kijken. Ivo en Joyce zullen daar samen een afweging in moeten maken en allerlei factoren daarin mee moeten nemen, ook de belangen van de kinderen. Dat kun jij niet voor hen doen.'
'Zoals ik het begrijp van Joyce is er van een gezamenlijke afweging geen sprake. Ivo krijgt de kans om naar Amerika te gaan, dus gaan ze. Punt.'
'Dat zegt Joyce, ja. Heb je Ivo's kant van het verhaal ook gehoord?'
Lobke werd steeds feller. 'Ik ken Joyce al vanaf m'n vierde, en ik ken haar goed genoeg om te weten dat ze de dingen niet overdrijft om haar zin te krijgen. Joyce is helemaal niet iemand die zichzelf op de voorgrond dringt, daar is ze veel te bescheiden voor, zij is juist iemand die zichzelf wegcijfert. Maar als het om haar kinderen gaat, wordt ze als een leeuwin die haar welpen beschermt. Zo zijn moeders nu eenmaal.'
'Alsof vaders niet het belang van hun kinderen op het oog hebben! Wie zegt jou dat Ivo's ambitie niet juist met zijn kinderen te maken heeft? Omdat hij zich voor hen verantwoordelijk voelt en hun een goede toekomst wil geven?'

Lobke maakte een snuivend geluid. 'Ivo denkt maar aan één ding: zichzelf.'
'Je doet hem naar mijn bescheiden mening daarmee heel erg tekort. Ivo heeft ook idealen voor een betere wereld.'
'Gehad, ja, maar daar is nu weinig meer van te merken.' Lobke ging steeds harder praten.
Roel gebaarde in de richting van de buren en fronste zijn wenkbrauwen. 'De buren hoeven niet mee te genieten van onze discussie,' zei hij zacht.
Lobke temperde haar volume. 'Ik snap niet dat jij nu voor Ivo opkomt,' zei ze met ingehouden boosheid. 'Je hebt toch zelf gezien hoe vervelend hij was toen Joyce haar verjaardag vierde? Je wilde zelfs iets eerder naar huis en maakte nog die opmerking dat je Matthijs gebruikte als excuus om niet langer te hoeven blijven.'
'Dat kwam niet doordat ik Ivo vervelend vond doen, dat kwam doordat ik die voelbare spanning tussen Ivo en Joyce niet prettig vond. Jij zat je op te winden over Ivo, ik niet. Ik wilde me daar alleen niet mee bemoeien.'
Lobke luisterde amper naar hem. 'Ik zat me op te winden omdat hij toen ook al zei dat de gevoelens van kleine kinderen niet zo diep gaan. Nou, ik denk dat die van Simon dieper gaan dan die van hem. IJskonijn!'
'Hoe weet je dat nou? Jij weet toch niet wat Ivo voelt?'
Lobke haalde haar schouders op. 'Ivo is niet meer degene die hij was toen hij bij ons op school zat. Toen zat hij nog vol idealen, daarom heeft hij toen ook meegedaan aan dat uitwisselingsprogramma met Puerto Rico. Hij wilde iets op het gebied van ontwikkelingshulp gaan doen. Nou, het enige wat hij nu wil ontwikkelen is zijn positie, zijn inkomen, zijn status en de relatie met zijn baas. Wat zijn vrouw en kinderen willen, doet niet ter zake, of is in elk geval ondergeschikt.'
'Maar ook al zou dat zo zijn, dan is dat iets tussen Joyce en Ivo. Het heeft totaal geen zin als jij daarover loopt te piekeren of je daarover opwindt.'
'Joyce gaat me aan het hart.'
'Joyce is groot genoeg om voor zichzelf op te komen.'
'Het is moeilijk voor jezelf op te komen als je partner zo dwingend is.' Lobke verhief haar stem weer.
Roel zuchtte. 'Kijk ons nu eens. Joyce en Ivo hebben relatieproblemen volgens jou, maar het gevolg is dat wij nu samen zitten te kissebissen op deze zonnige zondagmiddag. Hebben we niks leukers te bespreken?'

'Nee, ik weet niks leukers. M'n hartsvriendin verhuist misschien wel binnenkort naar de andere kant van de wereld. Ik moet er niet aan denken.'
Lobke staarde in de verte. 'Hoe zou het met Joyce zijn? Ik durf niet te bellen, dat wilde ze ook niet.'
'Zoiets heeft tijd nodig. En misschien maak je je wel zorgen om niks. Het is toch nog niet eens zeker dat ze naar Amerika gaan? Je zei toch dat Ivo en z'n baas zich eerst nog moeten oriënteren?'
'Ja, dat is waar.' Lobke zag weer wat hoop gloren. 'Nou, laten we dan maar hopen dat het niet doorgaat.'

Dat bleek echter ijdele hoop. Drie dagen nadat Ivo met z'n baas naar Amerika was geweest, werd de knoop doorgehakt: het bedrijf zag genoeg mogelijkheden om in Amerika een gedeelte van de markt te veroveren, en Ivo was degene die dat mocht gaan realiseren.
Joyce belde op woensdagmiddag naar Lobke en vroeg alleen maar: 'Ben je vanmiddag thuis? Ik móét even met iemand praten!'
'Kom maar,' zei Lobke.
Binnen een halfuur stond Joyce met de kinderen voor de deur. Ze zag er gespannen uit en had kringen onder haar ogen, maar deed gemaakt vrolijk toen ze binnenkwam. Ze gebaarde naar de kinderen en fluisterde: 'Zij weten nog van niks.'
Even later zaten de kinderen buiten te spelen in de zandbak. Joyce wilde liever binnen zitten, zodat ze rustig konden praten. Vanaf de eettafel konden ze de kinderen in de gaten houden.
Lobke zorgde voor thee, daarna vertelde Joyce haar verhaal. Ze keek Lobke wanhopig aan. 'Fijn dat je even tijd voor me had. Ik vlieg thuis tegen de muren op. Ivo heeft vanmorgen een sms'je gestuurd, Amerika gaat door, in oktober moeten we daarnaartoe.'
Het nieuws viel als een bom tussen hen neer. Lobke was er al bang voor geweest na het telefoontje van Joyce. Ze pakte Joyce' hand en wist even niets te zeggen.
Joyce zag eruit alsof ze elk ogenblik in huilen kon uitbarsten. Ze staarde naar buiten. 'Wat moet ik nu? Wat moeten wij nu? Ik wíl helemaal niet naar Amerika! Ik wíl helemaal niet opnieuw verhuizen. Ik moet er niet aan denken!'

'Ik ook niet!' wilde Lobke roepen, maar ze hield zich in. Het ging nu even niet om haarzelf.
'Wat moet ik nu doen, Lobke? Zeg jij het eens!' Joyce keek haar aan, en de tranen hadden een weg gevonden naar buiten en gleden over haar wangen. Ze veegde ze driftig weg met de muis van haar hand.
'Dat kan ik niet voor jou bepalen,' zei Lobke zacht. 'Dat is iets tussen Ivo en jou.'
Joyce snoof. 'Iets tussen Ivo en mij? Ivo denkt alleen maar aan wat híj wil. En dat is Amerika.'
'Heeft hij helemaal geen begrip voor jouw idee daarover?'
Joyce schudde haar hoofd. 'Nee. Ik ben er een paar keer over begonnen, 's avonds, als de kinderen in bed lagen, want ik wil niet dat zij erbij zijn als we ruzie hebben. Maar Ivo kapt het steeds af, zegt dat het allemaal best goed zal komen als we er eenmaal zitten, dat ik me zorgen maak om niets, en...' Ze veegde weer haar tranen weg, die maar bleven stromen. Lobke haalde een pakje papieren zakdoekjes uit een la van het dressoir en gaf het aan Joyce.
'Ivo zit al met z'n hoofd in Amerika,' ging Joyce verder. 'Ik heb het idee dat wat ik ook zeg, het helemaal niet bij hem binnenkomt. Soms zou ik hem wel door elkaar willen rammelen en gillen: "Luister nu ook eens naar mij!" Maar ik doe het niet. Waarom niet?'
'Misschien zou je dat juist wel moeten doen,' zei Lobke.
Joyce zuchtte. 'Ik word gek van mezelf, weet je dat? Mijn gedachten rennen rondjes door m'n hoofd, ze staan niet meer stil, ik word er zelfs duizelig van. Wat moet ik nou doen?' vroeg ze weer.
Lobke wilde haar vriendin graag helpen zonder voor haar te bepalen wat ze moest doen. Maar hoe? Plotseling schoot haar iets te binnen. 'Er stond laatst iets in een tijdschrift over keuzes maken,' zei ze. Ze pakte pen en papier uit het dressoir en tekende een kwadrant op het papier. Linksboven zette ze: *Voordelen mee naar Amerika*, rechtsboven *Voordelen hier blijven*, linksonder *Nadelen mee naar Amerika* en rechtsonder *Nadelen hier blijven*. Ze liet het aan Joyce zien en zei: 'Dit kan je misschien helpen om wat orde in je hoofd te brengen. Wat zijn de voordelen van mee naar Amerika gaan?'
'Het enige voordeel dat ik zie is dat we dan als gezin bij elkaar blijven. Verder zie ik alleen maar nadelen, en die kan ik er genoeg opnoemen.

Kunnen we daar niet mee beginnen?'
'Oké. Begin maar.'
'We moeten binnen een jaar weer opnieuw verhuizen.'
'Waarom is dat een nadeel?' vroeg Lobke, en toen ze Joyce verontwaardigd zag kijken, lachte ze: 'Niet zo lelijk kijken, ik help je alleen maar om de dingen duidelijker te krijgen.'
'Ik kan wel merken dat jij nog nooit verhuisd bent,' zei Joyce. 'Verhuizen brengt een hoop soesa met zich mee, zeker als dat een verhuizing naar een ander land is. En omdat Ivo weinig thuis is, komt dat weer allemaal op mij neer.'
'Dus het gaat niet zozeer om het verhuizen zelf, maar om de soesa die een verhuizing met zich meebrengt die je niet wilt.'
'Ja. Nee, het gaat ook om het verhuizen zelf. En om wat dat met Simon zal doen.'
'Hoe schrijf ik dat op?'
Joyce zuchtte maar weer eens. 'Wat is dat moeilijk, zeg. Heb je niks makkelijkers?'
'Kom op, Joyce, even doorbijten. Doe maar net alsof we weer even op school zitten en een werkstuk voor de Terminator moeten maken.'
Joyce lachte nu door haar tranen heen. 'Oké, juf.'
Het invullen van het kwadrant ging steeds beter. Joyce ging wat meer rechtop zitten en werd rustiger, alsof er op deze manier naar kijken wat afstand schiep tussen haar gevoel en haar verstand. Lobke hielp haar door steeds door te vragen als haar iets niet duidelijk genoeg was.
Af en toe werden ze onderbroken doordat een van de kinderen binnenkwam om te plassen of om iets te drinken, maar na een uur hadden ze alle kwadranten ingevuld.
'En nu?' vroeg Joyce.
'Dit kan je helpen om een afweging te maken,' legde Lobke uit. 'Overal zitten voor- en nadelen aan. Door te kiezen voor meegaan naar Amerika accepteer je de nadelen die daar ook bij horen. Of als je kiest voor hier blijven omdat je de nadelen van mee naar Amerika niet wilt, dan loop je daardoor ook de voordelen mis die er wél aan zitten. Dit is ook nog lang niet volledig, er schiet je vast nog wel meer te binnen als je er zo mee bezig bent. En sommige voor- of nadelen zullen zwaarder wegen dan andere bij

het maken van een keuze.'
Ze wees naar de eerste regel in de linkerbovenhoek. 'Je noemt als belangrijkste voordeel van mee naar Amerika dat jullie dan als gezin bij elkaar blijven,' zei ze. 'Dat lijkt me een zwaarwegend argument.'
Joyce knikte. 'Dat is het ook. Tenminste, voor mij. Ik vind dat de kinderen een vader én een moeder nodig hebben.'
'Ook als die vader amper tijd en aandacht voor zijn kinderen heeft?' Lobke sloeg haar hand voor haar mond. 'Sorry, dat had ik niet moeten zeggen.'
Joyce lachte wrang. 'Nee. Maar je hebt wel gelijk. Dat speelt de laatste week ook steeds door mijn hoofd. Als ik heel eerlijk ben tegen mezelf, is de enige reden waarom ik met Ivo mee zou gaan naar Amerika dat we dan bij elkaar zouden zijn, en dat onze relatie dan tenminste nog een kans zou hebben. Maar dat is een illusie. Ivo zal in Amerika nog minder tijd voor me hebben dan nu.'
Het was alsof dat hardop zeggen haar ineens wat helderheid gaf. 'Weet je, toen ik met Ivo trouwde was hij de man met wie ik oud wilde worden. Maar nu...' Even was het stil, toen ging ze verder: 'Nu zie ik steeds het huwelijk van zijn ouders voor me. Een man en een vrouw die volkomen langs elkaar heen leven, die hun geld en hun status gebruiken om nog iets van hun leven te maken, en die neerkijken op mensen die minder status of minder geld hebben. Zo wil ik niet worden. Maar die kant gaat Ivo wel op...'
Lobke durfde niets te zeggen, ze keek haar vriendin gespannen aan.
'Dat had ik ook wel bij *Nadelen mee naar Amerika* kunnen zetten, dat we dan net zo'n huwelijk krijgen als zijn ouders,' zei Joyce bitter. Ze speelde wat met de pen. 'En bij de voordelen: nog meer status voor Ivo, nog meer geld. Maar dat zou bij mij juist in het nadelenkwadrant staan.'
Ze zuchtte. 'Het invullen van die kwadranten maakte me duidelijk wat ik eigenlijk wel wist maar wat ik steeds voor me uit geschoven heb: Ivo en ik zijn uit elkaar gegroeid. Ik heb me steeds aan elke strohalm vastgeklampt omdat ik niet aan de gedachte van een scheiding wilde toegeven. Omdat ik vast wilde blijven houden aan "tot de dood ons scheidt". En misschien ook wel omdat ik laf ben. Omdat ik me afvraag of het me wel lukken zal zonder Ivo. Omdat ik dan m'n luxeleventje vaarwel zal moeten zeggen. Alhoewel, ik heb het wel vaker gezegd, voor mij hoeft al die luxe niet zo.

Ik zou net zo gelukkig zijn in een hutje op de hei. Maar 't was af en toe wel prettig dat geld geen rol speelde. En als Ivo en ik uit elkaar zouden gaan, zouden de kinderen en ik alsnog moeten verhuizen, want ik kan in m'n eentje nooit de kosten voor ons huis in Oudewater opbrengen. Dus valt dat voordeel onder *Hier blijven* ook weg.'
Ze keek Lobke aan. 'Zeg jij nou ook eens wat.'
Lobke schudde haar hoofd. 'Ik zou niet weten wat.'
Joyce staarde naar buiten. 'Ik heb de afgelopen weken heel wat nachten wakker gelegen, maar heb de gedachten aan een scheiding steeds weggeduwd. Toch bleef dat maar door m'n hoofd spelen. Maar ik wilde dat de kinderen niet aandoen. Ik dacht dat het voor de kinderen het beste was als hun papa en mama bij elkaar bleven. Maar misschien is dat niet zo.'
Ze pakte het papier op dat ze die middag ingevuld hadden. 'Misschien moet ik ook maar eens zo'n papier maken over de voor- en nadelen van een scheiding.'
'Dat kan. Maar je kunt ook proberen Ivo duidelijk te maken dat dat voor jou een serieuze optie is.'
'Dat zou ik ook kunnen doen. Maar of dat hem iets uitmaakt...?'

De volgende morgen om negen uur belde Joyce naar Lobke. 'Gisteravond hebben we een knallende ruzie gehad. Ivo zat natuurlijk vol van z'n bericht over Amerika en wilde erover praten, maar ik heb hem opgevangen bij de voordeur en hem gevraagd om daarmee te wachten tot de kinderen in bed lagen. Gelukkig deed hij dat, en toen ze in bed lagen heb ik hem plompverloren meegedeeld dat de kinderen en ik niet meegingen naar Amerika. Hij werd kwaad, en het ene woord haalde het andere uit, en ik liet me bijna weer omverpraten door hem. Toen ik dat merkte, durfde ik het woord "scheiding" te laten vallen. Daar werd hij helemaal witheet van. Hoe ik dat in mijn hoofd haalde, en of hij soms niet goed genoeg voor ons allemaal zorgde en zo. Alsof alleen het materiële telt. Ik zei toen dat ik een man wilde die aandacht aan me besteedde en die tijd voor zijn kinderen vrijmaakte. Maar dat kwam later wel, zei hij, zijn carrière ging nu even voor, zo'n kans als deze kreeg hij nooit meer. Afijn, het eind van het liedje was dat ik m'n mond maar weer hield en dat we naar bed gingen. Hij hoopt natuurlijk dat ik alsnog overstag ga. Zoals altijd. Maar deze keer dus niet!'

Haar stem klonk grimmig.
'Werden de kinderen niet wakker van jullie ruzie?'
'Dat weet ik niet. Simon keek vanmorgen wel heel bezorgd, dus mogelijk heeft hij het een en ander opgevangen. Ik heb hem maar een extra knuffel gegeven, wist het anders ook niet. Ik kan hem moeilijk betrekken bij de problemen tussen Ivo en mij.'
'Hij is gevoelig genoeg om toch allerlei signalen op te vangen, dat voorkom je niet.'
'Nee, helaas niet.' Joyce zuchtte.
'En nu?' vroeg Lobke.
'Ik heb vanmorgen eerst de kinderen naar school gebracht, en nu zit ik met een papier voor me en ga ik net als gisteren de voordelen én nadelen van een scheiding bedenken.'
'Zou je die stap uiteindelijk toch willen nemen?'
'Ik weet het nog steeds niet. Ook zo'n stap zal z'n impact hebben op de kinderen, net als een verhuizing naar Amerika. Soms denk ik: wat doe ik hun aan! Maar dan weer denk ik dat dit misschien het juiste moment is om een andere weg in te slaan. Als ik meega naar Amerika en ik kom er daar na een halfjaar achter dat ik niet langer met Ivo verder wil, zit ik daar in m'n uppie in een vreemd land. Nee, dan kan ik dat beter nu beslissen.'
'Dat klinkt wel akelig rationeel...'
'Ja, dat is het ook. Maar m'n hart geeft allerlei tegenstrijdige signalen af, dus daar heb ik ook niks aan.'
'Nou, dan wens ik je veel wijsheid toe bij het nemen van een beslissing.'
'Dank je. Dat zal ik nodig hebben. Enne... nog bedankt voor gisteren.'
'Nou, zo veel heb ik niet gedaan, ik heb alleen maar opgeschreven wat jij me vertelde.'
'Onzin. Je hebt me hartstikke goed geholpen, dankzij jou kreeg ik het allemaal weer een beetje op een rijtje. Door de dingen hardop te benoemen, kon ik er niet meer omheen.'
'Ik was blij dat je naar me toe kwam.'
'Waar had ik anders naartoe gemoeten? Naar m'n ouders? Die zouden zich alleen maar zorgen maken. M'n schoonouders was ook geen optie, die zouden alleen maar bevestigd zien dat ik geen goeie vrouw ben voor hun Ivo omdat ik zijn droom in de weg sta. En m'n broers en schoonzussen hebben

genoeg aan hun eigen problemen.'
'Fijn dat ik tenminste nog wat voor je kon doen. Lukt het wel in je eentje, dat formulier invullen?'
'Ja hoor, dat móét ik juist alleen doen. Het is míjn beslissing, wat ik ook kies.'
'Het is jouw beslissing, dat is waar. Maar wat je ook kiest, ik sta vierkant achter je.'
'Fijn om te weten.'

Lobke hoorde een paar dagen niets van Joyce. Ze nam haar telefoon niet op en reageerde ook niet op sms'jes of mails. Ook op berichten die Lobke op de voicemail achterliet, werd niet gereageerd. Lobke maakte zich zorgen en deelde dat met Roel. 'Joyce heeft me donderdag voor 't laatst gebeld, en nu is het alweer woensdag. Dan zijn de kinderen 's middags toch vrij? Maar ze nam ook vanmiddag niet op, ik kreeg weer de voicemail. Ik snap er niets van.'
'Bemoei je er nu niet mee,' waarschuwde hij. 'Ik vind dat je al te ver gegaan bent door Joyce dat idee van die kwadranten aan de hand te doen en haar die te helpen invullen. Straks heb jij het nog gedaan als het niet meer goed komt tussen die twee.'
'Ik wilde haar alleen maar helpen,' protesteerde Lobke fel. 'Joyce is mijn beste vriendin. Wat had ik dan moeten doen toen ze me belde? Zeggen dat ze het maar alleen uit moest zoeken?'
Roel hief verdedigend zijn handen op. 'Hoho. Ik mag toch mijn mening hebben? Ik zou het zelf ook niet prettig vinden als een ander zich met mijn relatie bemoeide, goeie vriendin of niet.'
'Nou, ik sta er nog steeds achter. Waar zou ze nu toch zijn?' Ze keek hem bezorgd aan. Ineens schrok ze. 'Hij zal haar of de kinderen toch niet iets aangedaan hebben? Je hoort de laatste tijd wel vaker zoiets...'
'Doe niet zo raar,' wierp Roel tegen. 'Ivo is zo niet.'
'Zoiets komt altijd onverwacht. Dat zeggen ze toch altijd in de buurt als er zoiets gebeurt, dat het een gewoon gezin was, en dat het zo'n rustige man was en zo. Niemand ziet zoiets aankomen. Hij kan toch ineens geflipt zijn of zo, omdat Joyce het over scheiden had?'
Roel schudde beslist zijn hoofd. 'Die scheiding is nog lang geen feit.

Misschien heeft Joyce dat alleen maar gezegd om hem duidelijk te maken dat ze echt niet mee wilde.'
'Nou, ze leek me anders serieus genoeg toen ze het daarover had.'
'Ik kan het me niet voorstellen. Het was altijd zo'n leuk stel. Nee hoor, het loopt vast zo'n vaart niet.'
'Ik help het je hopen. Maar ik zou toch wel erg blij zijn als ik wat van Joyce hoorde. Al belt ze me maar even dat het goed met haar gaat.'
'Anders rijd je er morgenochtend even langs,' stelde Roel voor. 'Je zult zien, er is niks aan de hand.'

17

LOBKE STOPTE VOOR DE GROTE WITTE VILLA EN STAPTE UIT. ER STONDEN GEEN auto's op de oprit. Ze haalde Matthijs uit het kinderzitje en liep met hem naar de voordeur, waar ze aanbelde. Geen reactie.

Nog eens bellen. Weer geen reactie.

Daarna keek ze door het raam naar binnen. De kamer zag er akelig netjes uit, geen kinderspeelgoed op de bank of vloer.

Dan maar eens achter kijken. Lobke liep langs de zijkant van het huis onder de boogpergola door naar de achtertuin. Ook daar was niets of niemand te zien. De tuin was een lust voor het oog, maar niemand die daarvan genoot.

Lobke werd steeds ongeruster. Joyce en de kinderen zouden toch niet boven liggen, stel dat Ivo...

Doe niet zo mal, hield ze zichzelf voor. Maar ze werd er niet geruster op.

'Ze zijn er niet,' hoorde ze ineens een vrouwenstem. Ze keek op. Mevrouw Gabriëlse, de buurvrouw, keek om het hoekje van de heg.

'Weet u waar ze naartoe zijn?' vroeg Lobke, blij dat ze ten minste iemand zag.

'Nee, Joyce en de kinderen zijn zaterdagochtend vroeg vertrokken. Ik zag haar de auto inladen en even later vertrekken.'

'En ze is na zaterdag niet meer teruggekomen?'

'Nee. Ik heb tenminste niets gezien.'

'En Ivo, is die ook mee?'

'Nee, ik denk het niet. Ik heb hem niet gezien, maar Ivo's auto heeft het hele weekend op de oprit gestaan, en die was maandag weer verdwenen. Volgens mij moest hij een dezer dagen weer naar Engeland.'

'Maar de kinderen moeten toch naar school?'

'Tja, dat leek mij ook, maar ik heb geen idee waar ze naartoe is.'

Lobke snapte er niets van. Ze pakte Matthijs bij de hand, zei de buurvrouw gedag en liep weer naar de auto. In de auto probeerde ze nog maar eens Joyce te bellen met haar mobieltje. Geen gehoor.

Dan maar weer een sms'je: *Sta nu voor je huis. Waar zit je toch?*

Ze was nog maar net weer thuis toen de telefoon ging. Ze keek op de dis-

play: een voor haar onbekend nummer.
'Met Lobke Sikkens.'
'Lobke, je spreekt met mevrouw Den Heyer.'
Mevrouw Den Heyer, de moeder van Joyce!
Haar stem klonk wat zenuwachtig. 'Lobke, weet jij dat Joyce hier zit met de kinderen?'
'O, gelukkig!' ontsnapte het aan Lobke.
'Nou, zo gelukkig zijn wij er anders niet mee. We hebben maar een kleine flat en...'
Lobke legde maar niet uit waarom zij wel gelukkig was met dit teken van leven. 'Mag ik Joyce even aan de telefoon? Ik probeer haar al een paar dagen te pakken te krijgen, maar ze neemt steeds niet op.'
'Joyce is er nu niet, die is met de kinderen om een boodschap. Daarom bel ik juist nu naar jou.'
'Waarom zit Joyce bij u? Ik begreep van de buurvrouw dat ze al vanaf zaterdag weg is. Is ze toen al naar jullie toe gegaan?'
'Ja, ze stond ineens voor de deur met de kinderen. Weet jij dat ze wil scheiden van Ivo?'
Dus toch. 'Ze heeft het er wel met me over gehad, maar ik wist niet dat het al zover was.'
'Kun jij niet eens met haar praten? Naar jou luistert ze misschien wel. Jij bent haar beste vriendin.'
'Met haar praten? Waarover?'
'Nou, dat ze dat belachelijke idee van een scheiding uit haar hoofd moet zetten. Hoe kan ze dat nou doen? Als jij nou tegen haar zegt...'
Lobke voelde dat haar haren overeind gingen staan. 'Nee!' onderbrak ze Joyce' moeder. 'Joyce moet alleen maar bij Ivo blijven als ze dat zélf wil, niet omdat ik haar dat zeg. Zo werkt het niet.'
'Is er nou echt niets aan te doen?' jammerde mevrouw Den Heyer. 'Hier kunnen ze toch ook niet blijven?'
'Weet Ivo dat ze bij jullie zit?' vroeg Lobke.
'Ja, ze heeft hem zaterdag gebeld dat ze niet meer naar hem teruggaat. Maar...'
'En de kinderen? Die moeten toch naar school?'
'Ze heeft naar school gebeld dat Simon ziek was en dat ze de meisjes ook

een paar dagen thuishield omdat die niet lekker waren. Maar ze kunnen hier toch niet blijven?'

'Wilt u aan Joyce vragen of ze mij belt zodra ze terug is?' vroeg Lobke dringend.

Verbijsterd legde ze daarna de telefoon neer. Dit ging allemaal wel heel snel!

Even later ging de telefoon weer. 'Met Lobke.'

'Met Joyce.'

'Weet je dat ik me hartstikke ongerust gemaakt heb over jou, over jullie?' viel Lobke uit. De spanning die in haar lijf had gezeten zocht nu een uitweg.

'Sorry.'

'Waarom reageerde je niet op m'n sms'jes of op de berichten die ik ingesproken heb?'

'Ik zei toch al sorry.' De stem van Joyce klonk kleintjes.

'Hoe moet het nu verder met jullie? Jullie kunnen toch moeilijk daar blijven wonen in die kleine flat.'

'Dat weet ik wel, maar ik moest gewoon weg uit dat huis, bij Ivo vandaan. En ik kon toch moeilijk met de kinderen bij jou aankloppen.'

Nee, dat snapte Lobke ook wel. 'En terug naar Oudewater?'

'Dat is geen optie meer,' zei Joyce beslist. 'Als je wist wat Ivo vrijdagavond allemaal naar m'n hoofd gegooid heeft... Hij maakte me uit voor van alles en nog wat. Ik had het ineens gehad met hem. Het was alsof ik toen pas zag hoe hij werkelijk was. We hebben tegen elkaar lopen schreeuwen, en ik heb ook dingen gezegd die ik achteraf gezien beter niet had kunnen zeggen. Ivo dreigde eerst nog dat hij de kinderen mee zou nemen naar Amerika als ik bij hem wegging, maar zag uiteindelijk toch ook wel in dat dat onzin was, hij heeft daar helemaal geen tijd voor hen. De kinderen waren wakker geworden van ons geschreeuw en stonden op een gegeven moment alle drie beneden. Daar kalmeerden we allebei van, en ik moet Ivo nageven dat hij erg zijn best deed om de kinderen gerust te stellen. Maar toen die eenmaal weer in bed lagen, was het enige wat hij zei: "Goed. Regel jij de papieren maar, ik teken wel." Daarna ging hij naar bed. Ik had geen zin om bij hem te gaan liggen en heb de nacht op de bank doorgebracht. De volgende morgen heb ik onze spullen gepakt en ben ik met de kinderen naar mijn

ouders gegaan. Ik moest gewoon weg daar.'
'Joh...' was alles wat Lobke uit kon brengen. 'En nu?'
'Ik had deze dagen nodig om wat afstand te nemen, en ik denk dat ik er nu uit ben. Ik vraag aan Ivo of hij tijdelijk bij zijn ouders in kan trekken, en of de kinderen en ik dan in ons huis mogen blijven wonen tot ik iets anders heb, zodat de kinderen weer gewoon naar school kunnen. Ik wil kijken of ik een huurhuis kan vinden in Oudewater, want ik wil het de kinderen niet aandoen om weer naar een andere school te moeten. Het is maar voor een paar maanden, want eind september gaat Ivo naar Amerika. En ik ga dan werk zoeken. Ivo zal voor de kinderen wel alimentatie betalen, maar ik wil zelf niet van hem afhankelijk zijn.'
'Dapper van je,' vond Lobke.
'Ik moet wel.'
'Kan ik iets voor je doen?'
'Ja, aan me denken.'
'Dat doe ik de hele tijd al. Daarom was ik ook zo ongerust.'
'Nogmaals sorry, ik wilde gewoon even helemaal niks tegen niemand hoeven zeggen over waar ik mee bezig was voor ik er zelf uit was.'
'Hoe is het nu met de kinderen?'
'Ik heb zaterdag alleen maar gezegd dat we bij opa en oma gingen logeren. Simon vroeg nog waarom Ivo niet meeging, dus toen heb ik maar gezegd dat papa thuis moest werken. Zondagmiddag heb ik hun uitgelegd dat papa en mama niet meer genoeg van elkaar hielden om bij elkaar te blijven wonen en dat we deze week zouden gebruiken om van alles te regelen.'
'Hoe reageerden ze?'
'De meisjes begonnen meteen te huilen, maar Simon keek me alleen maar aan met die grote ogen van hem en vroeg: "Hoef ik dan niet naar Amerika?" En toen ik nee zei, zei hij alleen maar: "Dan is het goed." Dat sterkte me in mijn beslissing, al heb ik het er de hele week nog moeilijk mee gehad.'
'Dat kan ik me voorstellen, het is allemaal toch ineens erg vlug gegaan.'
'Ja, maar nu heb ik er vrede mee. Het ging al veel langere tijd niet goed, maar ik heb dat steeds voor me uit geschoven met het idee van: later, als we weer meer tijd voor elkaar hebben, komt het wel weer goed. Maar ik ga nu niet meer zitten wachten op later, ik leef nu.'

Ivo ging akkoord met het voorstel van Joyce, hij zag het belang voor de kinderen wel in en trok tijdelijk bij zijn ouders in. Zijn opvolger in Waddinxveen werd al vanaf half juni ingewerkt, zodat Ivo zich steeds meer terug kon trekken om zich voor te bereiden op Amerika. Het huis in Oudewater werd te koop gezet en Joyce schreef zich in voor een huurwoning. Er was weinig aanbod, alleen een paar appartementen, en dat wilde Joyce niet, ze wilde in elk geval een tuin, al was het een kleintje. Het wilde overigens ook niet erg vlotten met de verkoop van het huis, zodat ze niet op een schopstoel zat. Zolang ze nog geen eigen huis had, mocht ze gratis in de villa in Oudewater blijven wonen, had Ivo grootmoedig toegezegd, en kreeg ze een redelijke toelage per maand om van te leven.
Ivo kwam af en toe een zondagmiddag langs om de kinderen te zien, maar na een uur of twee verdween hij dan weer. Een enkele keer haalde hij de kinderen op om ze een middag mee te nemen naar zijn ouders. Volgens Joyce was er een gewapende vrede tussen haar en Ivo, ze vermeden het om gevoelige onderwerpen aan te snijden. Nog voor Ivo naar Amerika vertrok, zou de officiële scheiding worden uitgesproken.

Lobke was op haar vrije dagen regelmatig bij Joyce te vinden. Joyce had veel behoefte aan een klankbord nu Ivo weg was uit haar leven en ze alleen voor de opvoeding van de kinderen stond, en Lobke vervulde die rol graag. Sofie en Manon reageerden sterker op het vertrek van Ivo dan Joyce voor mogelijk had gehouden, en vroegen regelmatig naar hem. Ze waren drukker dan anders en vroegen veel aandacht. Simon trok zich juist steeds meer terug in zichzelf.
'Hij denkt dat het zijn schuld is dat Ivo en ik uit elkaar zijn,' zei Joyce op een woensdagmiddag toen ze samen in de tuin in Oudewater zaten. De kinderen speelden in de zandbak. 'Omdat Ivo niet blij met hem was. Hij had ook tegen de juf al eens zoiets gezegd. Ik heb moeten praten als Brugman om dat uit zijn hoofd te krijgen.'
Ze zag er moe uit, zag Lobke. 'Gaat het wel goed met jou?'
Joyce haalde haar schouders op. 'Ach, ik slaap nog niet al te best. En ik zie op tegen de vakantie van de kinderen, dat ik zes weken lang overdag geen momentje meer voor mezelf alleen zal hebben. En 's avonds, als de kinderen in bed liggen, vind ik het juist weer erg stil. Gek hè, Ivo was zo vaak

weg, dus je zou zeggen dat ik het inmiddels wel gewend moest zijn om alleen met de kinderen te zijn, maar het is net alsof die verantwoordelijkheid nu zwaarder weegt. Ik mis Ivo niet, maar wel iemand naast me om dingen mee te delen.'
'Je mag de kinderen wel af en toe een dagje bij mij brengen in de vakantie,' stelde Lobke voor. 'Dan kun je eens een dagje shoppen of zo, iets doen wat je leuk vindt.'
'Shoppen zit er voorlopig niet in, ik zal op de kleintjes moeten gaan letten. Laat ik eerst maar eens een baan vinden.'
'Heb je al wat op het oog?'
'Niet echt. Maar ja, wat had je dan verwacht? Ik heb na m'n heao maar een halfjaar gewerkt en ben daarna getrouwd en naar Engeland vertrokken. Met mijn nul komma nul ervaring en drie kinderen wil niemand me hebben. Ik sta wel ingeschreven op het arbeidsbureau en twee uitzendbureaus, maar ze hebben weinig voor me, en wat ze hebben is meestal alleen maar een invulling van een zwangerschapsverlof, dus hooguit een halfjaar en dan vaak ook nog fulltime. Dat wil ik niet. En ik wil eigenlijk pas na de schoolvakantie aan de slag, want anders zit ik weer met oppas voor de kinderen.'
'Kun je je niet laten omscholen?'
'Tot wat?'
Lobke haalde haar schouders op. 'Doktersassistente of zo, of tandartsassistente.'
'Ze hebben hier drie huisartsenpraktijken, ik zou eens kunnen informeren, maar daar ligt niet echt mijn interesse.'
'Of iets met tuinen. Je hebt groene vingers.'
'Zouden er cursussen op dat gebied zijn die ik naast mijn gezin zou kunnen doen?'
'Kun je die zoon van hiernaast niet eens polsen, hoe heette hij ook alweer?'
'Peter.'
'Ja, die. Die heeft toch een eigen bedrijfje? En je kon het goed met hem vinden, dacht ik.'
Joyce veerde op. 'Ik zou hem eens kunnen bellen. Nee heb ik, ja kan ik krijgen.' Ze zocht in het telefoonboek van haar mobieltje. 'Ik heb zijn nummer hier nog in staan. Ja, ik heb het.' Ze drukte op de beltoets en hield het

mobieltje tegen haar oor. 'Z'n voicemail. Nou ja, dan probeer ik het vanavond wel. Wil je nog wat drinken?'
Lobke keek op haar horloge. 'Nee, ik ga naar huis, Roel komt ook zo thuis.'

Roel was er al, zag Lobke toen ze uit de auto stapte, zijn fiets stond tegen de schuurdeur. Ze opende de voordeur en liep meteen door naar de woonkamer, waar Roel voor de tv zat te zappen.
'Jij bent vroeg,' zei ze verwonderd.
'Ja, en jij bent laat.'
'Ik zat bij Joyce.'
'Alweer?' Lobke hoorde een geïrriteerde klank in zijn stem.
'Ja, alweer. Ze had het moeilijk.'
'Ze heeft er toch zelf voor gekozen om te scheiden? Wat had ze dan verwacht, dat het allemaal van een leien dakje zou gaan?' vroeg Roel cynisch.
'Nee, natuurlijk niet, maar het is toch logisch dat ze het er af en toe nog moeilijk mee heeft dat ze uit elkaar zijn? Ik bedoel... ze zal zich er bij haar huwelijk iets anders van voorgesteld hebben.'
'Ze zal toch een keer moeten leren om op eigen benen te staan en niet steeds op jou terug te vallen. Je zit er de laatste tijd wel erg vaak, het is Joyce voor en Joyce na,' mopperde Roel.
'Ben je vanmorgen met je verkeerde been uit bed gestapt?' vroeg Lobke. 'Je doet zo chagrijnig.'
'Ik had me erop verheugd dat ik een uur eerder naar huis kon zodat ik met jou en Matthijs nog lekker een poosje buiten kon zitten,' zei Roel. 'Maar helaas, jullie waren de hort op.'
'Dat kon ik toch niet weten?' verdedigde Lobke zich.
'Waar is Matthijs eigenlijk?'
Lobke keek om zich heen. 'O, die zit nog in de auto!' schrok ze. Ze rende meteen terug naar buiten. Ze verwachtte een brullende Matthijs aan te treffen, maar hij zat geboeid naar een vlinder te kijken die tegen de autoruit fladderde.
Roel kwam achter haar aan. 'Hoe kon je hem nou vergeten!' mopperde hij terwijl hij Matthijs uit zijn stoeltje haalde.
'Ik was zeker in gedachten, en toen ik zag dat jij al thuis was ben ik meteen naar binnen gegaan,' zei Lobke verontschuldigend. Ze had er zelf ook een

hekel aan dat ze Matthijs vergeten was.
Roel droeg Matthijs op zijn arm naar binnen. 'Stoute mama, dat ze jou zomaar vergat,' zei hij. 'Kom jij maar bij papa, hoor.'
'Toute mama,' schaterde Matthijs.
Ja, toute mama, dacht Lobke. Toch zat het haar niet lekker. Hoe kon ze Matthijs nu vergeten? Zat ze dan zo met haar gedachten bij Joyce? Had Roel gelijk?
Ze liep naar de keuken en zag dat Roel al aardappels geschild had. In de juspan lag nog een halve beenham van gisteren, en ze had in de voorraadkast nog wel een pot doperwten en wortelen staan. IJs als toetje en klaar was Kees.
Roel was al wat bijgedraaid toen ze aan tafel gingen, en ze legden na het eten samen Matthijs in bed. Toen ze beneden kwamen zei Roel echter: 'Lobke, we moeten eens praten.'
'O?'
'Ja. Ik heb het idee dat je de laatste weken, maanden al, meer aandacht hebt voor Joyce dan voor mij.'
Lobke voelde hoe ze haar stekels opzette. 'Joyce heeft me nodig.'
'Ik heb je ook nodig. Ik had me verheugd op een middag met jullie, maar jullie zaten bij Joyce. Gisteravond had ik zin om te vrijen, maar je had het niet eens in de gaten, je had het alleen maar over Joyce. Vorige week zondag wilde ik een lekker eind fietsen met z'n drietjes, maar jij wilde alleen maar mee als we naar Oudewater fietsten, omdat Joyce zo zielig alleen zat omdat Ivo de kinderen een dag mee had naar zijn ouders. En zo kan ik nog wel een poosje doorgaan.'
'Dan weet je ook eens hoe het voelt om geen aandacht te krijgen, iets wat Joyce de afgelopen jaren dagelijks meemaakte,' zei Lobke snibbig. 'Hoe was het ook alweer? O ja, "soms kunnen mensen niet altijd hun zin krijgen, omdat een ander op dat moment even belangrijker is". Dat zijn je eigen woorden. Tenminste, zoiets was het. Zoals toen ik ziek was, weet je nog? Dat vond ik nog zo'n stom voorbeeld. En nu gaat Joyce even voor. Zij zit in een moeilijke situatie.'
Roel zuchtte. 'Lobke, toe...'
'Nee, helemaal niet "Lobke, toe". Jíj was degene die destijds voor Ivo opkwam en vond dat Joyce haar eigen belangen maar opzij moest zetten

omdat Ivo de kans kreeg om naar Amerika te gaan.'
'Ik heb helemaal niet...' protesteerde Roel.
'Wel waar! Maar nu ik jou vraag om jouw eigen belangen even opzij te zetten omdat Joyce me nodig heeft, is het ineens iets anders?' Ze sloeg haar ogen naar het plafond en zei met ingehouden woede: 'Mannen...!'
Ze liep stampvoetend naar de keuken en ging driftig aan de slag met de vaat.
Roel kwam haar achterna. 'Moet ik nog helpen?'
'Nee, ik kan het best alleen,' brieste Lobke.
Roel zuchtte en liep weer terug naar de kamer. 'Vrouwen...' mompelde hij.
Toen Lobke even later de woonkamer binnenkwam met koffie en thee, zat Roel op de bank naar het nieuws te kijken. Ze zette de koffie voor hem op de salontafel, ging zwijgend in een van de fauteuils zitten en dronk haar thee.
Ze zwegen allebei de hele avond, en toen ze naar bed gingen, draaide Lobke zich meteen op haar zij met haar rug naar hem toe. 'Welterusten.'
'Kan er geen kus meer af?' vroeg Roel op een kwade toon.
Lobke draaide zich kort om, gaf hem een kus op zijn wang en draaide zich weer terug.
Roel keek even verbouwereerd. Toen verstrakte zijn gezicht. 'Nou, jij ook welterusten,' zei hij hard.

Lobke droomde. Ze was onderweg van Joyce naar huis en reed achter een bestelwagen aan. De bestelwagen was knalroze geschilderd, waarop in schuine letters een logo stond: *Lobke, voor al uw problemen.* De auto trok een flinke kar mee waarin zo te zien een lading stenen lag. Halverwege tussen Montfoort en Oudewater stopte de auto. Joyce stapte uit, zij laadde de stenen uit de kar en begon daarmee een muurtje op te stapelen dwars over de weg.
Lobke zag Roel in de verte aankomen, ze zwaaide naar hem. Naast Roel liep Matthijs. Achter Roel en Matthijs ontdekte ze de Terminator en zijn vrouw. Ze schreeuwden schorre kreten en hadden allebei een stok in hun handen waarmee ze liepen te zwaaien.
Lobke wilde over het muurtje heen klimmen om bij Roel en Matthijs te

komen, maar Joyce hield haar tegen. 'Hier blijven,' zei ze. 'Pas op, straks pakt de Terminator je, en dan word je net zo oud als hij.'
'Maar ik moet naar Roel toe!' jammerde Lobke. 'Anders komt hij in de problemen door de Terminator.'
'Als de Terminator je te pakken krijgt, heb jíj een probleem,' zei Joyce. 'Sterker nog, jij bént het probleem. Dat zie je toch aan dat logo?'
De Terminator en zijn vrouw hadden nu Roel en Matthijs ingehaald. Roel keek angstig opzij. Hij tilde Matthijs op en begon te rennen.
'Roel, pas op!' riep Lobke. 'Joyce, haal die muur weg, anders kunnen Roel en Matthijs er niet door!'
Maar Joyce stapelde steeds meer stenen op elkaar. 'Pas op voor de Terminator,' bleef ze herhalen. 'Anders krijgt hij je te pakken.'
De muur werd hoger en hoger. Lobke kon er nog maar amper overheen kijken. Roel en Matthijs waren nu vlak bij de muur.
Roel gooide Matthijs over de muur heen. 'Vangen!' riep hij.
Lobke ving Matthijs op en klemde hem tegen zich aan. De muur was nu zo hoog dat ze Roel niet meer zag. Joyce was verdwenen, en de schreeuwen van de Terminator en zijn vrouw hoorde ze ook niet meer. Het was ineens doodstil geworden op straat, alsof iedereen de adem inhield in afwachting van wat er zou gebeuren.
De tranen liepen bij Lobke over de wangen.
'Roel!' riep ze. 'Spring, Roel!'
'De muur is te hoog!' hoorde ze Roel roepen.
Lobke keek om zich heen. Waar was Joyce nu gebleven? Dan kon zij die muur afbreken. Lobke kon dat niet, zij moest Matthijs vasthouden.
Maar Joyce was in geen velden of wegen te bekennen. Wel kwam er iemand anders aanlopen. Ivo.
'Ivo, wil jij die muur afbreken?' smeekte Lobke. 'Roel kan er niet overheen komen.'
'Als Roel een echte vent was, zou hij die muur zelf wel af kunnen breken,' zei Ivo. 'Die muur is gebouwd door een vrouw, dus die kan nooit al te stevig zijn. Mannen zijn sterk, vrouwen zijn zwak.'
En als om zijn woorden kracht bij te zetten, blies hij tegen de muur, als de wolf uit het sprookje.
De muur viel met een denderend geraas om. Lobke zocht naar Roel, maar

ze zag hem nergens meer. Er dwarrelde alleen een briefje door de lucht, en het viel vlak voor Lobkes voeten in het zand.
Lobke raapte het briefje op. *Ik ben bij je weg*, stond er op het briefje. *De muur was te hoog. Groetjes, Roel.*

18

De volgende dag verliep ook het ontbijt in stilte. Matthijs was van de weeromstuit eveneens stil, en keek van zijn papa naar zijn mama en weer terug. Om halfacht vertrok Roel naar school. 'Dag...' Meer zei hij niet.
Lobke kon moeilijk aan de slag komen die dag. De akelige droom had een vervelend gevoel in haar lijf achtergelaten dat ze maar moeilijk kwijt kon raken. De dag van gisteren zat haar ook dwars. Ze kon zichzelf nog steeds voor de kop slaan dat ze vergeten was Matthijs uit de auto te halen. Bovendien vond ze het vervelend dat ze zo stug tegen Roel gedaan had. Aan de andere kant vond ze dat hij ook heel onredelijk gedaan had door zo jaloers te zijn omdat ze nu even meer aandacht gaf aan Joyce. Joyce had haar nu toch harder nodig dan hij?
Om halftien belde Joyce enthousiast naar Lobke. 'Ik heb Peter aan de telefoon gehad. Hij heeft zelf geen vacature, maar hij heeft een collega die wel iemand kan gebruiken, wist hij. Hij zou een goed woordje voor me doen bij Rolf, zo heet die collega, en belt me vanavond terug.'
Fijn! dacht Lobke toen ze opgehangen had. Dan heeft Joyce iets om naar uit te kijken, iets wat haar gedachten verzet. Bovendien is tuinieren iets waar haar hart ligt en waar ze al haar creativiteit in kwijt kan. Dat zal haar door de moeilijke tijd heen helpen.
Want ook al leek Joyce er zich op dit moment aardig doorheen te slaan en was ze gericht op een nieuwe toekomst zonder Ivo, het was toch een hele omschakeling. Ivo was weliswaar vaak weggeweest, maar hij kwam altijd weer terug, en nu stond Joyce er helemaal alleen voor.
Diezelfde avond belde Joyce weer. 'Ik mag morgenmiddag om twee uur op gesprek komen bij Rolf. Kun jij komen oppassen, of mag ik anders de kinderen bij jou brengen?'
Lobke dacht aan Roels reactie toen ze gistermiddag thuiskwam. Morgen was het vrijdag, meestal was Roel dan tussen halfvijf en kwart voor vijf thuis. Maar stel dat hij dan ook weer eerder thuiskwam? Hij zou het niet prettig vinden als ze dan alwéér weg was. 'Breng ze maar hier,' zei ze.
Toen Roel thuiskwam gooide hij zijn tas in de hoek van de kamer. Hij zei alleen maar 'hoi', aaide Matthijs over z'n bol en liep meteen door naar

boven. Even later kwam hij in zijn trainingspak naar beneden. Hij tilde Matthijs op en zei: 'Ga je mee een eindje fietsen met papa?' Voor Lobke iets kon zeggen verdween hij al naar het schuurtje waar de fietsen stonden.
Lobke zuchtte diep. Oké, dacht ze, als het dan zo moet. Ze dacht terug aan wat Aafke haar die keer gezegd had over ruziemaken, en dat ze daar niet bang voor moest zijn. Maar nu begreep ze ook waarom Joyce haar mond hield tegen Ivo als haar wat dwarszat. Soms was dat gemakkelijker.
Pas tegen etenstijd kwamen Roel en Matthijs terug. 'Hij sliep bijna,' zei Roel kort. 'Kunnen we zo eten, dan kan hij naar bed.'
Ze aten weer zwijgend. Matthijs wreef steeds tegen zijn neusje, hij wilde amper eten. Toen hij zijn bordje half leeg had, schoof Roel zijn stoel naar achteren. 'Dat wordt niks meer. Ik breng hem wel naar boven.'
Nadat hij Matthijs in bed gelegd had, hoorde Lobke dat hij ging douchen. Ze had zelf ook geen trek meer en ruimde de tafel af. Even later kwam Roel opgefrist naar beneden.
'Wil je nog een toetje?' vroeg Lobke.
'Nee, dank je.' Hij pakte de afstandsbediening en ging voor de tv zitten zappen. Lobke ruimde de vaatwasser in en wist zich toen even geen houding te geven. Wat moest ze nu doen? Tussen hem en de tv gaan staan en zeggen dat ze wilde praten, nú? Maar wat moest ze dan zeggen?
'Ik ga even naar bure Verschuure,' zocht ze een vluchtweg.
'Oké.'
De buurvrouw vond het altijd gezellig als ze zomaar even aankwam. Ze schonk meteen een kopje thee in, babbelde over de kleinkinderen die zo groot werden, liet de laatste foto's zien, en had blijkbaar niet in de gaten dat Lobke vanavond wel erg zwijgzaam was.
Toen Lobke om kwart voor tien weer thuiskwam, brandde er nog maar één schemerlampje. Roel was blijkbaar al naar bed.
Lobke knipte nog een lampje aan en zette de televisie aan. Ze zat een halfuur te kijken naar de beelden die voorbijkwamen, zonder echt iets te zien. Daarna ging zij ook maar naar bed. Roel sliep al, maar het duurde een hele tijd voor zijzelf in slaap viel.
De volgende morgen was Roel al vertrokken toen ze wakker werd. Ergens was ze daar wel blij om, liever dit dan die snijdende stilte tussen hen.
's Middags om halftwee leverde Joyce de kinderen af. Met haar skinny

jeans, haar felgekleurde T-shirt en haar haren in een paardenstaart zag ze eruit als een schoolmeisje en niet als een moeder van drie kinderen, vond Lobke.

'*Wish me luck*,' zei Joyce. 'Ik vind het gewoon spannend, weet je dat? M'n eerste sollicitatiegesprek in zo lange tijd.'

'Succes!' wenste Lobke haar.

Joyce was nog maar net vertrokken toen Roel belde. Manon en Sofie zaten elkaar net joelend achterna rond de tafel, en Lobke kon hem bijna niet verstaan. Ze vroeg hem te herhalen wat hij zei.

'Ik ben vanavond pas om zes uur thuis,' zei hij. 'Er is aan het eind van de middag een extra overleg ingepland, André heeft gevraagd of ik dáárbij wil zijn.'

'Oké.'

'Kan Joyce niet zonder je, dat ze alweer bij jou zit?' Lobke hoorde de irritatie in zijn stem.

'Nee, ze heeft alleen de kinderen hier gebracht, ze heeft vanmiddag een sollicitatiegesprek.'

'O. Nou, tot vanavond.'

Pas tegen vieren kwam Joyce weer terug. 'Ik mag komen!' Ze juichte bijna. 'Rolf vond het goed dat ik pas na de schoolvakantie begin, per 1 september. Ik ben eerst een maand op proef en als dat van weerskanten bevalt, mag ik drie dagen per week komen: maandag, dinsdag en donderdag. Dan kunnen de kinderen die dagen overblijven op school, en na schooltijd naar de buitenschoolse opvang. Dat is wel op te brengen. Ik ga natuurlijk niet erg veel verdienen, ik heb uiteindelijk geen werkervaring op dat gebied, alleen maar in mijn eigen tuinen, maar Peter schijnt nogal hoog opgegeven te hebben over me. Rolf zei dat ik het eerste jaar maar moest zien als een soort betaalde stage, over een jaar kijken we wel weer, zei hij. Met de alimentatie die ik straks voor de kinderen krijg erbij is het genoeg om van te leven, tenminste, als ik een woning met een redelijke huurprijs kan krijgen. Maar misschien kom ik ook wel in aanmerking voor huursubsidie. Ik zal trouwens weer eens bellen naar de woningbouw of ze al iets hebben voor me.'

'Wil je zo graag weg uit jullie huis?' vroeg Lobke verbaasd. 'En je tuin dan?'

'Die tuin zal ik het meest missen, en ik denk dat ik er volgend jaar een paar keer langs zal fietsen als de goudenregen bloeit, maar het huis is me te groot, als een jas die me te ruim geworden is. Nee, geef mij maar een knus huisje, zoiets als jullie hebben, alleen dan met een slaapkamer meer.'

Hoezo 'knus', dacht Lobke toen ze die avond weer zwijgend tegenover elkaar zaten te eten. Roel was pas tien over zes thuisgekomen, ze konden meteen aan tafel. Maar weer had hij alleen maar 'hoi' gezegd, en hij had zijn aandacht daarna volledig op Matthijs gericht. Ze had de neiging hem een schop te geven en te roepen: 'Ik ben er ook nog!' Maar ze wist bij voorbaat al dat hij dan zou zeggen: 'Precies. En zo voel ik me ook bij jou, nu al jouw aandacht naar Joyce gaat.'
Ze wilde hem vertellen dat Joyce een baan in het vooruitzicht had, maar omdat hij niet vroeg hoe Joyce' sollicitatiegesprek verlopen was en ze ook niet wilde dat hun gespreksonderwerp wéér Joyce was, hield ze haar mond.
Terwijl zij de tafel afruimde, bracht Roel Matthijs naar bed. Wéér alleen, terwijl ze dat meestal samen deden. Nou ja, uiteindelijk heb ik Matthijs de hele dag om me heen gehad, dacht ze, laat hem nu maar met Matthijs bezig zijn.
Toen ze de vaat in de vaatwasser gezet had, keek ze in de gids of er die avond nog iets interessants op de televisie kwam. Om halfnegen kwam de film *Mamma mia!* met Meryl Streep en Pierce Brosnan. Misschien was dat wel wat, ze had diverse malen gehoord dat dat zo'n succes was. Ze hadden wel de cd en draaiden die vaak in de auto, maar ze had de film zelf nog niet eerder gezien. Eigenlijk had ze weinig zin om tv te kijken, maar om nu weer naar de buurvrouw te gaan...
Toen Roel beneden kwam, ging hij meteen achter de laptop zitten en begon aan een spelletje. Lobke schonk thee in, zette het glas bij hem neer en ging voor de tv zitten.
De avond werd zwijgend doorgebracht. Lobke schoot af en toe hardop in de lach om de film, die ze toch wel erg leuk vond. De vrolijke muziek en het zichtbare enthousiasme van de acteurs schoven de onrust in haar lijf wat naar de achtergrond. Lobke verbaasde zich erover dat de makers van de film de bestaande liedjes van Abba zo goed hadden weten in te passen in het verhaal. Af en toe neuriede ze de bekende melodieën mee, en bij het

Say I do voelde ze zich zelfs wat jolig worden. Ze stond op, liep dansend op Roel af en sloeg haar armen om zijn hals, waarbij ze zong:

So come on, now let's try it, I love you, can't deny it
'Cos it's true
I do, I do, I do, I do, I do.

Ze had verwacht dat dit de ijzige kilte tussen hen wat zou ontdooien, maar niets was minder waar. Roel schudde haar armen van zich af en stond bruusk op. 'Ik ga naar bed,' zei hij, en hij voegde de daad bij het woord.
Dit ontnuchterde Lobke zo, dat ze even verdwaasd om zich heen keek. Wat gebeurde er nu? De muziek ging vrolijk door:

So love me or leave me
Make your choice but believe me
I love you
I do, I do, I do, I do, I do.

Het klonk ineens niet meer zo vrolijk in Lobkes oren, zelfs een beetje wrang. *Love me or leave me*? Hou van me of ga bij me weg?
Ze zette de televisie uit en schonk een glaasje wijn voor zichzelf in, waarmee ze aan de tafel ging zitten. Ze zag dat Roel de laptop nog niet afgesloten had, ze ontdekte op het scherm dat hij bezig geweest was met een spelletje Mahjong. Ze klikte het spelletje weg, maar daaronder werd Roels mailbox zichtbaar. Onwillekeurig liet ze haar blik glijden over de laatste mails die hij gekregen had. Bovenaan zag ze een onbekende naam staan: *Claire, mij (7)*. Blijkbaar had hij druk met die Claire zitten mailen.
Ze zocht haar geheugen af of ze ene Claire kende. Nee, nooit van gehoord. Ze staarde naar het scherm en keek wat er achter die naam stond. Het onderwerp was: *Bedankt*, en daarachter stond het begin van de laatste mail: *Nou, ik weet niet wat ik zonder jou had gemoeten. Vanmiddag werd...*
Vanmiddag? Lobke had de neiging om de mail aan te klikken en verder te lezen, te kijken wat er zo over en weer geschreven was. Maar ze bedwong zich en klikte het mailprogramma uit. Daarna sloot ze de laptop af. Ze goot de wijn in de gootsteen en deed de lichten uit.

Met een hoofd vol vragen liep ze naar boven. Moest ze Roel vragen wie die Claire was? Ging hij vreemd? Ze schudde haar hoofd, alsof ze dit niet wilde, niet kón geloven. De vragen en antwoorden in haar hoofd vlogen als pingpongballetjes heen en weer. Ach, waarschijnlijk was het een collega die bij dat extra overleg aanwezig was geweest. Alhoewel, ze had hem nooit gehoord over ene Claire. Nou ja, hij werkte op verschillende scholen en ze kende niet al zijn collega's. Maar wat zou ze bedoeld hebben met 'ik weet niet wat ik zonder jou had gemoeten'? Misschien had ze een agendapunt ingebracht tijdens dat overleg waarbij Roel haar gesteund had. Ja, dat was het vast.
Maar toen ze even later naast Roel in bed lag, duurde het weer lang voor ze in slaap viel.

De volgende morgen werd Lobke met een knallende hoofdpijn wakker. Roel was er al uit en had Matthijs mee naar beneden genomen, ze hoorde hen beneden met elkaar keuvelen.
Ze liep met gesloten ogen naar de badkamer en pakte een paracetamol uit het badkamerkastje. Ze spoelde die weg met een slok water en kroop weer terug in bed. Anderhalf uur later werd ze weer wakker. De hoofdpijn was nu verdwenen. Ze nam een douche en kleedde zich aan. Beneden lag een briefje op tafel: *Ben fietsen met Matthijs.*
Ze schonk een glas thee in en liep ermee naar de woonkamer. Daar zag ze de laptop op tafel staan. De nieuwsgierigheid die ze gisteravond maar net kon bedwingen, drong zich nu weer op.
Claire. Wie zou dat zijn? Ze had er recht op om dat te weten.
Ze klapte de laptop open, startte hem op en stoorde zich niet aan het stemmetje in haar hoofd dat zei dat ze verkeerd bezig was. Ze klikte op de link naar het mailprogramma en zocht de rij mails langs. Daarna fronste ze haar wenkbrauwen: er stond geen Claire meer tussen. Ze zocht nog eens, klikte toen op de Prullenbak, maar ook daar stond geen Claire tussen de rij mails. Roel had die mails blijkbaar gewist.
Wat nu? Ze kon hem toch moeilijk vragen waarom hij dat gedaan had. Dan zou hij er meteen achter komen dat ze in zijn mailbox had zitten snuffelen. Iets waar ze nu al spijt van had. Maar ze kon het niet meer terugdraaien. Nee, beter was het om net te doen alsof ze niets gezien had.

De schoolvakanties braken aan, en de zomer liet zich van zijn beste kant zien. De stranden lagen overvol, elke dag was er sprake van vele files op weg naar een minuscuul plekje op een van de vele stranden die Nederland rijk is.
De tweede week van de vakantie kreeg Joyce een rijtjeshuis toegewezen in het centrum van Oudewater, vlak bij de school van de kinderen. Het had één kleine en twee grote slaapkamers en een open zolder die met een vlizotrap bereikbaar was. Het was echter wel wat verwaarloosd en er moest een hoop aan opgeknapt worden. De vader van Joyce kwam behangen en klussen, en Lobke ging bijna elke dag helpen met verven en sauzen, terwijl Joyce samen met de kinderen in de kleine tuin achter het huis aan de slag ging. Ze betrok de kinderen overal bij, zelfs Matthijs mocht op zijn manier meehelpen met het maken van een speciale kinderhoek, waar Joyce de kinderen een groot gat in de tuin liet graven voor de zandbak.
Roel had als leraar de hele schoolvakantie vrij, en Lobke had nu zelf ook drie weken vakantie. Voor haar laatste week hadden ze een huis op Schiermonnikoog gehuurd. Daar hadden ze zich erg op verheugd toen ze dat van 't voorjaar boekten. De stiltes tussen hen waren langzaam weer opgevuld met de alledaagse gespreksonderwerpen als het weer, wat zullen we eten, wil je toiletpapier meebrengen als je naar de winkel gaat, en meer van dat soort onbenulligheden. In elk geval spraken ze weer met elkaar. Lobke vroeg Roel niet naar de naam Claire, en Roel had geen commentaar meer als ze Joyce ging helpen. Hij leek zich erbij neergelegd te hebben dat Joyce nu even voorging.
Er hing nog steeds een bepaalde spanning tussen hen, die niet goed voelde, maar die ze geen van beiden bespreekbaar maakten. Ze leken zo'n beetje langs elkaar heen te leven, met Matthijs als enige schakel tussen hen. Lobke hoopte dat die week in Schiermonnikoog hen weer wat dichter bij elkaar zou brengen. Ze dacht aan wat Joyce destijds gezegd had over er een week tussenuit gaan met Ivo om tijd en aandacht aan elkaar te geven, en aan haar antwoord op de vraag van Lobke of dat niet te laat zou zijn: 'Ik hoop van niet.' Ze wilde haar relatie met Roel niet vergelijken met die tussen Joyce en Ivo, maar op de een of andere manier kwamen haar gedachten daar steeds weer op uit.
Ze had gevraagd of Roel ook mee wilde helpen in het huis van Joyce tij-

dens zijn vakantie, maar dat had hij geweigerd. 'Wat jij doet in je vakantie moet jij weten, ik vermaak me thuis wel. Of ik ga lekker een eind fietsen met dit mooie weer.' Op de dagen dat Lobke bij Joyce aan het werk was, nam ze Matthijs toch mee, zodat Roel niets te mopperen had. Als ze aan het eind van een lange dag thuiskwam, had Roel meestal het eten al klaar, een enkele keer was hij zelf ook nog niet thuis omdat hij een lange fietstocht maakte.

Aan het eind van de tweede klusweek was het huis zo ver klaar dat het ingericht kon worden. Joyce had toestemming van Ivo om de meeste meubelen mee te nemen. 'Ik krijg in Amerika voorlopig een gemeubileerd appartement van de zaak,' had hij gezegd, 'dus ik neem toch niets mee.' De kamers in het rijtjeshuis waren een stuk kleiner dan in de witte villa, zodat Joyce daar niet alle meubels in kwijt kon. De spullen van de kinderen wilde ze wel zo veel mogelijk meenemen, al lukte dat bij de meisjes niet helemaal, omdat die nu samen op één kamer moesten slapen. Het kleine slaapkamertje had Joyce als speelkamer bestemd. Simon had wel een eigen kamer, de vader van Joyce had voor hem een knusse kamer op de zolder gemaakt, met okergele zijwanden en een donkerrode achterwand. De warme kleuren gaven de kamer een prettige uitstraling, en Simon leek ermee in zijn schik. De vlizotrap moest daardoor wel constant naar beneden staan, maar de overloop was gelukkig ruim genoeg, zodat dat geen bezwaar was.

'Ik zal blij zijn als we hier zitten,' verzuchtte Joyce. 'Straks ons laatste weekend in de villa. Daar is het nu ook niet gezellig meer, met al die ingepakte dozen. Maandag komen de verhuizers en dan hoop ik dat we voor het weekend aan kant zijn. Komen jullie dan kijken volgende week zaterdag? Hoe laat zijn jullie thuis?'

'Dat ligt eraan welke boot we hebben op Schiermonnikoog, die van halfelf of die van halftwee. De boot doet er zo'n drie kwartier over, maar ik denk dat het alles bij elkaar wel een uur duurt voordat iedereen eraf is. En dan zo'n drie uur rijden vanaf Lauwersoog. Nee, ga er maar van uit dat het pas zondag is als we komen kijken. Ik ben heel benieuwd!'

'Ik ook. Bedankt voor je hulp de afgelopen weken.' Joyce kuste Lobke op beide wangen. 'Ik wens jullie een heel fijne vakantie.'

19

Toen Lobke aan het eind van de middag thuiskwam, vond ze Roel in de tuin. Hij lag met zijn ogen dicht op een ligstoel te luisteren naar de muziek van zijn mp3-speler en merkte niet dat zij en Matthijs de tuin in kwamen. Pas toen Matthijs boven op hem klom, deed hij zijn ogen open en knipperde tegen het felle licht van de dalende zon. 'Zijn jullie er al?'
'Nou, ál, het is halfzes,' zei Lobke. 'Maar nu zijn we helemaal klaar, maandag kunnen de spullen verhuisd worden.'
Roel deed zijn ogen weer dicht, maar Matthijs nam daar geen genoegen mee. 'Papa, kom, pele.' Het lukte hem steeds vaker om de k te zeggen.
'Papa is een beetje moe,' stribbelde Roel tegen.
'Waarvan?' vroeg Lobke wat geïrriteerd. Uiteindelijk had zíj de hele dag lopen verven en schoonmaken, terwijl Roel hier in zijn luie stoel lag.
Hij kwam langzaam overeind. 'Ik heb net tweeënveertig kilometer gefietst,' zei hij.
'Zo, dat is een eind.'
'Ja.'
'Ik had gehoopt dat je het eten klaar zou hebben als ik thuiskwam,' zei Lobke, en ze dwong zichzelf rustig te blijven. 'Ik ben heel de dag bezig geweest en ben bekaf. Ik had toch gezegd hoe laat ik thuis zou zijn?'
'Sorry. Niet aan gedacht.'
'En de was? Je hoefde het alleen maar op te hangen. Of heb je die al weggewerkt?' vroeg ze nu wat hoopvoller.
'O ja, die was. Nee, vergeten. Sorry.' Hij keek haar amper aan, blijkbaar voelde hij zich schuldig.
Lobke hield een verwensing binnen en liep met kwade passen naar de bijkeuken. Zou ze de was nu nog buiten hangen? Nee, er zaten een paar spijkerbroeken bij, die werden misschien niet meer droog vanavond. Dan maar in de droger, al druiste dat wel in tegen haar principes als het zulk mooi weer was, maar sommige dingen van de was moesten ze meenemen morgen. Daarna liep ze naar de keuken om aan het eten te beginnen, inwendig foeterend op Roel. Ze keek of er nog een restje van het een of ander in de vriezer lag. Gelukkig, er was nog chinees over van de laatste

keer dat ze dat gehaald hadden, dat kon ze wel opwarmen, gebakken ei en sateetje erbij, dat was zo klaar.
Roel kwam de keuken binnen. 'Kan ik wat doen?' vroeg hij wat timide. Hij zag er woest aantrekkelijk uit met zijn warrige haarbos, zijn ontblote bovenlijf boven de bermuda en zijn gebruinde huid. Maar Lobke was te boos om daar oog voor te hebben. 'Nee, nou doe ik het zelf wel.'
Overlopend van zelfmedelijden dekte Lobke even later met bruuske gebaren de tafel. Ze zette de borden met een harde smak neer. 'Eten!' riep ze kort.
'Kom, Matthijs, handjes wassen,' hoorde ze Roel zeggen. Ze haalde de laatste opgewarmde restjes uit de magnetron en stortte die op een pizzabord. Daarna deed ze twee porties diepvriessaté in de magnetron en bakte snel een paar spiegeleieren.
Toen ze aan tafel zaten riep Matthijs: 'De proekproek!'
O ja, de kroepoek nog. Matthijs was er gek op, en als ze eens iets aten wat hij niet zo lekker vond, hielp het om hem een paar stukjes kroepoek in het vooruitzicht te stellen als hij zijn bordje leegat.
De stilte aan tafel was om te snijden. Lobke was nog steeds boos op Roel, en hijzelf leek ook geen behoefte te hebben aan een gesprek. Hij zat tijdens het eten steeds naar buiten te staren.
Toen ze klaar waren met eten zei Lobke: 'Als jij nu de boel opruimt, leg ik Matthijs in bed. We moeten er morgen bijtijds uit, ik wil uiterlijk om negen uur wegrijden, en ik moet vanavond nog pakken.'
'Oké.'
Lobke liet Matthijs in bad spelen terwijl ze zelf alvast wat handdoeken en toiletspullen klaarlegde om mee te nemen op vakantie. Nadat ze hem in bed gelegd had zocht ze kleding bij elkaar en legde de stapeltjes op een kastje op de overloop. Ook legde ze er wat speelgoed bij voor Matthijs.
Toen ze beneden kwam, zat Roel weer buiten voor zich uit te staren.
Lobke haalde de droger leeg die inmiddels klaar was en vouwde de was op. Een deel van de spullen kon in de kast, een ander deel moest mee. Ze had gisteravond al een hoeveelheid levensmiddelen klaargezet voor de eerste paar dagen, daar hoefden morgen alleen nog wat spullen uit de koelkast bij. Er mochten geen auto's mee naar Schiermonnikoog, en een krat was zo'n gesjouw, dus hadden ze voor de levensmiddelen een kleurige boodschap-

pentrolley bij de Ikea gekocht. Ze legde er een paar keukendoeken en theedoeken bij en keek om zich heen. Moest er verder nog iets mee? O ja, een paar puzzelboekjes, al verwachtte ze niet dat ze daar gebruik van zouden maken, want de weerman gaf voor de hele volgende week goed weer af, en ze waren van plan om fietsen te huren op het eiland en lange tochten te maken.
'Moet je niet naar het nieuws kijken?' vroeg ze aan Roel, die zich niet verroerd had sinds ze beneden was. Haar boosheid was gezakt. Ze had zin in de vakantieweek en wilde die niet met een negatief gevoel beginnen.
'Hè, wat? O, ja, ik kom.'
Die zat zo te zien elders met zijn gedachten.
'Is er wat?'
'Nee, niks. Ik kom.'
Hij stond op en liep langs haar heen naar binnen, waar hij de tv aanzette. Samen keken ze naar het nieuws. Daarna zorgde Lobke voor koffie en thee. Roel zat wat te zappen, maar leek niet echt geïnteresseerd in wat hij zag. Om negen uur zei Lobke: 'Ik ga in bad en naar bed. Kom je ook zo?'
'Ja, ga maar vast, ik kom zo.'
Lobke deed de gordijnen dicht op de slaapkamer en knipte de bedlampjes aan. Daarna kleedde ze zich uit en liet zich in het inmiddels volgelopen bad zakken. Hè, heerlijk! Ze voelde hoe haar vermoeide spieren zich ontspanden in het warme water, ze werd er helemaal loom van. Toen ze merkte dat haar ogen dicht begonnen te vallen liet ze het bad leeglopen en nam ze een lauwwarme douche erachteraan om haar haren te wassen, waar ze weer helemaal van opfriste. Ze droogde zich stevig af en merkte hoe haar lichaam verlangde naar Roel. Het was alweer een tijdje geleden dat ze gevrijd hadden. Ze haalde een kam door haar haren, föhnde ze droog en poetste haar tanden, wierp ten slotte een blik in de spiegel en was tevreden met wat ze zag. Ze pakte het hangertje van het kettinkje dat ze altijd droeg en drukte er een kus op. Daarna liep ze naar hun slaapkamer.
'Kom je zo?' riep ze op de overloop naar beneden.
'Ja, even dit afkijken,' riep Roel terug.
Op de slaapkamer trok Lobke een sexy beha en bijpassend slipje aan en glipte onder de dekbedhoes. Omdat het zo warm was, hadden ze het dekbed eruit gehaald en sliepen ze alleen onder de hoes.

Even later kwam Roel naar boven. Ze hoorde hoe hij een korte douche nam en zijn tanden poetste. Daarna kwam hij in zijn boxershort de slaapkamer in en stapte naast haar in bed. Hij wilde haar welterusten kussen, maar zag toen pas wat ze aanhad. Lobke probeerde hem zo zwoel mogelijk aan te kijken.
Hij reageerde alleen niet zoals ze gehoopt had, maar gaf haar wat schichtig een snelle kus, knipte het bedlampje aan zijn kant uit en zei: 'Welterusten.' Daarna draaide hij zich op zijn zij, met zijn rug naar haar toe.
Het was als een koude douche. Lobke voelde de lust in haar lijf wegsijpelen als water in het afvoerputje. Nijdig knipte ze het bedlampje aan haar kant ook uit en keerde haar rug naar hem toe. Ze voelde zich nu meer dan belachelijk in haar sexy outfit, maar had geen zin om uit bed te gaan en het T-shirt aan te trekken dat ze gewoonlijk droeg. Weer moest ze denken aan Joyce en Ivo, en aan de bijna identieke ervaring van Joyce. Alleen had Ivo niet eens gezien dat Joyce zich sexy voor hem aangekleed had, terwijl Lobke er zeker van was dat Roel het bij haar wél gezien had.
Ze lag een tijd voor zich uit te staren en hoorde aan de ademhaling van Roel dat hij ook niet kon slapen, maar vertikte het om als eerste iets te zeggen. Dat moest híj nu maar eens doen! Tenslotte was hij degene die haar dat akelige gevoel van afgewezen zijn bezorgd had.
Het duurde nog een lange tijd voor ze in een onrustige slaap viel.

De volgende morgen was ze vroeg wakker. Roel was er al uit, zag ze. Ze stapte uit bed, trok eerst met een nijdig gebaar het sexy ondergoed uit en gooide dat op een stoel. Daarna kleedde ze zich aan en ging naar beneden. Roel was er niet, er lag een briefje: *Ben hardlopen.*
Lobke zette thee voor zichzelf en ging ermee in de tuin zitten. De vele vragen rondom Roels gedrag gisteravond buitelden door haar hoofd. Vond hij haar niet meer aantrekkelijk? Waar kwam die afwezige blik vandaan die hij gisteren gehad had? Nu ze erover nadacht, was hij niet al een paar dagen zo afwezig geweest? Ze had het alleen zo druk gehad bij Joyce dat ze er nauwelijks aandacht aan besteed had. Kwam het niet meer goed tussen hen? Kwam die week Schiermonnikoog te laat? Waren na Ivo en Joyce nu zij aan de beurt?
Toen Matthijs riep dat hij wakker was, ging ze hem halen en kleedde hem

aan. Zijn gezellige gekeuvel deed de tranen in haar ogen springen. Och Matthijs, hoe moet dat met jou als jouw papa en mama ook... Ze wilde er niet aan denken.
De week op Schiermonnikoog, waar ze zo naar uitgekeken had, lag nu als een lange, moeizame periode voor haar. Hoe kwamen ze die week door?
Ze maakte voor Matthijs alvast een boterham klaar en zette hem in de kinderstoel. Terwijl hij smakelijk zat te eten, gingen haar gedachten naar Roel. Waar zou hij nu zijn?
Pas om kwart over acht kwam hij bezweet achterom de tuin in. Hij liep meteen door naar boven. 'Even douchen,' hijgde hij.
Lobke dekte de tafel voor hen beiden en gaf Matthijs nog een boterham. Even later kwam Roel naar beneden. Hij keek haar wat verlegen aan.
'Sorry, maar ik moest er even uit.'
Sorry. De laatste tijd leken ze steeds vaker 'sorry' tegen elkaar te zeggen.
'Wat is er aan de hand, Roel?' Ze moest het vragen.
'Niks. Niks belangrijks.'
'Vertel het me maar, dan bepaal ik zelf wel of het belangrijk is.'
'Er is niks. We moeten zo weg.'
'Ik ga niet weg voor je me vertelt wat er is. Desnoods nemen we een boot later. Of we gaan helemaal niet, dan bel ik wel dat er iets tussen gekomen is.'
Roel leek zich ongemakkelijk te voelen. 'Het is echt niks. Laat me maar even.'
Lobke aarzelde. Moest ze nu vragen waarom hij gisteren niet reageerde op haar sexy ondergoed? Dat vond ze nu zo goedkoop staan, alsof ze zichzelf aan hem op had willen dringen.
Roel zag haar aarzeling. 'Toe,' zei hij, 'laten we nu maar gaan. Anders zijn we te laat voor de boot. Moet er nog iets ingepakt worden?'
'Alleen de kleren nog, maar die liggen al klaar op de overloop.'
'Verder nog iets?'
'Wat mee moet uit de koelkast zit al in een plastic tasje, dat moet nog in de trolley.'
'Doe ik.'
'In de broodtrommel ligt een zak krentenbollen voor tussen de middag.'
'Oké.'

'En de buggy moet ook mee.'
'Als jij de koffers nu inpakt, zet ik Matthijs vast in de auto, en de buggy en de trolley. Moeten de laarzen en regenpakken nog mee voor als het regent?'
'Ze geven geen regen af voor volgende week.' Gewone zinnen in een ongemakkelijke situatie zorgden voor een laagje 'er-is-niets-aan-de-hand'.
Lobke ging naar boven en pakte de koffers in. Ze nam nog een boek mee van haar nachtkastje en liep naar beneden. Roel pakte de koffers van haar aan en deed die in de kofferbak.
Lobke keek de kamer rond. Niets vergeten? Alle papieren zaten in haar handtas, haar portemonnee en telefoon ook. De buurvrouw had een sleutel en zou voor de post en de planten zorgen. Lobke voelde of de achterdeur op slot zat en liep toen naar de voordeur toe, die ze achter zich op het nachtslot deed. Roel zat al achter het stuur van de auto, en startte toen zij instapte.
Het was bijna drie uur rijden naar Lauwersoog. De rit werd zwijgend afgelegd. Roel zette de radio aan om de stilte te doorbreken. Meestal luisterden ze naar Sky Radio, maar al de derde plaat die gedraaid werd was *Say I do* van Abba. Lobke zette meteen de radio uit, en weer was het stil.
Bij Emmeloord dronken ze koffie in een wegrestaurant en kreeg Matthijs een schone luier. Toen ze weer verder reden, zocht Lobke een kinder-cd op, en even later klonken de vrolijke tonen van *Dikkertje Dap* door de auto, een gouwe ouwe, die het bij Matthijs goed deed, vooral het laatste versje. Zodra Dikkertje Dap van de rug van de giraffe naar beneden gleed, riep hij al: 'Boem au!' en schaterde het daarbij uit. 'Nog keer!' riep hij tot drie keer toe, en hij probeerde zelfs al een beetje mee te zingen door de laatste woordjes te herhalen. Zijn vrolijke lach bracht eindelijk wat verbetering in de stugge sfeer.
Op het terrein van de veerpont in Lauwersoog was het een drukte van belang. De boot lag er al. Ze reden de auto in de parkeergarage, zetten Matthijs in de buggy en wandelden met de koffers en de trolley naar de boot. De koffers en de trolley moesten in de bagagewagens die klaarstonden. Lobke had via internet al tickets gekocht, dus hoefden ze daarvoor niet in de rij te staan.
Precies om halfeen zette de boot zich in beweging. Ze hadden een plekje gezocht op het dek en Matthijs genoot met volle teugen, er was ook zo veel

te zien. Af en toe glimlachten Roel en Lobke naar elkaar als hij stralend wees naar weer iets nieuws: 'Kijk, papa, boot!' 'Kijk, mama, vofol.' En toen Roel een stukje krentenbol naar de 'vofol' – een zeemeeuw – wierp en de vogel dat in de vlucht opving in zijn bek, was het feest compleet. 'Nog keer! Nog keer!'
Op Schiermonnikoog stonden diverse bussen klaar die de toeristen naar de verschillende locaties zouden brengen. Lobke en Roel hadden een huisje gehuurd aan de rand van het dorp, met uitzicht over bos en duin. De bus bracht hen tot vlak bij het huisje.
Matthijs keek nieuwsgierig rond. 'Mooi,' constateerde hij tevreden. Ook binnen kon het zijn goedkeuring wegdragen. Ze wezen hem waar hij zou slapen, maar hij had het laatste stukje in de auto geslapen en was nu veel te wakker om een middagdutje te willen doen, dus besloten ze eerst het dorp te verkennen. Ze bewonderden de lieflijke huisjes, liepen onder de botten van een reusachtige onderkaak van een blauwe walvis door die als twee reuzenslagtanden omhoog stonden, en dronken op een zonnig terrasje een glas fris. Daarna wandelden ze weer terug naar het huisje.
In de voortuin waren een schommel, een wip en een zandbak, en op het kleine terras achter het huis stonden wat tuinmeubelen. Terwijl Roel met Matthijs buiten speelde, pakte Lobke de koffers uit en zette de levensmiddelen in de keukenkastjes. Om een uur of vijf maakte ze beslag en bakte een stapel pannenkoeken, die ze buiten op het terras opsmikkelden. Matthijs vond het geweldig dat hij op een gewone stoel mocht zitten.
Het was een enerverende dag voor hem geweest, en om zes uur zat hij al in zijn oogjes te wrijven. Bedtijd dus voor de kleine man. Nog één verhaaltje, en binnen vijf minuten sliep hij.
Roel zette koffie voor zichzelf en thee voor Lobke, en even later zaten ze loom op het terrasje in de dalende zon.
Lobke legde haar hoofd in haar nek. 'Hè, heerlijk is het hier.'
'Ja, mooi plekje.'
Even was het stil. Vanuit de verte drongen de geluiden van de badgasten tot hen door.
'Hoe staat het nu tussen ons?' vroeg Lobke toen. De vraag was de hele dag op de achtergrond aanwezig geweest en drong zich nu weer op.

Roel ging overeind zitten en deed zijn handen voor zijn gezicht.
'Ik...'
Lobke wachtte. Boven hen krijste een meeuw, alsof hij hen uitlachte.
Roel wreef over zijn gezicht. 'Ik...' begon hij weer.
'Dat heb je al gezegd, nu het volgende woord,' zei Lobke droog.
Roel keek haar aan. 'Wat? O... ja.'
Hij haalde zijn hand door zijn krullen, boog zich toen voorover, met zijn ellebogen op zijn bovenbenen, zijn handen gevouwen, starend naar de grond. 'Ik weet het niet.'
Lobke zuchtte. 'Ik ook niet. Maar als wij het al niet weten, terwijl het ons aangaat, hoe moeten we daar dan ooit uit komen?'
Roel haalde zijn schouders op.
'Ik heb zo uitgekeken naar deze week,' zei Lobke. 'Ik weet dat het de laatste tijd niet zo goed ging tussen ons, maar ik had gehoopt dat deze week...'
Ze zuchtte weer. 'Ik had gehoopt dat het deze week weer goed zou komen tussen ons.'
'Kan dat nog?' vroeg Roel.
Lobke schrok. Kan dat nog, vroeg hij. Was het dan toch te laat?
'Ik moet je iets vertellen,' zei Roel toen.
Dat klinkt onheilspellend, dacht Lobke. Ze zei niets maar keek hem fronsend aan.
'Ik zat nogal met mezelf in de knoop de laatste tijd,' vervolgde Roel.
'Ja, dat was te zien.'
'Ik...' Hij keek haar aan, en Lobke schrok van de lege blik in zijn ogen. 'Er was een meisje, een leerling...'
Een meisje? Het begon Lobke iets te dagen wat hij bedoelde. Ze zei echter niets.
Roel leek nu de moed verzameld te hebben om het te vertellen. 'Soms zijn er meiden in de klas... Nou ja, je weet wel, je zult dat zelf misschien ook wel gehad hebben toen je nog op school zat... Soms zijn er een paar die nogal flirterig zijn...'
Hij haalde even diep adem en ging toen verder: 'Dat hoort erbij, dat is onschuldig, elke jonge leraar zal dat weleens meemaken. Het stelt niets voor. Maar toen...'
Lobke vroeg zich af of ze wel wilde horen wat hij ging vertellen.

'In februari kwam er een nieuw meisje op een van de scholen waar ik lesgeef. Claire heet ze.'
Lobke schrok. Claire! Nu zou ze horen wie er achter die naam zat.
'Ze kwam uit Vlaanderen, haar vader had een baan in Utrecht gekregen en het gezin was naar Nederland verhuisd. Ze zag er goed uit, had een charmant Vlaams accent, en was erg sportief, deed fanatiek mee met de lessen, vooral bij volleybal. Ik moedigde haar aan om op een volleybalvereniging te gaan, en dat deed ze ook meteen. Soms...' Zijn stem stokte.
Weer een diepe zucht. 'Soms bleef ze na de les een poosje met me praten, gewoon, vertellen over de wedstrijden die ze gespeeld had. Daar zag ik niks kwaads in, ook niet toen een paar klasgenoten suggestieve opmerkingen in onze richting begonnen te maken. Ik zei dan alleen dat ze niet zo flauw moesten doen. Maar toen kwam de laatste les voor de vakantie...'
Lobke keek gespannen naar hem, maar zei nog steeds niets.
'Ik merkte dat ik het jammer vond dat ik haar acht weken niet zou zien. Dat ik naar de momenten met haar uitkeek. Jij had het druk met Joyce, ik voelde me een beetje in de steek gelaten door jou. Terwijl zij... Zij zág me tenminste. En toen zei ik die laatste les...'
Praat nou eens dóór, joh, dacht Lobke. Ze leunde wat achterover, als om wat afstand te nemen van wat er nu kwam.
'Ik zei die laatste les dat ik onze gesprekken zou missen in de vakantie, en toen stelde zij voor om een keer wat te gaan drinken. Gewoon, om bij te praten. Zij zou nog een toernooi hebben, en dan kon ze me vertellen hoe dat gegaan was. Ze gaf me haar mailadres en ik gaf haar het mijne, zodat we een keer een afspraak konden maken. Diezelfde avond mailde ze me al om me te bedanken voor de aandacht die ik haar gegeven had, en ze schreef dat ze uitkeek naar onze afspraak.'
Hij keek haar aan. Er stonden tranen in zijn ogen, zag ze.
'Ik merkte dat ik de eerste weken van de vakantie, toen jij al die dagen bij Joyce aan het werk was, vaak aan haar moest denken. Aan de ene kant voelde ik me daar schuldig over, aan de andere kant bleef ik mezelf voorhouden dat het niets voorstelde, dat ik niet vreemdging of zo. Maar ik wiste wel telkens haar mails, omdat ik niet wilde dat jij erachter kwam, en dat voelde weer niet goed.'
'Ik heb een keer zo'n mail gezien,' biechtte Lobke op. En toen Roel ver-

baasd opkeek vervolgde ze: 'Niet gelezen, hoor. Nou ja, bijna. Toen jij boos naar boven ging omdat ik om je nek hing bij het zingen van *Say I do*, had je de laptop niet afgesloten en zag ik 'm. Ik heb hem toen niet gelezen, maar wilde dat de volgende dag alsnog doen, en toen zag ik dat jij die mail al gewist had. Ik had er meteen spijt van, ik had het ook nooit mogen doen, en ik heb verder nooit meer in je mailbox gekeken, maar ik durfde je er niet naar te vragen.'
Roel leek niet eens verbaasd, hij haalde alleen zijn schouders op. 'Zij doet vakantiewerk in het restaurant bij de Hema,' ging hij verder, 'dus hadden we daar afgesproken, dan zou het ook niet opvallen als wij samen iets zaten te drinken. Gistermorgen was het zover. We hebben samen koffiegedronken, zij vertelde over het toernooi. En toen... toen pakte ze opeens mijn hand en zei ze dat ze zo veel aan die gesprekken met mij had gehad. Dat dat haar verzoend had met de verhuizing naar Nederland, want daar had ze erg tegen opgezien. Ik wilde... ik wilde niet dat ze mijn hand losliet, en tegelijkertijd moest ik steeds maar aan jou denken, en aan wat je me vertelde over die cliënt die je graag aanraakte. Ik merkte zelfs dat mijn lijf reageerde op haar aanraking, iets wat ik zowel wel als niet wilde, heel raar, en erg verwarrend. Toen ze vroeg of we nog eens af zouden spreken, heb ik gezegd dat het me verstandiger leek om dat niet te doen. Ik ben bijna meteen daarna weggegaan en ben een heel eind wezen fietsen, alsof ik daarmee dat gevoel in m'n lijf kwijt kon raken. Dat lukte niet echt, ik bleef er maar aan denken. En toen jij gisteravond... Ik kon het niet, ik was bang dat ik, terwijl ik met jou aan het vrijen was, alleen maar aan haar zou denken, en dat wilde ik niet. Snap je?' Hij keek haar smekend aan.
Ja, Lobke snapte het helemaal. Tijdens Roels verhaal was haar meteen duidelijk geworden waarom hij gisteravond niet op haar avances was ingegaan. Ze worstelde met haar gevoelens. Enerzijds voelde ze weer de afwijzing die ze de avond daarvoor ervaren had, anderzijds ervaarde ze Roels afwijzing als een vorm van respect voor haar en haar lichaam.
'Snap je?' vroeg Roel nog eens.
Lobke knikte langzaam. 'Ja, ik snap je. Snap je nu ook wat ik voelde naar die cliënt toe?'
'Ja, nu wel. Tenminste, ietsje beter.'
Lobke fronste haar wenkbrauwen. 'Ben je verliefd op haar?'

Roel dacht even na. 'Ik weet het echt niet. Het leek totaal niet op wat ik voel bij jou, maar het was wel prettig, voor even. Ik denk dat ik jouw aandacht miste, en dat ik daarom...'
'Hoho!' onderbrak Lobke hem. 'Nu leg je de schuld bij mij neer. Omdat ik jou niet genoeg aandacht gaf, richtte jij jouw aandacht maar op iemand anders?'
Roel haalde zijn schouders op. 'Het had er wel mee te maken.'
Lobke zwaaide haar vinger waarschuwend heen en weer. 'Neenee, meneertje, zo zijn we niet getrouwd! Weet je nog wat je zelf zei toen mijn moeder beweerde dat verliefd worden iets was wat je overkwam? Jij was het daar beslist niet mee eens, volgens jou had je daar zelf invloed op. Dus nu spreek je jezelf gigantisch tegen!'
Roel voelde dat hij klem zat. 'Oké,' gaf hij toe, 'misschien had ik toen ongelijk.'
'Misschien?'
Hij zuchtte. 'Oké, ik had ongelijk, en je moeder had gelijk.'
'Zij zei dat je niks kon doen aan wat je overkwam, maar wel aan hoe je daarmee omging.' Lobke keek Roel doordringend aan. 'Ik ben blij met de manier waarop je daarmee omgegaan bent.'
'Ben je niet boos op me?'
'Nee. Eerst wel, maar nu niet meer. Ik ben blij dat je me verteld hebt wat je dwarszat. En achteraf ben ik zelfs blij dat je gisteravond niet met me gevrijd hebt. Al voelde ik me daar op dat moment ontzettend akelig onder. Ik was zelfs even bang dat wij dezelfde kant op zouden gaan als Joyce en Ivo.'
Roel stond op en kwam op zijn knieën voor haar zitten. Hij pakte haar handen beet, keek haar aan en zei: 'Zullen we afspreken dat wij het niet zover laten komen?'
'Joyce en Ivo hebben die illusie misschien ook wel gehad.'
'Wij zijn Joyce en Ivo niet. Wij zijn Roel en Lobke, en wij doen het op onze manier. Ik heb je trouw beloofd, en ik ben nog steeds van plan om me daaraan te houden.'
'Ik ook.' Ze boog zich naar hem over en kuste hem.
Hij kuste haar innig terug. Toen zei hij met een ondeugende blik in zijn ogen: 'Heb je dat sexy setje nog meegenomen?'

Lobke schoot in de lach. 'Nee, dat ligt thuis op een stoel.'
Hij stond op en trok haar overeind. 'Nou ja, dan doen we het maar zonder. Dan laat ik mijn boxershort ook uit, goed?'
Lachend en met de armen om elkaar heen geslagen liepen ze naar binnen.

20

Het was de laatste zaterdag van september. Het beloofde een mooie, zonnige dag te worden. Lobke stond klaar om opgehaald te worden door Joyce voor hun vijfentwintigjarig jubileum als vriendinnen. Ivo had gistermiddag Simon, Sofie en Manon opgehaald voor een weekend bij zijn ouders. Zondagmiddag mochten ze mee naar Schiphol om Ivo uit te zwaaien, en daarna zouden ze weer thuisgebracht worden door hun opa en oma.

Klokslag halftien kwam Joyce toeterend aanrijden. Lobke kuste Roel en Matthijs gedag en liep naar buiten. 'Veel plezier vandaag!' riep Roel hen na.

'Ik voel me net alsof ik op schoolreisje ga,' lachte Lobke. 'Wat gaan we doen?'

'Dat zie je vanzelf wel,' zei Joyce. Zij had het programma voor vandaag opgesteld. 'Dan kan ik tenminste iets terugdoen voor alles wat je voor mij gedaan hebt.'

Ze hoefden niet ver te rijden. Joyce reed haar auto in een parkeergarage onder Hoog Catharijne. 'Zo, nu eerst koffie!'

Ze nam Lobke mee naar een gezellige koffietent. 'Wat wil je? Cappuccinootje? Espressootje?'

'Doe mij maar een latte macchiatootje.'

'En wat wil je erbij?'

'Wat hebben ze?'

'Kom maar kijken.'

Ze kozen allebei een appelnotentaartje en vonden een plaats bij het raam.

'Hoe is het met je?' vroeg Lobke, nippend van de hete koffie.

'Goed, ik kan niet anders zeggen. Mijn baan bevalt prima, en ik heb deze week mijn eerste salaris gestort gekregen. Dat was een hele belevenis na zeven jaar!'

'En hoe bevalt tot nu toe de combinatie werk en gezin? Want dat zal toch een hele overgang zijn.'

'Dat is het ook, maar dat valt niet tegen. Ook de kinderen doen het goed. Ze hebben het naar hun zin op de buitenschoolse opvang, er is daar een leuke groep.'

‘En heeft Simon z’n draai al een beetje gevonden in jullie nieuwe huis?’
‘Ja, gelukkig wel. De villa lag toch wel erg afgelegen, en de mensen die daar wonen zijn bijna allemaal al op leeftijd. Nu wonen we in een kinderrijke buurt en hij heeft al een paar vriendjes, ook die Tom die bij hem in de klas zit, die woont bij ons achter.’
‘En Ivo?’
‘Ivo vertrekt morgenmiddag naar San Francisco. Hij heeft er veel zin in.’
‘En tussen jullie?’
‘Eigenlijk best goed. Zelfs beter dan de laatste jaren. Misschien omdat ik nu geen verwachtingen meer heb naar hem toe, en hij zijn aandacht helemaal kan richten op zijn werk. Nee, ik heb nog steeds geen spijt van de scheiding.’
‘Is het huis al verkocht?’
‘Nee, nog steeds niet, er zijn zelfs nog geen kijkers geweest. Voordat wij erin trokken heeft het ook een tijd leeggestaan, het zal wel te duur zijn vóór de meeste mensen.’
‘En de tuin?’
‘Ik ga er elke zaterdag met de kinderen naartoe en probeer hem zo veel mogelijk bij te houden. Dat heb ik ook aan Ivo beloofd. Verder houden de buren een oogje in het zeil, die van Gabriëlse.’
‘Peters ouders. Hoor je nog weleens wat van hem?’
‘Ja.’ Joyce lachte breed. ‘Sinds hij weet dat Ivo en ik officieel gescheiden zijn, zelfs zeer regelmatig.’
‘O, vertel eens?’
‘Hij helpt me ’s zaterdags in de tuin van de villa, “burenhulp” noemt hij dat.’
Lobke lachte. ‘Zo zo...’
‘En morgenmiddag hebben we onze eerste date.’
‘Zo zo!’ herhaalde Lobke, nu iets luider en met opgetrokken wenkbrauwen. ‘Gaat dat niet te snel?’
‘We doen kalm aan, hebben we afgesproken, ook voor de kinderen. Maar ik vind hem wel heel erg leuk. Hij is zo anders dan Ivo. Ivo gaat voor “veel” en “meer” en “later” en “belangrijk”, Peter is tevreden met wat hij heeft en leeft meer in het hier en nu. Dat past ook veel beter bij mij, voor mij hoefde al dát uiterlijk vertoon niet, waar Ivo juist zo gek op was.’

'En hoe zouden de kinderen dat vinden?'
'Ze kunnen alle drie goed met hem opschieten en hij gaat hartstikke leuk met hen om, zeker als je bedenkt dat hij geen ervaring met kinderen heeft. Simon heeft zelfs al een keer een tekening voor hem gemaakt, en dat zegt heel wat. Die tekening hangt nu in Peters kantoortje.'
'Hoe zou Ivo het vinden als jij weer een relatie krijgt?'
Joyce haalde haar schouders op. 'Ik denk dat hij het prima vindt, zolang hij er geen last van heeft. Ik verwacht trouwens niet dat hij heel lang single zal blijven. Dames genoeg die hem wel zien zitten. Maar hoe is het met jou?'
'Goed! Helemaal gelukkig met man en kind. Volgende maand gaan we weer een week naar datzelfde huisje op Schiermonnikoog waar we van de zomer geweest zijn. Daar hebben we goede herinneringen aan, en die willen we vasthouden. Alleen nemen we dit keer onze eigen fietsen mee. Roel heeft nog dagen zadelpijn gehad van die fiets daar.'
'En met Matthijs?'
'Dat kun je zelf zien als je volgende week zaterdag op zijn verjaardag komt. Blijven jullie dan eten?'
'Gezellig, dan zie ik de rest ook weer eens. Met je ouders en de rest alles goed?'
'Met m'n ouders gaat het goed, met Aafke, Tim en de kinderen ook. Afgelopen woensdag was Stijn jarig, die is nu ook alweer vier. Sanne was er dit keer ook bij, met haar gaat het nog steeds op en neer. En m'n opa en oma waren er niet, m'n oma wordt steeds krakkemikkiger. Morgenmiddag gaan we haar weer eens opzoeken, want ze kan met Matthijs' verjaardag ook niet meer komen.'
Joyce stond op. 'Goed, we hebben de laatste nieuwtjes uitgewisseld, de koffie en de taart zijn op, nu naar punt twee van de agenda.'
Lobke liep nieuwsgierig achter haar vriendin aan. 'Punt twee' was een korte wandeling door de binnenstad, gevolgd door 'punt drie': een bezichtiging van de prachtige Domkerk en 'punt vier': een heerlijke pannenkoek in de Oude Muntkelder.
'Zo, nu gaan we naar punt vijf: Betje,' zei Joyce toen ze de pannenkoek ophadden.
'Wie is Betje?' vroeg Lobke.
'Kom maar mee.'

'Betje' bleek 'Betje Boerhaave', het piepkleine kruideniersmuseum in Utrecht. Lobke maakte een hoop foto's. 'Die zullen m'n opa en oma leuk vinden, dat is bijna allemaal uit hun tijd!' In het winkeltje kochten ze wat oud-Hollands snoepgoed, zelfs hadden ze er ulevellen uit het liedje van Jarig Jetje. 'Voor m'n oma.'
Na een drankje op een terrasje volgde het volgende punt op de agenda: een rondvaart door de Utrechtse grachten. Dat gaf een heel andere kijk op Utrecht.
'Wat een heerlijke dag, joh,' zei Lobke, genietend van de zon en het zachte briesje. 'En fijn dat het weer zo meewerkt.'
'We hebben ook heel wat te vieren,' zei Joyce. 'Vijfentwintig jaar lief en leed.'
'Vijfentwintig jaar, een hele tijd,' zei Lobke. 'Er zijn mensen die dat niet eens halen.' Ze moesten allebei denken aan Anneke, een klasgenote die nog maar net vijftien was toen ze op haar fiets van school naar huis geschept werd door een vrachtwagen en na drie dagen in coma gelegen te hebben overleden was.
'Er was ook een tijd dat we bang waren dat jij dat niet zou halen,' zei Joyce. Ze dachten aan de tijd dat Lobke ernstig ziek was, een tijd van chemokuren en bestralingen, van hoogte- en dieptepunten.
Lobke voelde aan het kettinkje om haar hals. 'Ja. Roel en ik zijn ook alweer ruim dertien jaar bij elkaar.'
En gelukkig, voegde ze daar in gedachten aan toe. Het ging weer goed tussen hen. Ze hadden een heel fijne week gehad op Schiermonnikoog, waarin ze veel met elkaar gepraat hadden. Veel hadden móéten praten, om alle wrijving die er tussen hen geweest was, uit de weg te ruimen. Het was niet altijd even eenvoudig geweest, maar ze waren er hechter uit gekomen. Het was alsof het letterlijk afstand nemen, het gesprek in een andere omgeving houden, hen geholpen had om met wat meer afstand naar hun situatie en hun wrijvingen te kijken. De week Schiermonnikoog bleek niet te laat te zijn, maar juist de start van een nieuw begin.
Zodra ze terug waren had Roel geregeld dat hij dit schooljaar geen les hoefde te geven aan de klas van Claire, en volgend jaar zou ze van school af zijn.
'Vijfentwintig jaar,' ging Joyce verder. 'Nog even en dan zijn we al dertig.

Wat klinkt dat ineens oud.' Ze staarde dromerig voor zich uit. 'Weet je nog dat ik vertelde dat ik de Terminator tegenkwam in dat tuincentrum? En dat ik zo schrok hoe iemand in tien jaar tijd zo oud kon worden? En dat hij en zijn vrouw er zo verzuurd uitzagen? Ik zag ineens hoe ik zelf over tien of twintig jaar naast Ivo zou lopen, met een dure jurk en een prachtig kapsel, maar met verzuurde idealen en vergane dromen. Dat beeld heb ik nu gelukkig niet meer.'
Na de boottocht wandelden ze langs de grachten. Ze kochten een ijsje, bekeken wat winkels, en gingen toen op zoek naar een gezellig restaurant.
'Jij mag het uitzoeken,' zei Joyce gul.
Lobke koos een restaurant aan het water. Het was er gezellig druk, en de livemuziek gaf een feestelijk tintje aan hun uitje.
Op de menukaart stond een 'verrassingsmenu', en ze besloten dat allebei te nemen. 'En dan maar hopen dat ons de komende jaren nog meer positieve verrassingen te wachten staan,' zei Joyce vrolijk.
Omdat Joyce nog moest rijden, nam ze geen wijn, en Lobke was loyaal en bestelde net als Joyce versgeperst sinaasappelsap.
Ze hieven beiden het glas naar elkaar. 'Op de volgende vijfentwintig jaar,' zeiden ze tegelijk. 'En dat we meer lief dan leed zullen hebben,' vervolgde Joyce.
'Bedankt voor deze fijne dag,' zei Lobke. 'Het was echt een feestje.'
Ze voelde zich dankbaar. Dankbaar voor de vriendin die ze nu al vijfentwintig jaar kende. Dankbaar voor Roel, met wie ze nu al ruim dertien jaar samen was, en dankbaar omdat het tussen haar en Roel weer beter ging, en ze allebei vol vertrouwen de toekomst tegemoetgingen. Dankbaar voor Matthijs, van wie ze nu al bijna drie jaar mocht genieten. Dankbaar voor haar gezondheid, die niet vanzelfsprekend gebleken was. Dankbaar voor haar ouders en zusjes, haar grootouders, alle mensen die haar dierbaar waren. Dankbaar dat ze kon genieten van kleine dingen, van zoiets simpels als een glas versgeperst sinaasappelsap.
Ze hief haar glas nog een keer, niet alleen op Joyce, maar ook op het leven zelf. 'Proost!'